欢乐英雄 上

古 龙 著

河南文艺出版社
·郑州·

古 龙

1938—1985

作为华语小说界一代宗师，“古龙”二字本身已成为一个文化符号。

古龙以惊人的才华，创作出《小李飞刀》《陆小凤》《楚留香》等七十多部精彩绝伦的经典。这些作品中涌动着永恒的热血、自由和生命力，不仅征服了一代代读者，更引发了巨大的文化浪潮，被无数次改编为影视、游戏、动漫，风靡整个中文世界，半个世纪风行不衰。

古龙为人，像他笔下的英雄们一样，豪气干云、放浪形骸、嗜酒如命、风流倜傥。其传奇一生的尽头，在医生下达严禁饮酒的告诫之后，豪饮三天三夜，大醉归西。

古龙是孤独的，一颗滚烫狂放的自由灵魂，与冷漠的现实世界显得那么格格不入；古龙又是幸运的，无数读者通过他的作品与他成为了知己。

中文世界如果没有古龙，将多么寂寞！没有读过古龙的人生，将多么寂寞！

说说武侠小说[1]

——《欢乐英雄》代序

《欢乐英雄》又是个新的尝试，因为武侠小说实在已经到了应该变的时候。

在很多人心目中，武侠小说非但不是文学，不是文艺，甚至也不能算是小说，正如蚯蚓虽然也会动，却很少人将它当做动物。

造成这种看法的固然是因为某些人的偏见，但我们自己也不能完全推卸责任。

武侠小说有时的确写得太荒唐太无稽，太鲜血淋漓，却忘了只有“人性”才是每本小说中都不可缺少的。

人性并不仅是愤怒、仇恨、悲哀、恐惧，其中也包括了爱与友情、慷慨与侠义、幽默与同情的，我们为什么要着重其中丑恶的一面呢？

还有，我们这一代的武侠小说若算由平江不肖生的《江湖奇侠传》开始，至王度庐的《铁骑银瓶》，和朱贞木的《七杀碑》为一变，至金庸的《射雕英雄传》又一变，到现在已又有十几年了。

这十几年中，出版过的武侠小说已算不出有几千几百种，有的故事简直已成为老套，成为公式，老资格的读者只要一看开头，就可以猜到结局。

所以武侠小说作者若想提高自己的地位，就得变！若想提高读者的兴趣，也得变。

有人说，应该从“武”，变到“侠”，若将这句话说得更明白些，也就是说武侠小说中应该多写些光明，少写些黑暗。

1　本文初刊登于1971年2月17日香港《武侠春秋》第四十六期。——编者注

多写些人性，少写些血！

也有人说，这么样一变，武侠小说根本就变了质，就不是“正宗”的武侠小说了，有的读者根本就不愿接受，不能接受。

这两种说法也许都不错，所以我们只有尝试，不断地尝试。

我们虽不敢奢望别人将我们的武侠小说看成文学，至少总希望别人能将它看成“小说”，也和别的小说有同样的地位，同样能振奋人心，同样能激起人心的共鸣。

《欢乐英雄》每一小节几乎都是个独立的故事，即使分开来看，也不会减少它的趣味——如果它还有一点趣味，这尝试就不能算失败。

目　录

001 / 第一章　郭大路与王动

014 / 第二章　燕七与蚂蚁

030 / 第三章　林太平

042 / 第四章　元宝·女人·狗

060 / 第五章　剑和棍子

074 / 第六章　送不走的瘟神

082 / 第七章　床底下的秘密

088 / 第八章　麦老广和他的烧鸭子

100 / 第九章　菩萨和臭虫

114 / 第十章　杀人与被杀

128 / 第十一章　来路不明的书生

142 / 第十二章　郭大路的拳头

155 / 第十三章　男人和猫

167 / 第十四章 南宫丑的秘密

177 / 第十五章 苦 差

186 / 第十六章 郭大路的秘密

205 / 第十七章 误 会

215 / 第十八章 剥谁的皮

224 / 第十九章 林太平的秘密

238 / 第二十章 黑暗的地狱

245 / 第二十一章 千古艰难唯一死

254 / 第二十二章 柳暗花明

262 / 第二十三章 王动的秘密

第一章

郭大路与王动

01

郭大路人如其名，的确是个很大路的人。“大路”的意思就是很大方、很马虎，甚至有点糊涂，无论对什么事都不在乎。

王动却不动。

02

大路的人通常都很穷。郭大路尤其穷，穷得特别，穷得离了谱。

他根本不该这么穷的。

他本来甚至可以说是个很有钱的人。一个有钱的人如果突然变穷了，只有两种原因：第一是因为他笨，第二是因为他懒。

郭大路并不笨，他会做的事比大多数人都多，而且比大多数人都做得好。譬如说，骑马，他能骑最快的马，也能骑最烈的马。

击剑，他一剑能刺穿大将身上的铁甲，也能刺穿春风中的柳絮。

你若是他的朋友，遇着他心情特别好的时候，他也许会赤手空拳跃入黄河捉两尾鲤鱼，再从水里跃出抓两只秋雁，为你做一味清蒸鱼、烧野鸭，让你大快朵颐。你吃了他的菜保证不会失望。

他做菜的手艺绝不在京城任何一位名厨之下。

他能用铁板铜琶唱苏轼的“大江东去”，也可以弄三弦唱柳永的“杨柳岸，晓风残月”，让你认为他终生都是在卖唱的。

有人甚至认为他除了生孩子外，什么都会。

他也不懒，非但不懒，而且时时刻刻都找事做，做过的事还真不少。像他这种人，怎么会穷呢?

他第一次做的事，是镖师。

那时他刚出道，刚守过父母的丧，将家宅的田园卖的卖，送的送，想凭一身本事，到江湖中来闯一闯。

他当然不会是个很精明的生意人，也根本不想做个很精明的生意人，所以本来值三百两一亩的田，他只卖了一百七，再加上送给穷亲戚朋友们的，剩下的也就不太多了。

但那也足够让他买一匹好马，铸一柄快剑，制几身风光的行头，住最好的客栈，吃最好的馆子。

那时正是春天，一年之计在于春。春天适于做很多事，也是镖局生意最好的时候。

镖局生意最好的时候，正也就是强盗生意最好的时候。

“中原镖局”的总镖头罗振翼，人虽未老，江湖已老，当然也很明白这道理。所以走在道上，总是特别小心。何况，现在正是春天，他这次保的镖又不轻。

可是保镖只靠小心是绝不够的，还得要武功硬，运气好。

罗振翼武功并不弱，但这次运气却实在不好，竟偏偏遇上了两河黑道上最难惹的欧阳兄弟。

欧阳兄弟不是两个人，也不是三个人、四个人……

欧阳兄弟就是一个人。

这个人的名字就叫作“欧阳兄弟”。

他虽然只有一个人，却简直比四十个人还难斗。他左手使短刀，右手使长刀，还可以同时发出七八种不同的暗器，很少人能看出他暗器是从什么地方发出来的。

罗振翼也看不出。他刚躲过三支“锦背低头花装弩”、一筒“流星赶月袖中箭”，谁知欧阳兄弟刀背一翻，又射出了一双子母寒针。

要命的针，从别人要命也猜不出的地方射出来。

罗振翼右肩上挨了两针，虽还不致立刻要命，但也只有等着欧阳兄弟来要他的命。

欧阳兄弟就算不想要他的命，他这趟镖丢了，也只有自己去上吊跳河抹脖子，自己要自己的命了。

就在这时，突然一骑快马驰来，马快人更快，马还未到，马上人已到。欧阳兄弟只看到一个人从半空中落下来，七八种暗器连一种都还没有来得及出手，左右脉门已同时挨了人家一剑。

这半空中落下来的救星自然就是郭大路。

罗振翼对这位救星自然不但感激，而且佩服；不但佩服，而且佩服得五体投地。将这趟镖送到地头后，无论如何也要请他一起回镖局去。

郭大路当然去了，他反正没什么别的要紧事。

他就算有别的要紧事，也会去的。

这是他第一次出手，他忽然发觉自己非但武功不错，人缘也不错。

于是罗振翼就觉得奇怪，就问："像郭兄如此高的身手，为什么不做镖头？"

郭大路也没问"为什么武功高的人要去保镖"。

他只觉得做镖头也蛮威风，蛮有趣的。何况，罗振翼请他做的是副总镖头。

一个人初入江湖就做了副总镖头，的确够威风、够神气！

唯一令郭大路觉得遗憾的是，"中原镖局"并不是中原最大的镖局，甚至连第一流的镖局都算不上。

他等了好几天，才接到第一笔生意，而且还不是大生意，只不过是替人从开封押几千两银子回洛阳。

路不远，镖不重，又有这么样一位副总镖头，总镖头自然乐得安安心心、舒舒服服地在家里养伤了。

还是春天，早上，镖车启行。

一年之计在于春，一日之计在于晨，这开始可真不错。

镖旗迎风招展，趟子手的喊镖声嘹亮入云。郭大路穿着紫罗衫，佩着乌鞘剑，骑在大白马上，春天的太阳刚升起，照得他身上暖暖和和的。远处的春山一碧如洗，燕子正在树上衔泥做巢。

他心里实在觉得愉快极了、得意极了。

他只希望能在路上遇见几个江洋大盗、绿林好汉，那倒并不完全是为了他想露露本事、显显威风，而是为了想多交几个朋友。

朋友愈多愈好。他喜欢朋友，能和这种人交上朋友，岂非也很刺激、很有趣，若再能感化他们改邪归正，岂非更妙不可言。

他果然遇到了。

只可惜他遇到的，并不是他想象中那种大秤分金、小秤分银，大块吃肉、大碗喝酒的江洋大盗；也不是那种一诺千金、豪气干云、随时肯为朋友两肋插刀的绿林好汉。他遇见的竟只不过是一伙小毛贼，一个个面有菜色，好像饿了三天，身上穿的衣服到处是补丁，连刀都生了锈。

郭大路虽然失望，但既然遇见了，也没法子，只好先露两手武功，将他们先震住，再循循善诱，希望他们从此洗心革面，改过向善，做个安分守己、自食其力的良民，莫要辱没了祖宗。

大家先被他的武功吓得呆若木鸡，继而又被他的良言感动得痛哭流涕，一个个都表示决心要重新做人。

“可是我们却身无一技之长，叫我们去做什么呢？不做强盗，只怕一家人都得饿死。”

“做做小生意也好呀，就算卖馒头，也总比做强盗好。”

“连一文本钱都没有，能做什么生意？不如现在就死了算了。”

这些人一把眼泪，一把鼻涕，的确是天良发现的样子。

郭大路几乎也被感动得流泪了。

“没有本钱，这容易，我有。”

镖车里岂非有的是银子么？

本钱少了，也做不成生意，郭大路出手一向大方得很。

“每人一百两。”

大家千恩万谢，然后，忽然间就全部呼啸而去，远远都可以听见他们在说：“这位恩公不但是大英雄、大豪杰，而且简直是个活菩萨、大圣人。”

郭大路心里也是热血沸腾，感慨不已：“人之初，性本善，若非被逼得无路可走，又有谁愿意做强盗呢？”

等他的感情渐渐平静的时候，他才忽然发现了两件事：

第一，镖车里的银子已被分掉一大半。

第二，这些银子并不是他的。

跟着他的镖伙们一个个都张大了嘴，眼睁睁地瞧着他，谁也分不清他们这种眼色是将他看成什么？

是大英雄？大圣人？还是个大呆子？

镖银少了一大半，镖头当然是要赔。

郭大路回镖局的时候，心里虽有些不安，却还不太难受。

他有把握赔这镖银，有本事的人都有这种把握。

“我这匹马是二百八十两买来的，身上还剩下七百多两银子，加起来也有一千多两了。先赔他们再说。”

剩下的呢？

“剩下的镖局先垫上，我用副总镖头的薪饷慢慢来还。”

中原镖局能请到他这样的副总镖头，以后名气自然会愈来愈大，生意自然会愈来愈好，他的薪饷当然绝不会少，很快就能还清的。

罗振翼一直在听着，听得目定口呆，听得像是已出了神。

郭大路还是很有把握，因为他觉得自己提出的这方法实在太合理了。

他再也想不到罗振翼会突然跪了下来。

罗振翼跪下来并不是要求他留下，也不是叩谢他的救命之恩，而是求他快走，走得愈快愈好，愈远愈好。

“你救过我，我替你赔镖银，就算还了债。像郭大爷你这样的人，我以前实在没有见到过，只求以后也莫要遇见才好。”

所以郭大路就走了。

但走到哪里去呢？现在，他身上虽然还佩着剑，衣服虽然还是很光鲜，但大白马已没有了，剩下的几两碎银子，非但不能让他再住最好的客栈、上最好的馆子，就算吃馒头、睡大炕，也维持不了几天。

郭大路是不是也会觉得有些恐慌，有点难受？

不是，他完全不在乎。

像他这么样有本事的人，还怕没饭吃吗，那岂非笑话？

还是找了家最大的馆子，好酒好菜，痛痛快快地吃了一顿。

一个男人吃了顿好饭后，心情总是特别好的，何况还带着六七分酒意，就算最讨厌的人，在他眼中看来都会变得可爱多了。

所以他就将剩下来的银子全都给了很可爱的店小二，所以走出门的时候，他的口袋就变得和刚洗过一样，洗得又干净、又彻底。

下顿饭在哪里？简直连一点影子都没有。

但这又有什么关系？船到桥头自然直，天无绝人之路，现在唯一重要的事是找个地方舒舒服服地睡一觉。

“明天，又是另外一天了。”无论什么事，到了明天，总会有办法的，今天晚上若就为明天的事担心，岂非划不来？

郭大路打了个呵欠，大模大样地走进了城里最好的客栈。

他只忘了一件事。

客栈的门虽然永远是开着的，走进去的时候虽然很容易，走出来的时候，就困难多了。

你袋子里若没钱，人家就不会让你再大模大样地走出来。

郭大路当然不会开溜，也不会撒赖，那怎么办呢？

在这种时候，他才有点着急了，在院子里兜了两个圈子，忽然发觉墙上贴着张红纸条，上面写着：“急征厨师。”

于是郭大路就做了厨子。

做镖头，连头带尾，他总算还干了半个多月。

厨子他只干了三天。

这三天里，他多用了二十多斤油，摔坏了三十多个碗，四十多个碟子。

别人居然忍耐下来了，因为郭大路烧出来的几样菜的确不错，有时候找个好厨子甚至比找个好太太还困难得多。直到郭大路将一盘刚出锅的糖醋鱼摔到客人脸上去的时候，别人才真的受不了。

那客人也只不过嫌他鱼做得太淡，要加点盐而已，郭大路就已火冒三丈高，指着人家的鼻子大骂：“你吃过糖醋鱼没有？你吃过鱼没有？糖醋鱼本来就不能做得太咸的，你知不知道？”

天下的厨子若都像你这么凶，哪还有人敢上馆子。

到了这种地步，别人就算还敢留他，他自己也耽不下去了。干了三天厨子，唯一的收获就是身上多了层油烟，口袋还是空的。

但是，“此处不留人，自有留人处”。怕什么？

郭大路当然还是一点也不在乎，他什么事都会做，什么事都能干，为什么要在乎？

问题是，干什么呢？

郭大路开始想，想了半天，忽然发觉自己会做的事，大多数都是花钱的事——骑马、喝酒、赏花、行令，这种事能赚得到半文钱么？

幸好还有一两样能赚钱的，譬如说，卖唱。

以前他唱曲的时候，别人常常会拍烂巴掌，听出耳油，还有人问他：是不是在娘胎里就已学会唱了？

也有人说：凭他的嗓子，凭他对乐曲的修养，若是真的去卖唱，别的那些卖唱的人一定没有饭吃。

郭大路虽不愿抢别人的饭碗，怎奈肚子却已开始在唱了——唱空城计。

于是他找了家自己从未上去过的酒楼，准备卖唱。

一上楼，店小二们就立刻围了上来，倒茶的倒茶，送毛巾的送毛巾，赔着笑，哈着腰，问他：“大爷今天想吃点什么？喝点什么？今天小店的鱼是特地从江南快马捎来的，要不要活杀一条来配三十年陈的绍兴酒？”

像郭大路这么样有气派的人，店小二不去巴结他去巴结谁？

郭大路的脸却已红得像是喝过三十斤绍兴酒了，“我是来卖唱的”，这句话他怎么还能说得出口？

过了大半天，他才结巴地说了句：“我来找人……”话未说完，他已像被人用鞭子赶着似的下了楼，夺门而出。

这当然不能怪那些店小二，只怪他自己无论怎么看也不像是个卖唱的。

“唉，原来一个人相貌长得太好，有时也很吃亏的，也许我长得丑些反而好些。”

郭大路虽然是在叹着气，却几乎忍不住立刻要去照照镜子。

卖唱也卖不成，干什么呢？

“老天给了我这么样一双灵巧的手，我总有事可做的。”

郭大路对自己的手一向很满意。

他看着自己细长而有力的手指，心里忽然想起了一些已在江湖中流传了很久的故事："一个落难的少年英雄，潦倒得在街头卖艺，恰巧遇上一位老英雄和他娇媚的小女儿，对这落拓英雄的武功大为倾倒……"

结果自然是英雄和美人成了亲，从此传为武林之佳话。

"对，卖艺，就在街头卖艺，凭我这身武功，还怕没有人赏识？"

郭大路开心得连肚子饿都忘了，只怪自己前两天为什么没有想出这好主意。

天虽已黑，街上还是很热闹。

郭大路选了个最热闹的街角，准备开始卖艺了。

但在开始的时候，好像还得先说上一段开场白。

说什么呢？

郭大路的口才并不差，不该说的话，他常常说得又机灵、又俏皮，只不过等到该他说话的时候，他反而说不出了。

"不说也没关系，反正别人是来看我的本事，不是来听我说话的；只要我本事一拿出来，还怕人不围过来看么？"

于是郭大路挽了挽袖子，掖了掖衣角，就在这街角上将他生平最得意的一套拳法练了起来。

只见他拳起时如猛虎出柙，脚踢时如蛟龙入海，拳影翻飞，拳风虎虎，当真是每一招都有真才学，每一式都有真功夫。

但别人非但没有围过来，反而都远远地避开了，就算有几个胆子大的，也只敢站在屋角偷偷地瞧。

"这人忽然在街上打起拳来，莫非有了毛病？"

郭大路本来练得还蛮得意，后来才渐渐发现有点不对。

幸好他立刻恍然大悟。

"我练的是真功夫，一点花拳绣腿都没有，这些凡夫俗子当然看不出好处来，好，我就再练点惊人的给他们瞧瞧。"

想到这里，郭大路突然一个鹞子现身，"砰"的一拳将后面的墙打破了个大洞，"呼"的一腿将街角系马的石桩子连根踢倒——他自己的裤子当然也被踢破了。

只听一片惊呼，满街的人突然全部落荒而逃，有几家店甚至将大门都上了起来，只因为街上来了个吃错药的疯子。

这就是郭大路卖艺的经过，他练了一趟拳，还加上一招开山功，一招扫堂腿，换来的只不过是条破裤子。

他的故事为什么不像别的落魄英雄那么好听呢？

这实在没法子，世上本就有很多事听来很美，做来就不美了。

这天晚上，郭大路只有饿着肚子，在破庙的供桌上睡了一觉。

他当然还可以上最好的馆子先吃了再说，上最好的客栈睡下再说，但我们的英雄虽然有些糊涂，却绝不赖皮。丢人的事，死也不肯做的。

“就算要做贼，也得做大强盗，绝不能做偷鸡摸狗的小偷。”

到了第二天下午，郭大路忽然想到做贼。

这念头连他自己也不知道是从哪里来的——大概是从他那已快被磨穿的肚子里来的。

“做贼也并不太坏，有很多劫富济贫的义盗，他们的故事岂非也一样能在江湖中流芳千古么？”

于是郭大路决定做强盗，当然是做个义盗、大盗。

这次他决定只许成功，不许失败。

“要做好一件事，还未开始时，就一定先得计划周密。”

要做个贼，该计划些什么？

第一，当然是要找个合适的对象下手，这人一定要很有钱，而且为富不仁，如果是贪官污吏更好。

你抢了这种人的钱，别人非但不会怪你，反而会拍手称快。

郭大路打起精神，开始四下找，找了很久，终于找到对象。

那是一栋坐落在山腰上的房子，房子很大，建筑得很堂皇。

那表示房主一定很有钱。

房子距离市区很远，很偏僻，附近简直可说是荒无人烟，距离这房子最近的地方，就是坟场。

这表示房主一定不是光明正大的人，光明正大的人绝不会住在这种地方。

所有的条件都很适合，现在只等到了合适的时候，就去下手。

最合适的时候自然是晚上。

但郭大路却等不及了，黄昏时就闯进了这房子。

他第一眼看到的东西，是张床。

一张很大很大、很舒服很舒服的床。

床上躺着个人。

除此之外，他再也没看到别的。

这房子很大，建筑很堂皇，前前后后，至少也有三十间房，最大的一间房大得可以同时摆下十几桌酒。

但前前后后几十间屋子里，除了这张床、这个人之外，什么都没有了，甚至连桌子和凳子都没有。

郭大路怔住了。

躺在床上的那个人并没有睡着，眼睛一直睁得很大，可是尽管他前前后后地跑，前前后后地找，这人始终没有理他。

到后来郭大路忍不住冲到这人床前，想问问他究竟是怎么回事。

这人却反而先问："找到什么值钱的东西没有？"

郭大路只好摇摇头。

这人叹了口气，道："我早就知道你找不到的，我已经找了三天，连最后一个破铁锅都被我拿去换烧饼了。你若还能找到别的，那本事真不小。"

他长得本不算难看，只不过显得面黄肌瘦，连说话都是有气无力的样子，的确像是已饿了好几天。

但他睡的这张床，却不折不扣是张好床。

这空房子里怎么还会有这么样的一张好床？这人睡在床上干什么？

郭大路忍不住问道："这里究竟是什么地方？"

这人道："说起这地方，可真是大大有名。"

郭大路道："有名？有什么名？"

这人道："你听见过富贵山庄这名字没有？这里就是富贵山庄。"

郭大路几乎忍不住叫了起来，道："富贵山庄？这见鬼地方居然叫富贵山庄？"

这人道："一点也不错，胖子既然可能变得很瘦，富贵山庄也可能变得很穷，这又有什么好稀奇的呢？"

郭大路道："那么，你又是何许人也？耽在这种鬼地方干什么？"

这人清了清喉咙，道："我不耽在这里耽在哪里？我就是富贵山庄第七代的庄主。"

郭大路又怔住了。

这人的眼睛一直盯着他手里的剑，忽又道："你这把剑看起来倒不错。"

郭大路道："本来就不错。"

这人道："看起来总还值好几两银子吧。"

郭大路又叫了起来道："好几两？你识货不识货？告诉你，这柄剑是我花一百多两银子买来的。"

这人的眼睛里好像有了光，说话的声音也响了，道："你从这里下山，往左走，有家利源当铺，那里的朝奉虽然是个刮皮鬼，倒还很识货，你趁他们还没有打烊，赶快去，这柄剑至少还可以当二十两银子。"

他咽了口口水，接着又道："当铺的斜对面，就是家老广开的烧腊店，做的烧鸭和脆皮肉都不错，隔邻还有酒卖。你当来银子后，就先买两只烧鸭、五斤肉、十斤酒，赶快送回来，我已经饿得很了，而且烧鸭冷了也不好吃。"

郭大路瞪大了眼睛，瞧着这人，那表情简直就和罗振翼在听他说话的时候一样。

过了很久，他才吐出口气，道："你叫我去把自己的剑当了，买酒肉回来送给你吃？"

这人笑道："你总算听懂了。"

郭大路道："你知不知道我到这里来，是想来干什么的？"

这人道："我当然知道，你是想来抢钱的。"

郭大路瞪眼道："你既然知道我是强盗，还想在我身上打主意？"

这人笑道："你虽是强盗，我却是穷鬼，强盗遇见穷鬼，也只有自认晦气。"

郭大路瞧着他，忽然发觉这人笑得很可爱，甚至很妩媚。

他自己也忍不住笑了，道：“就算你想在我身上打主意，至少也该自己把我这柄剑拿去当，自己去买酒回来给我吃才对呀。”

这人道：“要做好人就做到底，还是你走一趟。”

郭大路道：“你呢？你连动都懒得动？”

这人叹了口气，道：“你想，我若是不懒，又怎么会穷成这样子呢？”

郭大路第三次怔住了。他以前实在也没见过这样的人，他实在也拿这人没法子。

他居然真的将剑换了酒肉回来。

一条鸭腿、半斤酒下了肚，这人才从床上坐了起来，笑道：“我吃了你的酒，却连你的名字都不知道。”

郭大路道：“我叫郭大路，大方的大，上路的路。”

这人道：“大路——你这人倒真的名副其实，真的很大路。”

郭大路道：“你呢？你叫什么名字？”

这人道：“我叫王动，帝王的王，动如脱兔的动。”

郭大路看着他，看了很久，突然大笑，道：“我看你实在应该叫作王不动。”

03

只有死人才完全不动。

王动虽不是死人，但动得比死人也多不了多少。

不到万不得已的时候，他绝不动。

他不想动的时候，谁也没法子要他动。

油瓶子若在面前倒了，任何人都会伸手去扶起来的，王动却不动。天上若突然掉下个大元宝，无论谁都一定会捡起来的，王动也不动。甚至连世上最美的女人脱得光光的坐到他怀里，他还是不会动的。

但他也有动的时候，而且不动则已，一动就很惊人。有一次他在片刻内不停地翻了三百八十二个跟斗，为的只不过是想让一个刚死了母亲的小孩子笑一笑。

有一次他在两天两夜间赶了一千四百五十里路，为的只不过是去见一个朋友的最后一面。

他那朋友早已死了。

有一次他在三天三夜中，踏平了四座山寨，和两百七十四个人交过手，杀了其中一百零三个，只不过因为那伙强盗杀了赵家村的赵老先生老两口，还抢走了他们的三个女儿。

赵老先生和那三位姑娘他根本全不认得。

若有人欺负了他，甚至吐口痰在他脸上，他都绝不会动。你说他奇怪，他的确有点奇怪。

你说他懒，他的确懒得出奇，懒得离谱。

现在，他居然和郭大路交上了朋友。像他们这么样两个人凑到一起，他们若不穷，你说谁穷？

他们虽然穷，却穷得快乐。

因为他们既没有对不起别人，也没有对不起自己。

因为他们既不怨天，也不尤人，无论他们遇到多么大的困难、多么大的挫折，都不会令他们丧失勇气。他们不怕克服困难时所经历的艰苦，却懂得享受克服困难后那种成功的欢愉。

就算失败了，他们也绝不气馁，更不灰心。

他们懂得生命是可贵的，也懂得如何去享受生命。

所以他们的生命永远是多姿多彩。这一生中，他们做了许多出人意外、令人绝倒的事，你也许会认为他们做的事很愚蠢、很可笑。

但你却不能不承认，他们做的事别人都做不到。

你也做不到。所以我相信你一定喜欢听他们的故事。

第二章

燕七与蚂蚁

01

有郭大路和王动这么样两个人，做出来的事已经够叫人瞧老半天的了，怎么能再加上个燕七？

燕七一个人做出来的事，已经比别人三百个加起来都要精彩，怎么能再加上郭大路？再加上王动？

但老天偏偏要叫他们三个人凑在一起，你说这怎么得了。

02

郭大路和王动并不是天天都穷，时时刻刻都穷的，偶尔他们也会有不穷的时候，只不过谁也不知道他们什么时候会不穷，更不知道他们钱是从哪里来的。

连他们自己都不知道。

他们的钱总是来得出乎意外，连他们自己都有点莫名其妙。

这也许因为他们花钱更花得莫名其妙。

已经快秋天了，“富贵山庄”后园里的树上，忽然结出了满树又甜又大的梨子，摘下来足足可以装几十篓，卖出去居然卖了二三十两银子。

梨是自己从树上长出来后，就有人来问价钱，自己从树上摘走，从头到尾都用不着他们出一分力，帮一点忙。

这钱简直就好像从天上掉下来的，当然一定要庆祝庆祝。

要庆祝，当然不能没有酒，有了酒，当然更不能没有肉。

“穿威风，赌对冲，嫖成空”，只有“吃”最实惠，这是王动的原则，也是他最大的享受。

开始的时候，他总是躺着吃、睡着吃，吃得高兴的时候，才坐起来，但一吃累了，就又要躺去，躺下去再吃。

所以他那张床简直比厨房里的桌子还油腻，你无论往什么地方去随手一摸，总会摸出一两块吃剩下的肉，三四根还没啃完的肉骨头。

郭大路虽不是很爱干净的人，但宁可睡地铺，也不敢躺在他床上。

王动就乐得独自享受一张床，这张床不但是他睡觉的地方，也是他的客厅、他的花园、他的饭桌。

最妙的是，他还能躺在床上喝酒，先把酒瓶子对着嘴，然后“咕嘟咕嘟”一口气喝下去，绝不会有半滴酒漏出来。

郭大路对他这手可佩服极了，自己也想学学，又有点犹疑，忍不住问道：“躺着喝酒也能喝得下去么？”

王动道：“当然喝得下去。”

郭大路道：“会不会从鼻子里喷出来？”

王动道：“绝不会，就算头下脚上吊着喝，也不会从鼻子里喷出来。”

郭大路道：“你怎么知道？”

王动道：“我试过。”

郭大路笑了，道：“你连坐都懒得坐，怎么肯把自己吊起来？”

王动道：“你若不信，为什么不自己试试？”

所以郭大路就把自己吊了起来，然后再将酒瓶对着嘴，慢慢地一口一口往肚子喝，刚喝了两口，酒已从鼻子里喷了出来。

就在这时，他看到了燕七——先看到了燕七的一双脚。

燕七的脚也许和别人没什么两样，但穿的一双靴子却特别极了。

他穿的靴子是用小牛皮做的，手工极精致，上面还带着花纹，比起塞外回回大王爷脚上穿的靴子，也毫无逊色。

这并不奇怪。

奇怪的是，他这双靴子什么都有，就是没有鞋底。

他身上穿的衣服本来也很华丽，而且很合身，但现在却已被撕得七零八落，简直没有一块完整的地方。

只有他头上戴的帽子，倒不折不扣是顶很漂亮的帽子。

他的人并不太高，但手脚却很长。

他的脸很秀气，甚至有点像小姑娘的脸，大大的眼睛，小小的嘴，笑起来的时候还有两个酒窝；但不笑的时候，他的脸立刻就变得冷冰冰，脸色也白得发青，几乎令人有点不敢亲近。

他的衣服本来好像是淡青色的，现在却是一块红，一块黄。

黄的自然是泥，红的是什么呢?

难道是血?

两个人好好地在家里喝酒，突然看到这么样一个人闯了进来，无论谁都难免要吓上一跳。

但郭大路和王动却还是一个睡着、一个吊着，好像根本没看到这个人似的。

你走进一间屋子，若是看到一个人睡在床上喝酒，一个人倒吊着喝酒，只怕会以为自己走进了疯人院，纵然没有被吓得夺门而逃，也难免头皮发毛。

但这人却像是一点也不觉得惊奇，就好像吊着喝酒本来就是很正常的方式，坐着喝酒才应该奇怪，这人就是燕七。

郭大路的脚倒挂在屋梁上。

燕七突然凌空翻了个跟斗，把一双脚也倒挂上屋梁，脸对着郭大路的脸，像是觉得这样子才好说话。

但他却一句话也没有说。

郭大路又开始觉得这人有趣了，突然挤了挤眼，做了个鬼脸。

燕七也挤了挤眼，做了个鬼脸。

郭大路道：“你好。”

燕七道：“好。”

郭大路眼珠子一转，道：“喝口酒？”

燕七道：“好。”

郭大路立刻将酒瓶递了过去，他存心想看看酒从这人的鼻子里往外冒的模样。

谁知这人的技术比他强多了，“咕嘟咕嘟”一口气将大半瓶酒全都喝了下去，居然连一滴都没有漏。

郭大路的眼睛已看得发直，道：“你以前就这样喝过酒？”

燕七道：“喝过几次。”

他忽然笑了笑，接着道：“我想试试这么样喝酒是不是能喝得下去。”

一个人若连这种事都试过，他没有做过的事只怕就很少了。

郭大路忍不住笑道：“你还试过干什么？”

燕七道：“你能说得出来的事，大概我全试过。”

郭大路笑道：“世上大概很少再有别的事比倒吊着喝酒更难受的吧？”

燕七道：“还有几样。”

郭大路道：“还有？那么最难受的事是什么？”

燕七道：“最难受的事就是被人钉在棺材里，埋在地下。”

郭大路眼睛瞪得更大，道：“这种事你也试过？”

燕七道：“试过的次数倒也不太多，只不过才两次而已。”

郭大路突然一个跟斗从半空中跳下来，瞪着他。

燕七脸上一点表情也没有。

过了很久，郭大路才叹了口气，道：“你这人若不是吹牛大王，就一定是个怪物。”

王动忽然道：“他是怪物。”

燕七笑了笑，道：“彼此彼此。”

郭大路抚掌大笑，道：“不错不错，大家都是怪物，否则也不会到这里来了。”

他忽又接道：“我第一次到这里来，是为了想做强盗，你呢？”

燕七道：“我却不想做强盗，因为，我早就是强盗了。”

郭大路上上下下打量了他几眼，忍不住笑道：“像你这样的强盗，一定是笨强盗。”

燕七道：“不是笨，只不过走了霉运。”

郭大路道："走了霉运？"

燕七叹了口气，道："若不是走霉运，怎么会闯到这里来。"

郭大路道："对了，你到这里来，究竟是想干什么的？"

燕七道："什么都不想干，只不过想找个地方躲一躲。"

郭大路道："为什么要躲？"

燕七道："因为又有人想把我钉在棺材里，埋到地下去。"

郭大路道："这次是什么人？"

燕七道："蚂蚁。"

郭大路张大了嘴，几乎连下巴都掉了下来，道："你……你说什么？"

燕七道："我说蚂蚁。"

郭大路道："蚂蚁？……"

他忽然笑弯了腰，喘着气道："你若连蚂蚁都怕，胆子可真不小。"

燕七却叹了口气，摇着头道："看来你简直没有在江湖中混过，居然连'蚂蚁'是什么都会不知道。"

郭大路道："在我三岁的时候，就知道蚂蚁是什么了。"

燕七道："是什么？"

郭大路道："是一种很小很小的，在地上爬来爬去的虫。王动的床上就有不少，我随时可以捉几只来给你瞧瞧。"

燕七道："我说的不是这种蚂蚁，是人。"

郭大路怔了怔，道："人？蚂蚁是人？"

燕七道："是四个人，这四个人是蚂蚁王，手下还有很多小蚂蚁。"

郭大路道："哦？"

燕七道："这四个人一个叫金蚂蚁，一个叫银蚂蚁，一个叫红蚂蚁，一个叫白蚂蚁。"

郭大路忍住笑，道："既然有红蚂蚁、白蚂蚁，就应该有黑蚂蚁才对。"

燕七道："本来的确有一个，现在却已死了。"

郭大路眨了眨眼，道："既然明明是人，为什么要叫小蚂蚁？"

燕七道：“很多人都有外号的。”

郭大路道：“要取外号，至少也该取个威风堂皇点的名字，譬如叫什么‘插翅虎’喽，‘金毛狮’喽，什么外号都好取。为什么要叫蚂蚁？”

燕七道：“因为他们都长得很小，都是侏儒。”

郭大路愈听愈不像话了，还是忍住笑道：“侏儒有什么可怕的？”

燕七道：“这几个侏儒非但可怕，而且可怕极了，世上比他们更可怕的人只怕已没有几个。”

郭大路道：“哦？莫非他们的本事很大？”

燕七道：“他们每个人都有种很特别的功夫，连峨嵋派的第一高手都已死在他们手下。”

郭大路道：“既然如此可怕，你为什么还要去惹他们？”

燕七又叹了口气，道：“因为我最近闹穷，又走霉运，半个月里连输了十五场，连鞋底都卖了，拿去还赌债……”

郭大路叫了起来，道：“什么？你说你将鞋底卖了还赌账？”

燕七道：“不错。”

郭大路道：“你欠了多少赌账？”

燕七道：“大概七八千两。”

郭大路道：“你鞋底卖了多少？”

燕七道：“两只鞋底一共卖了一千三百两。”

他愈说愈不像话了，郭大路索性就想再听听他还有什么鬼话可说，拼命忍住笑道：“那就岂非还差六千七百两？”

燕七道：“正因如此，所以我才要打别的主意。”

郭大路道：“你既然是强盗，为什么不去抢？”

燕七正色道：“你以为我这个强盗是什么人都抢的吗？”

郭大路道：“你还挑人？”

燕七道：“不但挑人，而且挑得很厉害，不是贪官我不抢，不是奸商也不抢，不是强盗更不抢，人不对不抢，地方不对也不抢。”

郭大路道：“原来你这强盗还抢强盗？”

燕七道：“不错，这就叫黑吃黑。”

郭大路道：“所以，你主意就打到那些蚂蚁头上去了。”

燕七道："对了，我碰巧知道那几天他们做了票大买卖，所以就去问他们借一万两银子。"

郭大路道："他们答应了没有？"

燕七道："答应是答应了，却有个条件。"

郭大路道："什么条件？"

燕七道："他们要我睡在棺材里，再埋到地下去耽两天，看看我究竟死不死得了。"

郭大路道："这样的事你岂非早就干过了么？"

燕七道："虽然干过，但那滋味却实在不好受。"

郭大路道："所以你就没有答应。"

燕七道："我答应了，因为什么债都可以欠，只有赌债是欠不得的。"

郭大路道："你答应了他们，却又不肯认账，所以他们才来追你？"

燕七道："一点也不错。"

郭大路道："你叫什么名字？"

燕七道："燕七。"

郭大路道："你还有六个哥哥姐姐？"

燕七道："没有。"

郭大路道："你既然不是排行第七，为什么要叫燕七？"

燕七道："因为我已死过七次。"

郭大路道："若是再死一次，你岂非就要叫作燕八了？"

燕七苦笑了笑，道："燕七这名字蛮好，我不想再改了。"

郭大路突然弯下腰，大笑了起来，笑得眼泪鼻涕都流了出来，指着他笑道："你不是怪物，你不折不扣是个吹牛大王。"

燕七道："我说的话你不信？"

郭大路道："连一个字都不信，你说的话简直连三岁大的小孩子都不会相信。"

燕七叹了口气，道："我本来就不打算说真话的，因为我早就知道谎话比真话更容易令人相信。"

郭大路笑道："你说的若是真话，我情愿在地上爬……"

突听一人道："你爬吧。"

这声音又尖又细，声音虽不大，却刺得人的耳朵发麻。

郭大路抬起头，就看到一个人。

这人就站在窗台上，却还没有窗子高。

窗子最多也不过只有三尺半。

他身上穿着件金光闪闪的衣服，若不是脸上生着胡须，眼角有了皱纹，无论谁都会将他看成个五六岁的小孩子。

郭大路怔了半响，才长长吐出口气，道："你就是金蚂蚁？"

金蚂蚁道："不错，所以我可以保证他说的全都是真话，一个字也不假。"

郭大路又吐了口气，苦笑道："金蚂蚁既然来了，银蚂蚁呢？"

话未说完，窗子上就又出现了个人。

这人总算比金蚂蚁高些，但最多也只不过高两三寸。

他身上穿着件银光闪闪的衣服，脸上还戴着个银面具，看起来就像是个用白银铸成的小妖怪，实在说不出的诡秘可怖。

连郭大路都觉得有点毛骨悚然，喃喃道："看来红蚂蚁穿的一定是红衣服。"

只听一人娇笑道："你猜对了。"

笑声又清脆，又娇媚，这么好听的笑声无论谁都很少能听到。只要听到这种笑声，就可以想象到笑的人一定很美。

红蚂蚁的确很美。

侏儒的身材本来一定不会长得很匀称，但她却是例外。

她穿着件紧身的红衣服，该细的地方绝不粗，该胖的地方绝不瘦，一张端端正正的瓜子脸，眉似远山，目如春水，笑靥甜甜的，更浓得化不开，只要将她再放大一倍，就是个绝色的美人。

若是真的将她放大了一倍，甚至连郭大路这种男人也许都不惜为她犯罪。

纵然还没有放大一倍，郭大路的眼睛也不禁瞧得发直了。

她那双春水般的眼波也正在瞟着郭大路，媚笑道："你这人的眼睛不老实。"

郭大路叹了口气，道："我本来就不是个老实人，从头至脚都没有一个地方老实的。”

红蚂蚁咯咯笑道：“难道你是个色鬼？”

郭大路道：“虽然不完全是，也差不了多少，只可惜……”

红蚂蚁脸上的笑容忽然不见了，道：“只可惜怎么样？”

郭大路道：“只可惜人不能缩小，否则我倒也想变成个黄蚂蚁。”

红蚂蚁咬着嘴唇，嘴角又露出了甜甜的笑容，道：“你敢调戏我，胆子倒真不小，难道就不怕我的老公吃醋么？”

郭大路道：“你老公是谁？白蚂蚁？……听说白蚂蚁会飞的。”

红蚂蚁娇笑着，道：“你又猜对了，真是个天才儿童。”

银铃般的笑声中，窗外忽然有样东西飞了进来。

这样东西无论怎么看都不像是个人，轻飘飘的，就像是片淡淡的云，又像片白白的雪，轻飘飘地飞了进来，突然“呼”地从郭大路头顶上飞过。

郭大路只觉头顶一凉，若不是躲得快，脑袋说不定已搬了家。

只听“呼”的一声，这片东西又飞了回来。

这当然不是人，人绝不会有这么可怕的轻功。

但他却偏偏是个人，一个穿着雪白衣裳的人，袖子又宽又大，就像是两只翅膀，人却又瘦又小，长不满三尺半，宽不及一尺，若是放在秤上称一称，绝不会比一只兔子重多少。

若不是这么样一个人，又怎么会练得成这么样的轻功？

郭大路又叹了口气，喃喃道：“白蚂蚁果然是会飞的。”

燕七道：“白蚂蚁轻功天下第一，红蚂蚁全身都是暗器，金蚂蚁拳剑双绝，银蚂蚁刀枪不入。我早就说过，他们每个人都有种很特别的功夫，现在，你总该相信了吧？”

郭大路苦笑，道：“你要我现在就爬，还是等等再爬？”

白蚂蚁冷冷道：“最好现在就爬，爬出去，免得被人抬出去。”

红蚂蚁吃吃笑道：“你看，我说他会吃醋的，现在你总也该相信了吧？”

金蚂蚁道：“我们的事与你们无关，你们的确还是爬出去的好。”

郭大路道：“我不会爬，你最好先教教我。”

红蚂蚁笑道：“看来我们只带一口棺材来的确太少，应该带三口来才对。”

郭大路道：“你们连棺材都带来了？真的要把他钉入棺材？”

金蚂蚁道：“我早就说过，他说的话，每个字都不假。”

燕七忽然拍了拍郭大路的肩膀，笑道：“这是我惹的麻烦，用不着你来逞英雄、管闲事。”

红蚂蚁笑道：“这就对了，反正你已死过七次，再多死一次又何妨？”

燕七道：“这是人家的地方，我要死，也不能死在这里。”

白蚂蚁道：“那么你出去。”

燕七拍了拍衣服，笑道：“出去就出去……两位，这次我若还死不了，一定会回来找你们喝酒的。”

王动一直睡在床上，一动也不动，此刻忽然道：“等一等。”

金蚂蚁道：“等什么？”

王动道：“你可知道这是什么地方？”

红蚂蚁吃吃笑道：“我知道，这是你的猪窝。”

王动道：“这里若是猪窝，我就是猪大王，无论谁到了这里，都得听我的。”

金蚂蚁怒道：“你要怎么样？”

王动道：“我要燕七留下来陪我喝酒，要想再找个能倒吊着陪我喝酒的人并不容易，我怎么肯让他睡到棺材里？”

郭大路笑了，道：“你想动了么？”

王动道：“这些蚂蚁会咬人，我想不动也不行。”

郭大路道：“怎么动？”

王动道：“红蚂蚁是我的，白蚂蚁归你。”

王动不动，一动起来就动得厉害。

这句话刚说完，他的人已忽然从床上弹起，扑了出去。

不但人扑了出去，他身上盖着的那床被也跟着扑了出去。

他认准了红蚂蚁。

红蚂蚁却根本看不到他的人，只看到一床黑黝黝的棉被向自己卷了过来。

她身子一转，已有三四十件五颜六色、各式各样的暗器飞了出来，有的又快又急，有的互相撞击，有的在空中打着转。

因为她的人小，所以暗器也特别小。

因为暗器特别小，所以破风之力特别强，别人也特别难躲。

但她却忘了一件事，棉被不是人。

棉被是打不死的。

她的暗器虽然奇巧，手法虽然高明，也一点用都没有。

只听“噗、噗、噗”一连串声响，三四十件暗器，全都打在棉被上，棉被上有猪油，有鸭油，有鸡油，还有麻油。

这床棉被简直就像是用油泡过的，泡得又滑又韧，就算是强弓硬弩，也未必能够射得穿，何况是这么小的暗器?

等到红蚂蚁发觉上当了，身形向后倒掠而出，棉被已乌云般卷了过来。

王动不动，谁也想不到他一动起来竟这么快。

红蚂蚁刚嗅到一种奇奇怪怪的油腻味道，整个人已被棉被包了起来。

她的人若是长得高大些，王动也未必能用床棉被将她包住，怎奈她的人实在太小了，王动两只手一围，她整个人已像是裹粽子似的被包在中间。

王动的身子却还是没有停，只听身后风声响动，白蚂蚁已飞掠了过来，王动再快，也没有这只会飞的白蚂蚁快。

眨眼间白蚂蚁就已追上了他。

王动就是要白蚂蚁追上他，因为他知道自己绝对追不上白蚂蚁。

等白蚂蚁追过来了，他身子骤然一停，一转，将手里的一卷棉被送了过去。

棉被里卷着的是自己的老婆，白蚂蚁当然不能不接住。

这卷棉被比他的人大一倍，重两倍，他一伸手接住，身子就立刻往下掉。王动却已绕到他背后，轻轻松松就拍了他的穴道。

白蚂蚁小小的脸上青筋暴露，瞪着他，连眼珠子都好像要凸了出来。

王动却又不动了，淡淡笑道：“你败得不甘心是不是？因为我用的不是真功夫。告诉你，若用真功夫就不算本事了。我打架从来也不用真功夫的。”

白蚂蚁气得简直要吐血。

王动的确好像连一点真功夫也没有，完全是投机取巧。

但若没有一等一的真功夫，又怎能这么样投机取巧？时间又怎能拿捏得这么准？出手又怎会这么稳？

这不但手脚上要有真功夫，脑袋里更要有真功夫。

王动不动，一动起来可真不得了。

再看那边的金蚂蚁，已被郭大路的拳风迫得连气都透不过来。

燕七却在围着银蚂蚁打转。

银蚂蚁个子虽较大，却是一身的硬功夫，功夫一硬，手脚就慢。

燕七转得愈急，他愈慢。

突然间，燕七摘下头上的帽子，往他头上一扣，帽子大，头小，他整个头都被蒙住，什么都看不见了。

燕七伸脚一绊，他就跌倒，只听“哗啦啦”一声，原来他身上穿的竟是银甲，一跌倒再想爬起来，就不容易。

他想去抓头上的帽子，但人已被一样很重很重的东西压住。原来燕七已一屁股坐在他身上，笑嘻嘻道：“这凳子倒不错，只可惜太小了些。”

金蚂蚁呢？他本就连气都透不过来了，此刻一发急，一口气就被憋在肚子里，用不着郭大路动手，他自己就晕了过去，嘴角吐出了白沫。

郭大路叹了口气，道：“原来这人有羊癫风，看来我找错人了。”

王动道：“我本来说白蚂蚁归你，你没听见？”

郭大路笑道：“你说你的，我找我的，白蚂蚁我追不上他，他却一定会去追你，所以我就挑了这金蚂蚁。无论如何，我块头总比他大些，力气自然也不会比他小，就凭力气我就已吃定他了。”

王动也叹了口气，喃喃道：“想不到你这人居然也会捡便宜。”

郭大路道：“我也想不到你这床棉被居然还有这么大用处，以后若有人要学接暗器，我一定要劝他在床上吃油鸡。”

王动道：“鸡油太少，还是吃烧鸭好。”

燕七突然长长叹息了一声，道："我想不到的是，居然会遇见你们这么样两个人，大概是我的霉运已走得差不多了。"

郭大路笑道："这只因你真的是怪物，不是吹牛大王。"

燕七道："你们肯帮我的忙，就因为我说的是老实话？"

郭大路道："也因为你能倒吊着喝酒。"

燕七也笑了，道："若不是看到你倒吊着喝酒，我又怎么会说那种话？"

他忽又叹了口气，道："其实我还有句话要说的，却又不知道是不是应该说。"

王动道："你是不是想谢谢我？"

燕七叹道："这样的事，我实在不知道应该怎么谢法？"

王动道："你若真要谢我，倒有件事可以做。"

燕七道："什么事？"

王动道："把我抬回床上去，我又懒得动了。"

03

"富贵山庄"无论在任何人眼中看来，都不会是一个很有趣的地方，简直连一样可以使人留恋的东西都没有。

奇怪的是，燕七居然也和郭大路一样，一来了就再也舍不得走。

这倒并不是因为他们已没有别的地方可去，而是因为……

因为什么呢？连他们自己都不清楚。

有些人彼此之间，仿佛有种很奇怪的吸引力，正如铁和磁石一样，彼此只要一遇着，就会被对方牢牢地吸住。

这些人只要彼此能在一起就会觉得很开心，睡地铺也没关系，饿两顿也没关系，甚至连天塌下来他们都不会在乎。

世上只有很少几件事能令他们受不了，其中有一样就是眼泪。

女人的眼泪，尤其是一个还不满四尺的小女人的眼泪。

红蚂蚁的人虽小，但眼泪却真不少。

郭大路忽然发觉一个女人眼泪的多少，和她身材的大小连一点关系都没有，愈瘦小的女人，眼泪往往反而愈多。

女人本就有很多事都是这样子的。

愈胖的人吃得愈少，愈丑的人花样愈多，愈老的人粉擦得愈厚，衣服愈多的人穿得愈薄。

“唉，女人真是种奇怪的动物。”

郭大路叹了口气，红蚂蚁一直不停地哭，已哭得他受不了。

他只好走。

燕七却不让他走。

王动早已又躺了下去，蒙头大睡，他只要一睡着，就死人也不管了。

燕七拉住郭大路，道：“你若再走，我拿这四个人怎么办？”

郭大路道：“这本就是你的麻烦，不是我的。”

燕七道：“但若不是你们帮我，我怎么能将他们抓住，他们若没有被我抓住，我怎么会有这种麻烦？”

郭大路怔住了。

燕七还怕自己说得不够明白，又道：“你们若不帮我，我就会被他们抓住，最多再死一次，连一点麻烦都没有。但现在我既不能杀他们，又不能放他们，你说该怎么办？”

他说得愈明白，郭大路愈糊涂。

王动忽然从被里伸出头来，笑道：“我倒有个好法子。”

燕七松了口气，道：“你为何不早说？”

王动道：“你既不想杀他们，又不想放他们，不如就将他们留在这里，养他们一辈子。”

郭大路立刻拍手笑道：“不错，的确是好主意，反正他们人长得这么小，吃得绝不会多。”

红蚂蚁也立刻不哭了，道：“我每天只要吃两小碗珍珠粉拌饭，再加上一点海鲜，几片水蜜桃就够了；没有水蜜桃，哈密瓜也行。”

燕七的脸上一点表情也没有，站在那里，喃喃道：“珍珠粉拌饭？海鲜？水蜜桃？……这倒也不难。”

他忽然转过身，掉头就走。

郭大路道：“你到哪里去？”

燕七道："找那口棺材，躺下去，再找个人埋起来，这至少总比每天找珍珠粉水蜜桃容易多了。"

郭大路叹了口气，道："这么样看来，为了要救你，就只好把他们放走了，这至少也比再找个能吊起来喝酒的人容易得多。"

他嘴里说着话，手里已解开了蚂蚁们的穴道。

他们来得快，走得也不慢。

三个人眼看着他们走出去，然后忽然一齐转过去，我看着你，你看着我。

郭大路道："你早就想放他们走了，是么？"

燕七道："哦？"

郭大路道："可是，你又不好意思明说，因为我们也出了力，若就这样放他们走了，你怕我们不甘心，其实……"

燕七道："其实你也早就想放他们走了，是么？"

三个人你看着我，我看着你，忽然，一齐大笑了起来。

郭大路笑道："看来放人不但比杀人容易，而且愉快得多。"

燕七道："一点也不错，我们若杀了他们，现在绝不会这么开心。"

王动道："但我们放了他们后，他们若再去害别人，那就不愉快了。"

郭大路摇摇头，大声抢着道："绝不会，我看他们并不是十分坏的人。就算以前做过不太好的事，此后一定会改过的。"

他忽然挤了挤眼，压低声音，道："就算他们真的很坏，听到了我这句话后，也一定不好意思再去做坏事了。"

燕七道："你想他们会不会听到？"

王动道："当然听得到，这人说话的声音连十里外的聋子都能听得到。"

郭大路笑道："对了，我嗓子一向不错，以前还有很多人说我是天生的金嗓子，等我心情好的时候我唱两段给你们听听。"

王动叹了口气，道："你若一定要唱，最好等我睡着了再唱。"

他将头又蒙进被里，道："只要我一睡着，你就算踩到鸡脖子，我都不会醒的。"

他们就是这么样的人，他们做事的法子的确特别得很。
他们有时做得很对，有时也会做错。
但无论如何，他们做事，总不会做得血淋淋的，令人觉得很恶心。
他们做的事，不但能令自己愉快，也能够令别人欢乐。

第三章

林太平

01

每个月里，燕七都会一个人溜出去两三次，谁也不知道他到什么地方去了，更不知道他去干什么。

每次他回来的时候，总会带一两样奇奇怪怪的东西回来。

他带回来的说不定是双新袜子，是块绣花手帕，也说不定是锅红烧肉，是一整坛家酿的糯米酒。

有时他甚至会带只花猫，带只金丝雀，带几条活鱼回来。

但无论是什么，都没有他这次带回来的东西奇怪。

这次他居然带了个人回来。

一个活生生的人。

这人叫林太平，但自从他来了后，就没有一个人的日子过得太平。

02

有些人很喜欢冬天，因为冬天可以赏雪、赏梅，可以吃热烘烘的火锅，可以躲在热烘烘的被窝里读禁书、睡大觉。

这些乐趣都是别的季节享受不到的。

喜欢冬天的人当然绝不会是穷人，冬天是穷人最要命的日子，穷人们都希望冬天能来得迟些，最好永远莫要来。

只可惜穷人的冬天总是偏偏来得特别早。

现在已经是冬天了。

富贵山庄院子里的雪也和别的地方一样白，而且也有几株梅花。但一个人的身上穿的若还是春天的薄衣服，肚子里装的若还是昨天吃的阳春面，他唯一还有心情欣赏的东西就是可以往嘴里吞下去、塞饱肚子的，绝不会是白雪梅花。

郭大路望着院子里的白雪梅花，喃喃道："这梅花若是辣椒多好。"

王动道："有什么好？"

郭大路道："你看，这满地的雪岂非正像是面粉，配上几根红辣椒，岂非正好做一碗辣乎乎的热汤面。"

王动叹了口气，道："你这人真俗，林逋若听到你的话，一定会活活气死。"

郭大路道："林逋是谁？"

王动道："连林逋你都没有听说过？"

郭大路道："我只听说过肉脯，无论是猪肉脯、牛肉脯、鹿肉脯，用来下酒都不错。"

王动道："林逋就是林君复，也就是林和靖，是宋真宗朝的一位大隐士，隐居在西湖孤山，据说有二十年没有下山一步，除了种梅养鹤外，什么事都不做，世称'梅妻鹤子'；作的咏梅诗有两句是'疏影横斜水清浅，暗香浮动月黄昏'，更是传诵千古。"

郭大路悠悠道："这么样说来，这位林先生倒的确是位高人。"

王动道："高极了。"

郭大路道："但他的肚子若饿得和我一样厉害，还会不会这么高？"

王动想了想，忽然笑道："到了你这种时候，我想他说不定比你还俗。"

郭大路也笑了。

他忽然发现一个人无论多冷多饿，一笑起来总会觉得舒服得多。

就在这时，王动忽然从床上跳了起来，大声道："想起林和靖，我倒想起一样事来了。"

能叫王动从床上跳起来的事，那真是非同小可。

郭大路忍不住问道："你想起了什么？难道也想把梅花当老婆？"

王动道："我这梅花比老婆还好，是酒……"

郭大路的下巴立刻好像要掉下来了，喃喃道："酒？哪里来的酒？"

王动道："就在梅花下面。"

郭大路苦笑道："把梅花当老婆已经够疯了，想不到这人居然更疯。"

但梅树下的的确确埋着一坛酒。

王动道："这酒还是我十几年前埋下去的，那年我刚听到林和靖的故事，也爱上了梅花，所以就弄了坛酒埋在梅树下，想沾点梅花的香气。"

你无论将一坛酒埋在什么地方，若已埋了十几年，这酒都一定会香得很。

郭大路拍碎封坛的泥盖，闭着眼睛，深深吸了口气，叹道："这不是香气，简直是仙气。"

王动笑道："你现在总该感激林先生了吧，若不是他，我就不会埋起这坛酒；若不是他，我也不会想起有这坛酒。"

郭大路已经没工夫说话了，有酒喝的时候，他的嘴绝不做别的事。

他捧起酒坛就想往嘴里倒。

王动却拉住了他，道："等一等。"

郭大路道："还等什么？"

王动道："燕七已经出去了两天，算时间已经快回来了，我们至少该等等他。"

郭大路道："等多久？他回来的时候我们说不定已冻死了。"

他用不着等这么久。

燕七的声音已在墙外响起，道："你们死了最好，这坛酒我乐得一个人享受。"

王动笑道："这人不但耳朵长，鼻子也长，我早就知道他一嗅到酒香就会赶回来。"

郭大路也笑了，道："却不知这长鼻子带了什么东西回来给我们下酒？"

燕七道："下酒的这次我倒没带回来，只带回来个喝酒的。"

林太平的确是个喝酒的。任何人第一眼看到他，都绝不会相信他能喝那么多酒。

郭大路第一眼看到他的时候尤其不信。

林太平是个很秀气、很纤弱，而且非常漂亮的人。若说燕七长得有点像女孩子，那么他简直就像是个女孩子化装的。

他的嘴很小，就算用“樱桃小嘴”来形容他也绝不过分。

郭大路第一眼看到他的时候，他的嘴闭得很紧，嘴唇的颜色发青，要用很大的力气才能扳得开他的牙齿灌下酒去。

他已被冻得半死，饿得只剩下一口气。

郭大路实在想不到世上还有比他更冷更饿的人，苦笑道：“这人你是从哪里带来的？”

燕七道：“路上。”

郭大路叹了口气，道：“第一次你从路上带了条猫回来，第二次带回条狗，现在居然捡到个人了。照这样子下去，你下次岂非要从路上带个大猩猩回来？”

王动笑道：“最好是母猩猩，刚好可以跟你配成一对。”

郭大路也不生气，笑嘻嘻道：“若是母猴子就糟了，我岂非还得叫她一声王大嫂？”

他身材很高大，比王动至少要高一个头，这一向是他最自傲的事。若有人用这件事来笑他，他非但不生气，而且还很得意。

他总认为这样才像个男子汉大丈夫的样子。

燕七已找了个破碗，舀了半碗酒，用力扳开林太平的嘴灌了下去。

喝到第二碗的时候，他苍白的脸上才渐渐有了些血色，但眼睛还是闭着的，将嘴里剩下的半口酒慢慢地咽下去，才说了句话：“这是三十年陈的竹叶青。”

这就是林太平说的第一句话。

王动笑了，郭大路也笑了，就凭这句话，他们就已将林太平当成朋友。

郭大路笑道：“想不到这位朋友倒是个喝酒的大行家。”

林太平慢慢地张开眼睛，瞧见燕七手里的破碗，立刻皱起了眉头，失声道：“你们就用这种碗来喝酒？”

他说话的口气就好像看到有人用鼻子吃饭、用脚拿筷子一样。

郭大路道：“不用这种碗喝用什么喝？”

林太平道："喝竹叶青就该用翡翠碧玉盏，用这种碗喝，简直糟蹋了好酒。"

郭大路笑道："我看你还是将就点吧，只要闭起眼睛，破碗和碧玉盏也没什么两样。"

林太平想了想，道："这话倒也不错，但我还是宁可用坛子喝。"

酒坛就在他面前，他居然真的捧了起来，仰起头往嘴里灌。

郭大路在旁边干看着，看得眼睛都发了直。

直等半坛酒下了肚，林太平才抹了抹嘴，道："好酒，下酒的菜呢？"

郭大路道："下酒菜？"

林太平道："你们喝酒难道不用下酒菜的么？"

郭大路笑道："这你就不懂了，真正喝酒的人，喝酒都不用菜的。"

林太平又想了想，道："这话也有道理。"

他又仰起头，居然将剩下的半坛酒又喝了下去。

一坛酒若已埋藏了十几年，酒已浓缩，剩下的本就只不过有半坛子而已，但酒力却比普通的两坛子还大。

林太平居然还是面不改色，道："这样的酒还有没有？"

郭大路只有苦笑，道："抱歉得很，这坛酒非但是我们三个人今天的全部粮食，也是我们的全部财产。"

林太平怔了怔，道："你们平常光喝酒，从来不吃饭的？"

郭大路道："很少吃。"

林太平叹了口气，道："看来你们真是酒鬼，要知道光喝酒最伤胃，偶尔也该吃点饭的。"

他伸了个懒腰，四下瞧了一眼，道："你们平时就睡在这张床上？"

王动道："嗯。"

林太平皱眉道："这床也能睡人么？"

王动道："至少总比睡在路上好。"

林太平又想了半天，笑道："这话也有理，你们说的话好像都蛮有理，看来我倒可以跟你们交个朋友。"

王动道："多谢多谢，不敢当，不敢当。"

林太平道：“但现在我却要睡了，我睡觉的时候，不喜欢有人来吵我，你们最好出去逛逛。”

他打了个哈欠，躺到床上，翻了个身，居然立刻就睡着了。

郭大路瞧着王动，苦笑道：“看来他不但酒量比你好，睡觉的本事也不比你差。”

燕七瞧着那空坛子，发了半天怔，喃喃道：“我带回来的究竟是个人？还是匹马？”

郭大路叹道：“马也喝不了这么多酒。”

燕七道：“你为什么不要他少喝些？”

郭大路道：“我就算穷，至少总不是个小气鬼。”

王动忽然道：“我倒觉得这人很有趣。”

燕七道：“有趣？”

王动道：“他这条命是你救回来的，又喝光了我们三个人今天的粮食，占据了这屋子里唯一的一张床。可是他非但没有说一句感激的话，而且还挑三挑四，还觉得跟我们交朋友，是很给我们面子。”

他笑了笑，接着道：“这样的人，你说到哪里才能找到第二个？”

所以林太平也留下来了。

所以在江湖中你若说起“富贵山庄”，那意思并不仅是说一栋靠近坟场、烟囱里永远没有烟，有时甚至连灯火都没有的空房子。

你只要说起“富贵山庄”，江湖中人就明白你说的是一个很奇妙的团体——一栋空房子和四个人，他们之间所产生的那种亲切、快乐和博爱的故事，还有他们四个人那种伟大而奇妙的友情。

03

这些朋友之间仿佛有种很奇怪的默契，那就是他们从不问别人的往事，也从不将自己的往事对别人说起。

可是在燕七将林太平带回来的那天晚上，郭大路却破坏了这规矩。

那天晚上，雪已开始融化。

林太平还在呼呼大睡，王动当然也不甘示弱，郭大路只有拉着燕七到山下去“打猎”。

打猎的意思就是去找找看有没有赚钱的机会。

没有。

雪融的时候，比下雪的时候更冷，吃饱了就上床，正是对付寒冷最聪明的法子，街道上几乎连个人影都看不见。

郭大路和燕七就像是两个孤魂野鬼，高一脚低一脚走在泥泞里，郭大路一直在瞧着燕七的靴子。

到后来他终于忍不住问道：“你这双靴子又装上底了？”

燕七道：“嗯。”

郭大路道：“我从来没有问过你以前那双鞋底怎会值上千两银子的，是不是？”

燕七道：“是。”

郭大路道：“我也没有问过你怎么会死过七次的，是不是？”

燕七道：“你的确没有问过。”

郭大路眼睛里满怀希望，道：“我若问呢？你肯不肯说？”

燕七道：“也许肯……但我知道你绝不会问的，因为我也从来没有问过你什么。”

郭大路板起脸，用力咬着牙齿。

燕七忽又道：“你看林太平是个怎么样的人？”

郭大路板着脸道：“我不知道，也不想问。”

燕七笑了，道：“我们当然不会问他，但自己猜猜总没关系吧。”

燕七又道：“他也许是为了件事，所以从家里溜了出来。他穿的衣服很单薄，表示他一定是从很暖和的地方出来的。他身上什么东西都没有带，那表示他出来的时候一定很匆忙，说不定是逃出来的。”

郭大路道：“想不到你倒很细心。”

燕七笑了笑，道：“一个人在这么冷的天气里挨冻受饿，一定支持不了多久。”

郭大路叹了口气，道：“最多，也不过能支持三两天。”

燕七道：“你若只能支持三天，他最多就只能支持一天半。”

郭大路笑道：“不错，我已经习惯了，他却是个养尊处优的大少爷。”

燕七道："在这种天气，一天半之内，无论谁也走不了多远路。"

郭大路道："你的意思是不是说，他的家就在附近不远？"

燕七道："嗯。"

郭大路道："附近有什么豪富人家呢？"

燕七道："没有几家，武林世家更少。"

郭大路道："为什么一定要武林世家？难道他那么文质彬彬的人也会武？"

燕七道："非但会武，而且武功还不弱。"

郭大路道："你怎么看出来的？"

燕七道："我就是看出来了。"

他不等郭大路再问，接着又道："据我所知，附近的武林世家只有两个。"

郭大路道："有哪家是姓林的？"

燕七道："两家都不姓林，林太平本就不一定姓林，他既然是逃出来的，怎么会告诉别人他的真名实姓？"

郭大路道："你知道的是哪两家？"

燕七道："一家姓熊，庄主叫'桃李满天下'熊橱人，是家大武场的主人，虽然桃李满天下，自己却是个独身汉，非但没有儿女，也没有老婆。"

郭大路道："还有一家呢？"

燕七道："还有一家姓梅，虽然有一儿一女，但儿子'石人'梅汝甲在江湖中成名已久，年纪一定比林太平大得多。"

郭大路道："他为什么要起个名字叫石人？"

燕七道："据说这一家的武功很奇特，所用的兵刃和暗器都是石头做的，所以他父亲叫'石神'，他就叫'石人'。"

郭大路笑道："那么他以后生的儿子叫什么呢？会不会叫石狗？"

这是座很宁静的山城，街道都很窄小，而且有点陡斜。

两旁房屋的构造也很平凡。现在虽然还没有起更，但大多数人家的灯火都已熄了，做生意买卖的也大多都上起了门，就算有的窗户里还有灯光透出，灯光也很暗淡。很少有人会在一间屋子里燃两盏灯，用蜡烛的更少，因为灯油总比蜡烛便宜。

郭大路叹了口气，道：“这实在是个穷地方，人在这里耽得久了，不但会愈来愈穷，而且会愈来愈懒。”

燕七道：“你错了，我就很喜欢这地方。”

郭大路道：“哦？”

燕七道：“我无论在什么地方，都会觉得很紧张，也只有在这里，才会觉得是自由自在，无拘无束的。”

郭大路道：“因为这地方的人都穷得连自己都照顾不了，所以绝没有工夫去管别人的闲事。”

燕七道：“你又错了，这地方一点都不穷。”

郭大路笑道：“比起我们来当然都不穷，可是……”

燕七打断了他的话，道：“你看着这地方的人穷，只不过是因为他们都不愿炫耀而已。譬如说，王动认得的那当铺老板，他非但不穷，而且还必定是个很有来头的人。”

郭大路道：“有什么来头？”

燕七道：“以我看，这人以前纵然不是个江洋大盗，也必定是个很有名的武林人物。也不知是因为避仇避祸，还是因为厌倦了江湖，所以才躲到这里来。”

他接着又道：“像他这样的人，在这里还有不少。将来我若要退休的时候，一定也会住到这里来的。”

郭大路道：“照你这么样说，这里岂非是个卧虎藏龙的地方？”

燕七道：“一点也不错。”

郭大路道：“我怎么看不出？”

燕七笑了笑，道：“一个人若是死过七次，看得就自然比别人多些。”

郭大路道：“但你还是没看出林太平的来历，他既然不会是梅家的儿子，也不会是熊家的后代，你说了半天，还不是等于白说。”

燕七沉默了很久，忽然道：“你听说过‘陆上龙王’这名字没有？”

郭大路笑道：“这名字只有聋子才没有听说过，我就算孤陋寡闻，至少总不是聋子。”

燕七道："听说陆上龙王也有座别墅在附近。"

郭大路道："你难道怀疑林太平是他的儿子？"

燕七道："有可能。"

郭大路道："没有可能，绝没有可能。"

燕七道："为什么？"

郭大路道："江湖中，人人都知道陆上龙王是个昂藏七尺的男子汉，怎么会生出个像小姑娘似的儿子来？"

燕七冷冷道："一个人是不是男子汉，并不是从他外表来决定的。"

郭大路瞧了他一眼，笑道："当然不是，不过……"

他忽然闭上了嘴，整个人都像是呆住了。

街上本已没有行人，这时却有个人袅袅婷婷地走了过来。

郭大路一看到这人，眼睛就发了直。

能令郭大路眼睛发直的，当然是个女孩子，漂亮的女孩子。

这女孩子非但漂亮，而且漂亮极了。

她身上穿的虽然是件粗布衣服，但无论什么衣服穿在她身上，都会变得很好看，郭大路几乎从来也没见过身材这么好的女人。

她手里提着两个大篮子，无论谁手里提着两个这么大的篮子，走起路来都一定会像是只螃蟹。

但她走路的风姿却还是那么美，足以令人看得眼睛发直；她手里若没有提篮子，郭大路说不定会看得连眼珠子都掉下来。

这女孩子本来并没有注意到他们，忽然瞟见郭大路失魂落魄的样子，忍不住抿了抿嘴，嫣然一笑。

郭大路的一颗心立刻就像鼓槌般"扑通扑通"地跳了起来，直等这女孩子已转过街角，他还是痴痴地站在那里。

又过了很久，他才长长叹了口气，道："看来这地方果然是卧虎藏龙……"

燕七笑道："恐怕不是藏龙，是藏凤吧。"

郭大路道："对对对，对极了。古人说，十步之内，必有芳草，这句话果然一点不差。"

他忽然挺起胸，道："你看我长得怎么样？"

燕七上上下下地，看了他几眼，答道："还不错，高高的个子，大大的眼珠，笑起来也蛮有人缘的。"

郭大路道："你若是女孩子，会不会看上我？"

燕七抿嘴一笑，道："也许……"

郭大路忽然见他笑得不但很妩媚，而且也很像女孩子，也忍不住笑道："但你若是女孩子，世上只怕没有一个男人能受得了。"

燕七板起了脸，道："能受得了你的女人只怕也没几个。"

郭大路道："为什么？你刚才不是还说我长得蛮好看的么？"

燕七道："可是你又脏，又懒，又靠不住，女人喜欢的绝不会是这种男人。"

郭大路笑道："那只因为你不是女人，其实女人就喜欢这样子，这样子才是男儿本色。"

燕七看起来好像要吐了，苦着脸道："你认为刚才那女孩子看上了你？"

郭大路道："当然，否则她为什么对我笑？"

燕七忍住笑，道："女孩子的笑有很多种，她们看见一个人呆头呆脑的样子就会笑，看到癞蛤蟆、猪八戒时也会笑的。"

郭大路火大了，几乎要叫了起来，道："你难道认为我……"

他忽又闭上了嘴，因为刚才那女孩子这时又从街角转了出来。

她手里提着的篮子本是空的，现在却装满了东西，所以她显得很吃力；地上又满是泥泞，她脚下突然一滑，整个人向前扑倒，手里的篮子也飞了出去。

幸好她遇见了郭大路和燕七。

燕七的反应一向很快，郭大路的反应也不慢，她脚下刚一滑，他们的人已像箭一般蹿了出去。

篮子还没有掉在地上，燕七已伸手接着；这女孩子还没有跌倒，郭大路已伸手将她扶住。

她喘了半天气，才定过神来，忽然发现一个陌生男人的手还扶着自己，脸上立刻飞红。

郭大路的心也在跳，嗫嚅着道："姑娘没事么？"

少女红着脸，垂下头，道："我……真不知道该怎么样谢你们。"

燕七已发现篮子里装的全是吃的东西，有熏鸡，有牛肉，还有一张张烙得两面发黄的油饼。

他真想说："你要谢我们容易极了，只要一只鸡、两张饼。"

但看到郭大路对人家那种深情款款的样子，他怎么能丢自己朋友的人？

何况，郭大路早已抢着道："这是小事，没关系，没关系。"

少女忽然抬头瞧了他一眼，又一笑，道："你们真是好人。"

她说的虽是"你们"，但眼睛却只盯着郭大路一个人。

郭大路心也酥了，人也酥了，吃吃地道："姑娘你……你……你用……用不着客……客气。"

少女已接过篮子，忽又回头嫣然一笑，才低下头往前走。

若说郭大路的魂还在，这一笑可真把他的魂也笑飞了。

他的人虽然像钉子般钉在那里，但他的魂却似已被人装在篮子里带走。

燕七道："有这么好的机会，你为什么还不快追过去？"

郭大路叹道："你难道认为我真是个色鬼？"

燕七淡淡道："就算不是，也差不多了。"

那少女本已走出很远，此刻忽又停下了脚步，回头笑道："我买了很多菜，两位肯不肯赏光跟我回去喝一杯？"

这种要求从一个美女嘴里说出来，听在两个又冷又饿的人耳朵里，只怕比世上最好听的音乐都要好听十倍。

若有人拒绝这种要求，不是呆子才怪。

燕七不是呆子，郭大路更不是。

他嘴里虽然还在说："这怎么好意思呢？"但他的一双脚却早已迈开大步，跟了过去。

唉，为什么英雄总是难过美人关呢？

为什么郭大路也不问问这女孩子要将他们带到哪里去？

看来就算她要将他们带去卖了，郭大路也会跟着去的。

第四章

元宝·女人·狗

01

有人说：女人是祸水。

有人说：没有女人，冷冷清清；有了女人，鸡犬不宁。

这些话自然是男人说的。但无论男人们怎么说，女人总是这世界上所不能缺少的。一万个男人中，至少有九千九百九十个宁愿少活十年也不能没有女人。

有人说：钱可通神。

有人说：金钱万恶。

但无论怎么说，钱也是任何人都不能缺少的。一个人若是没有钱，就好像一口空麻袋，永远都没法子站得直。

这两样东西不但可以令最聪明的人变成呆子，也可以令最要好的朋友变成冤家。

四个光棍的男人中若是忽然多了个女人，那情况简直就像一只筷子忽然伸到装着四个生鸡蛋的碗里去，想不搅得一塌糊涂都不行。

王动、郭大路、燕七、林太平，这四个人过得本来的确是自由自在、无拘无束的日子，因为他们既没有钱，也没有女人。

他们每天早上起来的时候都觉得很快乐，因为那倒霉的“昨天”总算已过去，今天又充满了希望。

可是，忽然间，这两样东西都来了，你说要命不要命？

02

王动也许已醒了很久，却还是躺在地上，一动也不动。

他先把一床破棉被卷成圆筒，然后再一点一点伸进去，把整个人都伸进这个筒里，四面都密不透风。

老鼠就在他身旁跑来跑去，本来还有点顾忌，不敢在他身上爬；可是后来渐渐就将他看成个死人，几乎都爬上了他的头。

王动还是不动。

林太平已注意他很久，到后来实在忍不住了，悄悄走过去，伸出手，伸到他鼻子前面，想试探他是不是还有呼吸。

王动突然道："我还没有死。"

林太平吓了一跳，赶紧缩回手，道："老鼠在你身上爬，你也不管？"

王动道："我从来不跟老鼠打交道，也不跟它们一般见识——只有猫才会跟老鼠斗气。"

林太平怔了怔，道："这里的确应该养只猫。"

王动道："这里本来有只猫，是燕七带回来的。"

林太平道："猫呢？"

王动道："跟山下的公猫私奔了。"

林太平瞪大了眼睛，看着他，看了很久。

雪已住，星月升起。

月光从窗外照进来，照在他脸上。他脸上轮廓极分明，额角宽阔，鼻子高而挺，纵然不是个很英俊的男人，至少很有性格。

"这人看起来既不像疯子，也不像白痴，为什么偏偏有点疯病？"

林太平叹了口气，四下瞧了一眼，道："你那两个朋友呢？"

他实在想找个不是疯子的人说话。

王动道："下山打猎去了。"

林太平道："打猎？这种天气去打猎？"

王动道："嗯。"

林太平说不出话来了，他忽然发现了一条定理：

疯子的朋友一定也是个疯子。

过了半晌，黑暗中忽然传出"咕噜"一声，接着又是"咕噜"一声。

王动喃喃道："奇怪！今天怎么连老鼠的叫声都和平时不一样？"

林太平脸红了，讷讷道："不是老鼠，是……是……"

王动道："是什么？"

林太平忍不住大声道："是我的肚子在叫，你们难道从来不吃饭的么？"

王动笑了，道："有饭吃的时候当然要吃的，没饭吃的时候也只好听着肚子叫。"

林太平又怔住了，他实在不懂，一个人连饭都没得吃，怎么还能这么开心？

王动忽又道："今天你运气总算不错。"

林太平苦笑道："我？运气不错？"

王动道："今天我有种预感，他们打猎的收获一定不错，带回的东西说不定会让你大吃……"

他本来想说"大吃一顿"，但这句话没说完，他自己却"大吃了一惊"。

郭大路已经回来了，走进了门，而且果然带了样东西回来，是个会跑会跳会爬树，还会"吱吱"乱叫的东西。

是个猴子。

假如说王动也有脸色发白的时候，那么就是现在。

看到王动的表情，郭大路几乎笑断了肠子，喘着气笑道："你用不着害怕，这是个公猴子，不是母的。"

一个娇滴滴的声音在他身后响起，道："你的朋友怕母猴子？"

郭大路笑得更厉害，道："的确有点怕，不怕老婆的人这世上又有几个呢？"

王动板着脸，道："好笑好笑，好笑极了，世上怎么会有这么风趣的人，倒真是怪事。"

林太平既不知道什么事如此好笑，也不想知道。

他只觉眼前一亮，黑黝黝的屋子里好像忽然燃起了几千几百盏灯。

所有的光亮都是从一个人身上发出来的。这人穿着件粗布衣服，手里提着两个篮子，已经跟着郭大路走了进来。

跟在她后面的还有三个人：一个大人，两个孩子。孩子们都穿得很整齐，大人的身上却只围着张豹皮。

这些人已经够瞧老半天了，却还不是全部。除了他们之外，还有两条狗、一大捆刀枪、三四面锣、五六根竹竿。

王动喃喃道："我知道他一直想和燕七比比看谁的本事大，谁带回来的东西多，可是至少也该给他留点面子，用不着让他输得这么惨呀。"

燕七倚着门，笑道："虽然输得很惨，却输得口服心服，我出去二十次，带回来的东西也没有他一次多。"

郭大路笑道："我这些朋友们的嘴巴虽然坏，人倒并不太坏。来，我先替你们引见引见，这位姑娘是……"

那少女笑道："还是让我自己说吧。我叫'酸梅汤'，这是我的堂哥'飞豹子'，还有我两个小表弟，一个叫'小玲珑'，一个叫'小金刚'。"

"飞豹子"是谁？其实根本用不着介绍，别人一看就明白。

但那两个孩子却几乎长得一模一样，两人都是大大的眼珠，都梳着朝天辫子，笑起来都有个酒窝。

而且他们的酒窝并不是一个在左，一个在右。

两个人的酒窝都在右边。

王动忍不住问道："谁是小玲珑？谁是小金刚？"

两个孩子一齐道："你猜猜看。"

王动眨了眨眼，道："小金刚旁边的是小玲珑，小玲珑旁边的是小金刚，对不对？"

两个孩子，一齐笑了，其中一个忽然跑过来，凑到王动耳旁，悄悄说了两句话，又笑道："这是我们的秘密，你可不能告诉别人。"

这孩子的笑声如银铃，原来是个女孩子。

郭大路拉起了另一个孩子的手，道："小玲珑是你姐姐，对不对？"

这男孩子摇头道：“不对，她是我妹妹。”

话还未说完，小玲珑已叫了起来，道：“笨蛋！我早就知道男孩子都是笨蛋，被人一骗就骗出来了。”

小金刚涨红了脸，抗声道：“你不笨，你聪明，你为什么要打扮得和男孩子一样？”

这孩子的话倒真是一针见血——女人都瞧不起男人，认为男人是笨蛋，但又偏偏希望自己是个男人，这就是女人最大的毛病。

林太平一直眼睁睁瞧着酸梅汤，此刻忽然道：“这些当然不是你们的真名字。”

酸梅汤叹了口气，幽幽道：“像我们这些走江湖卖艺的，连祖宗的人都丢光了，哪里还有什么真名字？”

林太平也叹了口气，道：“走江湖卖艺又有什么不好？有些人想去走江湖还不行哩。”

酸梅汤又瞧了他一眼，道：“看来你好像有很多心事……”

郭大路忽然打断了她的话，道：“这人本来就像个女孩子。”

林太平瞪了他一眼，脸色已有点变了。

酸梅汤抢着笑道：“难道只有女孩子才能有心事？这么样说来，男人岂非真的全都变成没心没肺的傻蛋了吗？”

林太平瞧着她，目光充满了感激。

郭大路耸了耸肩，道：“就算男人全都没心没肺，至少都有肚子。”

酸梅汤吃吃笑道：“你不说我倒差点忘了……”

她放下篮子，掀起盖在上面的纸，自己先撕下条鸡腿，又笑道：“其实女人的肚子也并不比男人小多少，只不过有时不好意思吃得太多而已。”

小金刚道：“可是你为什么从来也没有觉得不好意思呢？”

酸梅汤用鸡腿去敲他的头，小金刚抢了半只鸡就跑，猴子在地上不停地跳，两条狗“汪汪”地叫。

王动摇着头，喃喃道：“这地方已有十几年没这么热闹过了。”

郭大路道：“你放心，这里还有好几天热闹的。”

王动道：“几天？”

郭大路望着酸梅汤窈窕的背影，道：“很多天……我听说他们要找屋子住下来，所以已经把后面那一排五间屋子租给他们了。”

王动几乎把刚喝下去的一口酒呛了出来，道：“租金多少？”

郭大路瞪起了眼，道：“你以为我是什么人？小气鬼么？会问人家要租金？若不是我，这样的客人你连请都请不到。”

王动看着他，看了很久，才长长叹了口气，苦笑道：“有件事我已愈来愈不懂了。”

郭大路道：“什么事？”

王动道：“这房子究竟是你的？还是我的？”

若说世上还有什么事能令一个又脏又懒的男人变得勤快起来，那就是女人。

第二天一早，王动还躺在“筒”里，郭大路已经去提水了，林太平却在屋子里找来找去。

王动忍不住道：“你找什么？”

林太平道：“洗脸盆、洗脸布，还有漱口杯子。”

王动笑了，道：“这些东西我非但已有很久没有看到过，有的连听都没有听过。”

林太平就好像忽然被人抽了一鞭子，张大了嘴，吃吃道：“你……你们难道连脸都不洗？”

王动道：“当然洗，只不过是三日一小洗，五日一大洗。”

林太平道：“小洗是怎么洗？大洗是怎么洗？”

王动道：“燕七，你洗给他看看。”

燕七伸了个懒腰，道：“我昨天刚洗过，今天该轮到你了。”

王动叹了口气，道：“那么你至少总该把洗脸的家伙拿过来吧。”

郭大路刚好提了两桶水进来，燕七就用那个破碗舀了大半碗水，又从墙上拿下块又黄又黑、本来也不知是什么颜色的布。

王动这才勉强坐起来，先喝了口水，含在嘴里，用手摊开毛巾，用力漱了漱口，然后就将一口水“噗”地喷在手里的布上，随便在脸上一抹，松了口气道：“好，洗完了。”

林太平就好像看到鬼似的，吓得脸色发青，道：“这……这就算是小洗？”

王动道："不是小洗，是大洗。小洗若这么麻烦那还得了？"

林太平连嘴唇都有点发青，看样子好像立刻就要晕过去，过了很久很久，才长长吐出口气，道："若有谁还能找到比你们更脏的人，我情愿跟他磕头。"

王动笑道："你现在就磕吧，比我们脏的人满街都是。"

林太平拼命摇头，道："我不信。"

王动淡淡道："我们的人虽脏，心却不脏，非但不脏，而且干净得很。一个人的心若是脏的，他就算每天用肥皂煮十次，也不算干净。"

林太平歪着头，想了半天，忽然一拍巴掌，道："有道理，很有道理。一个人若是活得快快乐乐，问心无愧，吃不吃饭都没关系，洗不洗脸也没关系。"

他仰面大笑了三声，跑到院子里，在地下打了个滚，大笑道："我想通了，我想通了……我以前为什么一直想不通呢？"

王动和燕七含笑瞧着他，像是也都在替他高兴，因为他们也都已看出他本来的确有件很重的心事。

他本来一直不知道自己做得对不对，现在才知道并没有做错。

一个人活着，就要活得问心无愧，这才是最重要的。

但郭大路却在洗脸，嘴里还喃喃道："不洗脸没关系，洗脸也没关系，是不是？"

他洗完了脸，又用布擦身上的衣服，擦靴子。

燕七冷冷地瞧着他，道："你为什么不索性脱下鞋子洗洗脚？"

郭大路笑道："我正有这意思，只可惜时间来不及了。"

他忽然冲出门，道："他们一定也醒了，我到后面瞧瞧去。"

林太平道："我也去。"

两人同时冲了出去，就好像赶着去救火似的。

王动瞟了燕七一眼，笑道："窈窕淑女，君子好逑，你为什么不去？"

燕七沉着脸，淡淡道："我不是君子。"

王动道："你好像一点也不喜欢那酸梅汤姑娘。"

燕七沉默了半晌，忽然问道："你看他们究竟是干什么的？"

王动眼珠子一转，问道："他们不是走江湖卖艺的么？"

燕七道："你若真的也拿他们当作走江湖卖艺的，你就也是个呆子。"

王动道："为什么？"

燕七道："你难道看不出那只猴子和那条狗一点也不听他们的话，显然是临时找来装佯的。还有那飞豹子，故意穿着奇装异服，其实却是个很规矩的人，连话都不敢多说，一双手更是又白又细，哪里像是个整天提箱子牵狗的？"

王动静静地听着，终于点了点头，道："想不到你居然这么细心。但他们若不是走江湖卖艺的，是干什么的呢？"

燕七道："谁知道，也许是强盗都说不定。"

王动笑道："他们若真的是强盗就不会来了，这地方又有什么东西好让他们打主意的？"

燕七还没有说话，就听到后面传来一声惊呼。

是郭大路的声音。

像郭大路这种人，就算看到鬼也不会吃惊得叫起来的。

世上只怕很少有事能令他叫起来。

燕七第一个冲了出去。

王动也动了。

后面的院子比前面小些，院子种满了竹。以前每当风清月白的夏夜，主人就会躺到这里，听那海浪般的竹涛声。

所以这里也和其他许多种了竹子的院子一样，叫作"听竹小院"，那一排五间屋子，就叫作"听竹轩"。

可是等到王动做主人的时候，就替它改了个名字，叫"有竹无肉轩"，因为他觉得"听竹"这名字本来虽很雅，现在却已变得很俗。

他认为第一个用"听竹"做轩名的人虽然是个很风雅的聪明人，但第八十个用"听竹"做轩名的人就是俗不可耐的笨蛋了。

现在这院子里非但"无肉"，连竹子都几乎被砍光了。

竹子可以做晒衣服的竹竿，也可以用来搭凉棚，所以王动常常拿竹子去换肉。一个人肚子很饿的时候，就常常会忘记风雅是怎么回事。

酸梅汤、飞豹子他们昨天晚上就住在这里，但现在连人带狗带猴子，已全都走得干干净净，只剩下郭大路和林太平站在那里发怔。

他们脚旁还摆着几口箱子，崭新的箱子。

王动道：“你的客人已不告而别了么？”

郭大路点了点头。

燕七冷冷道：“走了就走了，这也用不着大呼小叫，大惊小怪的。”

郭大路也不说话，却将手里的一张纸条递了过来。

纸条上用木炭写了几个字：“五口箱子，聊充房租，敬请收下，后会有期。”

燕七道：“住房子本来就要付房租，这也没什么好稀奇的。”

郭大路叹了口气，道：“稀奇虽不稀奇，只不过付得太多了些。”

王动道：“箱子里是什么？”

郭大路道：“也没什么别的，只不过几箱铜臭物而已。”

若说钱有铜臭气，那么这五箱东西就足足可以将三万八千个人全部臭死。

其中四口箱子里什么别的都没有，就只有元宝。大大小小，各式各样的元宝，最小的也有十两重，就算臭不死人，也压得死。

还有一口箱子里全是珠宝，各式各样的珠宝，有珍珠、有翡翠、有玛瑙，还有七七八八一些连名字都叫不出的宝石。

其中无论哪口箱子，都可以把富贵山庄全买下来。

王动和燕七也怔住了。

过了很久，燕七才吐出口气道：“昨天晚上他们来的时候，并没有带这五口箱子来。”

郭大路道：“没有。”

林太平道：“那么箱子是哪里来的呢？”

燕七冷笑道：“不是抢来的，就是偷来的。”

郭大路道：“这些元宝后面的戳记都不同。”

燕七道：“当然不同，谁家里都不会放着这么多元宝，他们一定是从很多不同的人家偷来的。”

王动叹道：“能在一天晚上偷这么多人家，本事倒真不小。”

燕七道：“这也不稀奇，高明的贼本就能日走千家，夜盗百户。”

郭大路道："他们辛辛苦苦偷来的东西，却送给了我们，这样的贼倒也天下少有。"

燕七道："也许他们是想栽赃。"

郭大路道："栽赃？为什么要栽赃？我们跟她又没有仇。"

燕七悠悠道："你难道以为她真看上了你，特地送这五口箱子来做嫁妆？"

林太平道："这些全不去管他，问题是我们现在拿这五口箱子怎么办呢？"

郭大路道："怎么办？人家既然送来了，我们当然就收下。"

燕七叹道："这个人有个最大的本事，无论多复杂的事，被他一说，马上就变得简单起来了。"

郭大路道："这事本来就简单得很。"

王动道："不简单。"

郭大路道："有什么不简单？"

王动道："他们绝不会无缘无故送我们这么多财宝，一定另有目的。"

燕七道："何况，这些东西既然是偷来的，我们若收下来，岂非也变成了贼？"

王动道："什么事都能做，只有贼是万万做不得的。你只要做了一次贼，尝着了甜头，以后别的事就全都不想做了，一辈子就都得做贼。"

燕七道："而且以后生出来的儿子也是贼，老贼生大贼，大贼生小贼。"

郭大路笑道："你用不着臭我，我虽也做过一次贼，可是非但没尝甜头，反把最后的一把剑也赔了出去。"

王动道："做贼也有学问，本来就不是人人都会做的。"

林太平道："我看我们最好将这些东西拿去还给别人。"

郭大路道："还给谁？谁知道这些东西是从谁家偷来的？"

燕七道："不知道可以打听。"

郭大路道："到哪里去打听？"

燕七道："山下。这些东西既然全是他们在昨天晚上一夜中偷来的，想必就是在山下偷的。”

郭大路瞧着那整箱的元宝，叹道：“你说得不错，这地方的确不是个穷地方……无论什么地方有这么多金子就不是穷地方了。”

他忽又笑了笑，道：“所以这富贵山庄至少在今天真的是名副其实的富贵山庄。”

富贵山庄名副其实的时候虽然并不长，但他们却还是快乐的。

因为他们做了个最聪明的选择。

他们放弃了财富，却留下了良心。

这也许就是富贵离他们最近的时候，但他们并不贪图富贵，也不要以贪婪、卑鄙、欺诈的方法去攫取富贵，所以他们永远快乐，就像沐浴在春日阳光中的花草一样。

他们知道快乐远比财富可爱得多。

03

麦老广。

麦老广是个小饭铺的名字，也是个人的名字。

“麦老广”的烧腊香得据说可以将附近十里之内的人和狗全都引到门口来。麦老广也就是这小饭铺的老板、大师傅兼跑堂。

除了烧腊外，麦老广只卖白饭和粥。若想喝酒，就得到隔壁几家的“言茂源酒铺”去买，或者是买了烧腊到言茂源去喝。

有人劝麦老广，为什么不带着卖酒呢，岂非可以多赚点钱？

但麦老广是个固执的人，“老广”大多是很固执的人，所以要喝酒，还得自己去买，你若对这地方不满意，也没地方好去。

因为麦老广的烧腊不但最好，也是这附近唯一的一家。

山城里的人连油灯都舍不得点，怎么舍得花钱到外面吃饭。所以就算有人想抢老广的生意，过几天也就会自动关门大吉。

麦老广对王动和郭大路他们一向没有恶感，因为他知道这些人虽然穷，却从不赊账。

他们每次来的时候，身上总有两把银子，而且每次都吃得很多。无论哪个饭铺老板都不会对吃很多的客人有恶感的。

麦老广的斜对面，就是王动他们的“娘舅家”。

娘舅家的意思就是当铺。

他们每次来的时候，差不多都会先到娘舅家去转一转，出来的时候一定比进去的时候神气得多。

但今天却很例外。

他们走过娘舅家的时候，居然连停都没有停下来，而且胸挺得很高。看他们走路的样子，就知道口袋绝不会是空的。

麦老广又放心，又奇怪：“乜呢班契弟改行做贼？点解突然有咁多钱？”

契弟并不完全是骂人的意思，有时完全是为了表示亲热。

这次来的有四个人，还没进门，麦老广就迎了上去，用他那半生不熟的广东官话打招呼，道：“你今日点解这么早？”

天不怕，地不怕，就怕广东人说官话。

好在郭大路已听惯了，就算听不懂，也猜得出。笑道：“不是人来得早，是钱来得早，先给我们切两只烧鹅，五斤脆皮肉，再来个油鸡。”

麦老广眨眨眼，道：“唔饮酒？”

郭大路道：“当然要，你先去拿十斤来，等等一齐算给你。”

他说话的声音也响，因为他身上有锭足足十两重的金子。

既然是为了要打听谁家被偷的消息，花他们十两金子又何妨。肚子饿的时候连话都懒得说，怎么能打听消息？

所以他们的良心上连一点负担都没有。

酒渐渐在瓶子里下降的时候，责任心就在他们心里上升起来。

喝了人家的酒，就该替人家做事。

他们绝不是白吃的人。

于是郭大路就问道：“这两天你可有听到什么消息没有？”

没有。

城里最耸动的消息，就是开杂货店的王大娘生了个双胞胎。

大家开始奇怪了。

郭大路道：“也许他们不是在这里偷的。”

燕七道：“一定是。”

郭大路道：“那么这地方为什么没有被偷的人？一夜间偷了这么多人家，是大事，城里早该闹翻天了。”

燕七道：“不是没有，而是不说，不敢说。”

郭大路道：“被偷又不是件丢人的事，为什么不敢说？”

燕七道：“一个人的钱财若是来路不正，被人偷了也只好哑巴吃黄连，苦在心里。”

郭大路笑道：“这么样说来，可就不关我们的事，我们反正已尽了力，是不是？”

这时酒已差不多全到了他的肚子里，已快将他的责任心完全挤了出来。他忽然觉得轻松得很，大声道：“再去替我们拿十斤酒来。”

麦老广还没有走出门，门外忽然走进来三个人。

第一人很高，穿的衣服金光闪闪，好像很华丽；第二人更高，瘦得出奇。但这两人长得究竟是什么模样，别人并没有看清。

因为所有人的目光都已被第三个人吸引。

这人全身都是黑的，黑衣、黑裤、黑靴子，手上戴着黑手套，头上也戴着黑色的毡笠，紧紧压在额上。

其实他就算不戴这顶毡笠也没有人能看到他的脸，他连头带脸都用一个黑布的套子套了起来，只露出一双刀一般的眼睛。

这是夜行人的打扮，只适合半夜三更去做见不得人的事时穿着，但他却光明正大地穿到街上来。

他长得是什么样子？

究竟是个怎么样的人？

谁也看不见，谁也不知道，他全身上下根本没有一寸可以让人家看见的地方。

但也不知为了什么，每个人都觉得他全身上下每一寸地方都充满了危险。

最危险的当然还是他背后背着的那柄剑。

一柄四尺七寸长的乌鞘剑。

很少人用这种剑，因为要将这么长一柄剑，从剑鞘中拔出来就不是件容易事，那必须有很特别的手法，很特别的技巧。

能用这种剑的人，就绝不是容易对付的。他既然已很困难地将剑拔出来，就绝不会轻轻易易放回去。

剑回鞘的时候通常已染上了血。

别人的血！

这三个人走进来后，就占据了最里面角落的一张桌子，显然不愿意打扰别人，更不愿意被别人打扰。

他们要的东西是："随便。"

那表示他们既不是为了"吃"而到这里来的，也不讲究吃。

不讲究吃的人若不是忧心忡忡，就一定是在想着别的事。无论他们想的是什么，都一定不会是件令人愉快的事。

林太平一直在瞧着黑衣人的剑，喃喃道："剑未出鞘，就已带着杀气。"

王动道："不是剑的杀气，是人的杀气。"

林太平道："你们知不知道这人是谁？"

郭大路叹了口气，道："不知道，我只知道我就算已喝得酩酊大醉，也绝不会找这人打架。"

燕七忽然道："另外两个人我倒认得。"

郭大路道："他们却不认得你。"

燕七笑了笑，淡淡道："我算什么，像他们这么有名气的人怎会认得我？"

郭大路道："他们很有名？"

燕七道："坐在最外面那个又瘦又高的人，叫作夹棍，又叫作棍子。"

郭大路道："棍子，倒也像，夹棍这名字就有点特别了。"

燕七道："夹棍是种刑具，无论多刁多滑的贼，一上了夹棍，你要他说什么他就说什么，要他叫你祖宗他都不敢不叫。"

郭大路道："他也有这种本事？"

燕七道："据说无论谁遇着他都没法子不说实话，就算是个死人，他也有本事问得出口供来。"

王动道："这人的手段一定很辣。"

燕七道："他还有个外号叫棍子，那意思就是'见人就打'。无论谁落到他的手里，都免不了要先被他打得鼻青眼肿再说。黑道上的朋友一遇见他，简直就好像遇见了要命鬼、活阎王。"

王动道："他是干什么的？"

燕七道："清河县的捕头。"

王动道："清河县并不是个大地方，岂非埋没了人才？"

燕七道："就因为他的手段太辣，所以一直升不上去。但无论什么地方有了办不了的大案子，都免不了要到清河县去借他。"

郭大路道："那位金光闪闪的仁兄呢？"

燕七道："他姓金，又喜欢金色，所以叫'金狮'，但别人在背地里却都叫他金毛狮子狗。"

郭大路笑道："凭良心讲，这人倒一点也不像狮子狗。"

燕七道："你看过狮子狗没有？"

郭大路道："各种狗我都看过。"

燕七道："狮子狗脸上什么东西最大？"

林太平抢着道："鼻子最大。"

燕七道："什么东西最小？"

林太平道："嘴。"

他笑了笑，又解释道："我小时候养过好几条狮子狗。"

燕七道："你们再看看那人的脸。"

从这边看过去，刚好可以看到那"金毛狮子狗"的脸。

无论谁看他的脸，都无法不看到他的鼻子。

他的鼻子就已占据了整个一张脸的三分之一。

无论谁的嘴都比鼻子宽，但他的鼻子却比嘴宽；若是从他头上望下去，一定看不到他的嘴，因为嘴巴已被鼻子挡住。

郭大路几乎笑出声来，忍住笑道："果然是个特大号的鼻子。"

王动道："他眼睛一定不太灵。"

郭大路奇道："你怎么知道？"

王动道："因为他眼睛已被中间的鼻子隔开了，所以左边的眼睛只能看到左边的东西，右边的眼睛只能看到右边的东西。"

他话未说完，连燕七都忍不住笑了起来。

郭大路道："可是到现在我还没有找到他的嘴。"

燕七忍住笑道："他的鼻子下面的那个洞，就是嘴了。"

郭大路道："那是嘴么，我还以为是鼻孔哩。"

林太平道："鼻孔上怎么会长胡子？"

郭大路道："我以为那是鼻毛。"

王动道："所以他吃东西的时候，别人往往不知道东西是从哪里吃下去的。"

他们虽然在拼命忍住笑，但这时实在忍不住了。

郭大路笑得几乎滑到桌子底下去。

那金毛狮子狗忽然回过头，瞧了他们一眼。

只瞧了一眼，就又转回头。

这一眼就已足够。

每个人都已感觉到他眼睛里那种逼人的锋芒，竟真的有点像是雄狮的眼睛，连眼珠子都是黄的。

他们说话的声音本来就很低，现在更低了。

郭大路道："这人又是干什么的？"

燕七道："也是捕头，两年前还是京城的捕头，最近听说已升到北九省的总捕头。"

郭大路道："看他穿得就像是个花花公子，实在不像是位名捕。"

王动道："你也不像穷光蛋。"

林太平道："他的本事又在哪里？"

燕七道："在鼻子上。"

林太平道："鼻子？"

燕七道："他的鼻子虽大，却不是大而无当。据说他的鼻子比狗还灵，一个人只要被他嗅过味道，无论怎么改扮，都逃不了。"

林太平道："这本事倒的确不小。"

燕七道："这两人可说全都是六扇门里一等一的顶尖高手，若不是什么大案子，绝惊动不了他们，所以……"

王动道："所以你奇怪，他们为什么忽然到了这种地方来。"

燕七道："我的确奇怪得很，若说他们是为了昨天晚上的案子来的，他们的消息怎会这么快？”

就在这时，街上忽然传来了一声女人的尖叫声，就好像有人踩到了鸡脖子似的。

然后，他们就看到一个披头散发的女人从对面一家房子里冲出来，一个矮矮胖胖的男人拼命拉也拉不住。

到后来这女人索性赖到地上，号啕大哭，边哭边叫，道：“我连棺材本都被人偷去了，为什么不能说？……我偏要说。”

她愈说愈伤心，索性用头去撞地，大哭道：“天呀，天杀的强盗呀，你好狠的心呀，你为什么不留点给我？……整整的三千两金子，还有我的首饰，若有哪位好心的人替我找回来，我情愿分给他一多半。”

那男人脸上红一阵，白一阵，用出吃奶的力气，总算把她死拖了回去，抽空还扭转头，勉强笑道：“我们哪有三千两金子给人家偷？”

郭大路和燕七交换了眼色，正想问麦老广：“这人是谁？”

但那夹棍却比他们问得更快。

他声音很沉，说话很慢，每个字说出来都好像很费力。那给人一种感觉，他说的每个字你最好都留神去听着。

麦老广道：“这夫妻两人听说是从开封来的，本来做的是棉布生意，积了千多两银子，准备到这里节节省省地过下半辈子。他们家里若真有三千两金子被人偷了，那才真是怪事。”

他本不是个多嘴的人，但现在嘴上却好像抹了油，而且连官话都突然说得比平时标准多了。

夹棍在听着。

他说得慢，听得更仔细，像是要把你说的每个字都先嚼烂，再吞到肚子里去，而且一吞下去就永远不会吐出来。

等麦老广说完，他又问道：“他们姓什么？”

麦老广道：“男的姓高，女的娘家好像是姓罗。”

夹棍突然站了起来，大步走了出去。

那黑衣人从头到尾都没有说一个字，此刻忽然道：“午时到了没有？”

麦老广道：“刚过午时。”

黑衣人道：“拿来。”

金狮子迟疑着，道：“这地方不方便吧。”

黑衣人道：“方便。”

金狮子好像叹息了一声，从怀里取出锭约莫有二十两重的金子，放在桌上，轻轻地推了过去。

黑衣人收下金子，再也不说一个字。

金狮子长长吐出口气，望着窗外的天色，喃喃道：“一天过得好快。”

可是在有些人看来，这一天就好像永远也熬不过去似的。

第五章

剑和棍子

01

棍子并不是人人都喜欢的东西。

但棍子却很有用。

棍子也比剑势利，他一棍打下去的时候，往往会先看看打的是什么。

剑若出鞘，就只找人致命的弱点。

尤其是这柄剑。

这柄剑拔出来的时候要有代价，插回去的时候也要有代价。

拔出来的代价是钱，插回去的代价是血。

02

一个多时辰已过去了，金狮子和黑衣人还坐在那里，郭大路他们也还坐在那里。

他们舍不得走，也不能走。

郭大路若是掏出那锭金子来付账，岂非等于告诉别人自己就是贼。

夹棍终于回来了，郭大路这才看清他的脸。

他的脸就好像只有皮包着骨头，既没有表情，也没有肉。

金狮子道："怎么样？"

夹棍道："那人不姓高，姓宋，本来是张家口'辽东牛羊号'的账房，拐了老板一笔账，逃到这里来，所以金子丢了也不敢张扬。"

金狮子冷笑道："看来这倒正是他常用的手段，先抓住别人的把柄再下手。"

夹棍道："而且作案的手法也一样，做得又干净又漂亮，门窗不动，金子已丢了。"

金狮子道："什么时候丢的？"

夹棍道："昨天晚上。"

金狮子道："他只要一出手，至少就是十三件大案，这是他的老规矩。"

夹棍道："除了那姓宋的外，我又查出了五家。"

金狮子道："这五家人身上是不是也都背着有案子的？"

夹棍道："不错。其中居然还有家是以前陆上龙王还未洗手时的小头目，现在已娶了老婆，生了孩子。"

金狮子道："他们遇见他，总算也倒了霉，就放他们一马吧。"

夹棍没有说话，只是看着自己的手冷笑。

金狮子笑了笑，道："其实我也知道你绝不肯松一松手的，只要和陆上龙王沾着点边的人，遇着你就倒霉了。可是你也得小心些，真要遇着陆上龙王和那条毒蛇，那时倒霉的可就是你了。"

夹棍还是在冷笑着，没有说话。

金狮子道："无论如何，看来我们得到的消息并没有错，这些年他的确一直窝在这里。"

夹棍道："告诉我这消息的人本来就不会靠不住，否则我怎会要你付一万两？"

金狮子道："可是他既然已在这里窝了七八年，为什么忽然又出了手呢？"

夹棍道："这就叫手痒。"

他们说话完全不怕被别人听见，郭大路当然每句话都不会错过。

他也没法子不承认这夹棍果然有两下子。

但他们嘴里说的"他"又是谁呢？

夹棍忽又冷笑道："他既然昨天晚上还在这里作了案，就一定还窝在这城里。今天早上出城的人我都盘过，除了一伙卖艺的稍为扎眼外，别的全是规矩人。"

金狮子道："他会不会将贼赃叫那伙卖艺的人夹带出城？"

夹棍道："不会，看他们脚底带起的尘土，身上带的绝不会超过十两银子。"

金狮子嘴角忽然露出了一丝不怀好意的狞笑，道："这么样说来，他一定还在城里了。"

听到这里，郭大路真忍不住想问他们："你怎么知道他没有从小路溜走？又怎么知道他现在不会溜走？"

郭大路当然不能问。

幸好用不着他问，夹棍自己已说了出来。

"他要一出手至少就是上万两的金子，我已在四面都布下暗卡，无论谁也休想带着上万两的金子溜走。"

金狮子道："他当然也绝不肯把吃下去的再吐出来。这人见钱如命，有名的连皮带骨一口吞，吞下去就死也不吐出了。"

夹棍冷笑道："这是他的老毛病，我早就知道这毛病总有一天会要他的命！"

金狮子道："但这人实在太狡猾，易容术又精，还会缩骨，连身材高矮都能改变，我们还真未必能掏得出他的窝来。"

夹棍突然一拍桌子，道："这次他若还能逃得了，我就改自己的姓。"

金狮子道："你找到路没有？"

夹棍道："我拼着一个个地问，就算问上三个月，也要把他从窝里掏出来。"

金狮子瞟了那黑衣人一眼，似乎又皱了皱眉，道："这城里每个人你难道都要问？"

夹棍道："我也知道这是个笨法子，但笨法子往往却很有效。"

金狮子又叹了口气道："你准备从哪里开始问？"

夹棍道："就是这里。"

他眼睛忽然瞪到郭大路身上。

若是换了别人，心里本来就有鬼，再被他眼睛这么一瞪，纵然不吓得胆战心惊，脸上也难免要变了颜色。

夹棍就是夹棍，无论谁遇着他都休想不说真话。

但郭大路还是笑嘻嘻地面不改色，一点也不在乎。

他本来就什么都不在乎，何况现在肚子里又装满了言茂源的陈年竹叶青。

夹棍脸上也连半点表情都没有，眼睛一直盯着郭大路的眼睛，慢慢地站了起来，慢慢地走了过去。

他脸色变青，眼睛阴森森的，胆小的人在晚上见着他，非但实话要被他逼出来，也许连尿都被吓出来。

“这人不该叫夹棍，应该叫僵尸才对。”

这句话几乎已到了郭大路的嘴边，差点就说出了口——你千万莫要以为他不敢说，只要酒一到了他肚子里，“不敢”这两个字就早已离开他十万八千里了。

王动他们倒也无所谓：“你只要交上郭大路这朋友，就得随时准备为他打架。”

打架在他们说来，也早就是家常便饭了。

就连林太平也不例外。

夹棍的眼睛虽没有瞪着他，他的眼睛却在狠狠地瞪着夹棍。

看样子无论是郭大路说错一句话也好，是夹棍问错一句话也好，这场架随时都会打起来。

谁知金狮子忽然道：“这几个人用不着问。”

夹棍道：“为什么？”

金狮子笑了笑，道：“他们肚子里若有鬼，怎么会谈论我的鼻子？”

原来这人不但鼻子灵，耳朵也很尖。

郭大路忍不住笑道：“你全听到了？”

金狮子道：“干我们这行的，不但要眼观四路，而且要耳听八方。”

郭大路道：“你不生气？”

金狮子笑道：“为什么要生气？鼻子大就算很难看，却一点也不丢人。”

郭大路对这人的印象立刻好起来了，道：“非但不丢人，也不难看。男人就要鼻子大，愈大愈好，懂事的女人就喜欢大鼻子的男人。”

金狮子大笑道："你鼻子也不小。"

郭大路摸了摸自己的鼻子，笑道："马马虎虎，还过得去。"

金狮子道："你们就住在这城里？"

郭大路道："不在城里，在山上。"

金狮子道："山上也住着很多人？"

郭大路道："活人就只有我们四个，死人却倒有不少。"

金狮子道："死人？"

郭大路道："我们住的地方就在坟场旁边，叫富贵山庄，有空不妨过来喝两杯。"

金狮子道："一定去拜访。"

他忽然站了起来，道："掌柜的，算账，这几位的账我们也一齐候了。"

郭大路跳了起来，道："这是什么话，我们是地主，你一定要让我们尽一尽地主之谊。"

他不但喜欢交朋友，更喜欢请客。

朋友谁都没有他交得快，账也谁都没有他付得快。可是这次他的手伸进口袋，却掏不出来了。

他总不能当着人家的面把那锭金子掏出来。

谁知金狮子也并不再抢着付账，笑道："既然如此，就恭敬不如从命了，多谢多谢。"

夹棍忽然拍了拍郭大路的肩头，冷冷道："这两天城里一定很乱，没事还是耽在家里的好，免得出来惹麻烦。"

他不让郭大路说话，手用力在他肩上一按，道："也不劳相送，请坐。"

郭大路笑嘻嘻道："我坐累了，就想站站。"

夹棍用了八成力，连一点反应都没有，上上下下瞧了郭大路几眼，头也不回地走了出去。

突听金狮子道："对面那人各位可认得么？"

一个身形佝偻、白发苍苍的老头子手里提着桶脏水，正从对面的门里走出来，"哗啦啦"将一桶水倒在地上。

郭大路笑道："当然认得，他就是利源当铺的老朝奉，我们都叫他活剥皮。”

金狮子目光灼灼，不住盯着那老人，直到老人又转身走了进去，他才笑了笑，道：“各位有僭，我们先告辞了。”

他赶上夹棍，两人轻轻说了几句话，一齐向当铺那边走了过去。

黑衣人这时才慢慢地站了起来，慢慢地走过郭大路他们面前。

大家都低着头喝酒，谁也没有瞧他。因为每次看到他的时候，都好像看到条毒蛇一样，觉得说不出的不舒服。

黑衣人脚步并没有停，却忽然唤道：“黄玉如，你好。”

大家都怔了怔，谁也不知道他在跟什么人说话。

这时黑衣人却已大步走了出去。

郭大路摇了摇头，喃喃道：“这人莫非有毛病？”

林太平又在盯着黑衣人背后的长剑，道：“这柄剑至少有四尺七寸。”

燕七道：“你眼力不错，想必也是使剑的？”

林太平好像没听见这句话，又道：“据我所知，武林中能使这种长剑的只有三个人。”

郭大路道：“哦，哪三个？”

林太平道：“一个叫丁逸郎，据说是扶桑浪人赤木三太郎和黄山女剑客丁丽的私生子；赤木三太郎是扶桑‘披风一刀流’的剑客，所以丁逸郎的剑法，也融合了扶桑和黄山两种剑法之长处。”

燕七凝视着他，道：“想不到你知道的武林秘辛比我还多。”

林太平迟疑了半晌，道：“我也是听别人说的。”

郭大路道：“还有两个呢？”

林太平道：“第二个是宫长虹剑法唯一的传人，叫宫红粉。”

郭大路道：“宫红粉？这简直是个女人的名字。”

燕七道：“她本来就是女人，你难道认为女人就不能用这么长的剑？”

郭大路笑道：“我只不过觉得那黑衣人绝不可能是女人。”

林太平道：“听说丁逸郎最近已远渡扶桑，去找他亲生的父亲去了，所以，这黑衣人也绝不可能是他。”

郭大路道：“第三个呢？”

林太平道："这人叫'剑底游魂'南宫丑。"

郭大路道："剑底游魂？这岂非一句骂人的话，他怎么会取了个这么样的名字？"

林太平道："很多年前，江湖中出了个怪人，叫'疯狂十字剑'，遇着他的人没有一个能逃得过他的剑下，就连当时很负盛名的'西山三友'和'江南第一剑'都被他杀了，只有这南宫丑，居然从他剑下逃了出来。所以南宫丑自己也觉得很得意，就替自己取了个外号叫剑底游魂。"

郭大路笑道："败在人家剑下居然还得意，这人倒有趣得很。"

林太平道："这人非但无趣，而且无趣极了。"

郭大路道："为什么？"

林太平道："听说这人最喜欢杀人，有时固然是为了他自己高兴而杀人，有时也会为了钱而杀人。而且他虽然侥幸自十字剑下逃了性命，但脸上还是被划了个大十字，所以从来不愿以真面目见人。"

郭大路道："这么样说来，这黑衣人一定就是他了。"

王动忽然道："这倒也未必。"

郭大路道："未必？"

王动道："你们怎么知道他不是个女人，不是宫红粉？"

郭大路道："当然不会是。"

王动道："为什么？你看过他的脸？看过他的手？看过他的脚？……他连一寸地方都没有让你看到，你能看到的只不过是他那身黑衣服而已，男人可以穿这样的衣服，女人为什么就不可以？"

郭大路怔住了，怔了半晌，又笑道："他若是女人，那倒有趣得很，我倒真想看看她长得是什么样子。"

燕七悠悠道："只要是女人，你就觉得有趣么？"

郭大路笑道："大多数女人的确都比男人有趣些，太丑太老的自然是例外。"

燕七叹了口气，道："这人居然还敢说他不是色鬼，他不是谁是？"

王动打了个呵欠，道："我至少也有一点是和色鬼相同的。"

燕七道："哪一点？"

王动道："随时随地我都会想到床。"

床。

五箱金珠就在床底下。

纵然是天下最豪富的人，也不会将这五口价值亿万的箱子随随便便往床下一塞，连门都不锁就走了出去。

但他们却硬是这么样做了。

因为除了他们自己之外，别人连做梦都不会想到这张破床底下会有这么大的宝藏，而且这屋子里根本空空如也，除了床底下之外，也没有能藏得下这五口箱子的地方。

“为什么不埋在地下？”

燕七也曾经这么样提议过，但王动第一个就坚决反对。

“现在我们若辛辛苦苦地埋下去，过不了两天又得辛辛苦苦地挖出来，既然总得要挖出来，现在又何必埋下去？”

懒人永远有很充足的理由拒绝做事的。

王动的理由当然最充足。

现在他当然已经又躺在床上。

郭大路正在苦练倒吊着喝酒，他听说喝酒有“囚饮”，甚至还有“尸饮”，所以已决心要把这“吊饮”练成。

这世上若是有人能用眼睛喝酒，就算只有一个人，他也绝不会服输的，好歹也要练得和那人一样时才肯停止。

林太平坐在门口的石阶上，用手抱着头，也不知是在发怔？还是在想心事？

他年纪看起来比谁都轻些，但心事却比谁都重。

燕七又不知溜到哪里去了？这人的行动好像总是有点神秘兮兮的，常常会一个人溜出去躲起来，谁也不知道他去干什么。

夜似已很深，又似乎还很早。

有人说：“时间是万物的主宰，只有时间才是永恒的。”

这句话在这里却好像并不十分正确。

在这里的人虽然不会利用时间，却也绝不做时间的奴隶。

郭大路喝完了第三碗酒的时候，林太平突然从石阶上站了起来。

他的表情很兴奋，也很严肃，就好像决胜千里的大将要对他的属下，宣布一项极重要的战术时的表情一样。

只不过无论表情多严肃的人，假如你倒着去看，他那样子也会变得很滑稽的，郭大路刚喝下去的一口酒几乎忍不住喷了出来。

林太平道："我有话要说。"

郭大路忍住笑道："我看得出来。"

林太平道："这城里有个人，不但武功很高，而且还会易容术、缩骨法，曾经作过很多宗令官府头疼的案子。"

郭大路眨眨眼，道："这件事好像并不止你一个人知道，我好像也听说过。"

林太平道："不但你知道，酸梅汤也知道。"

郭大路道："哦？"

林太平道："她不但知道，而且还一定跟这个人有仇。"

郭大路道："有仇？"

林太平道："不过她也跟我们一样，只知道这人藏在城里，却不知道他藏在什么地方？用什么身份做掩护？她虽然想找他报仇，却找不着，所以……"

郭大路忽然觉得他不像刚才那么可笑了，一个跟斗翻下来，道："所以怎么样？"

林太平道："所以她就想法子要别人代她把这人找出来。"

郭大路道："她当然知道天下最会找人的就是棍子和金毛狮子狗。"

林太平道："她还知道他们都已到了附近，所以就先想法子去通风报信，让他们知道：这位名贼就藏在城里。"

郭大路道："然后她自己再到这城里来，一夜间作下十七八件无头案，而且还故意模仿那名贼作案的手法，让棍子和金毛狮子狗认定这些案子都是他作的。"

林太平道："这还不是最重要的一点。"

郭大路道："最重要的是什么？"

林太平道："她这么样一做，棍子和金毛狮子狗才能确定这位名贼的确是在城里，才会认真去找。像他们这种身份的人，自然绝不会为了一点捕风捉影的消息就卖力的。"

郭大路道："但她还有个问题。"

林太平道："她的问题就是得手的赃物一时既不能脱手，也没法子运出去，因为她知道棍子和狮子狗已经来了。"

郭大路道："不错，这种又惹眼、又烫手的东西，就算要藏起来都不容易。"

林太平道："非但不容易，而且还得颇费工夫，所以……"

郭大路苦笑道："所以，她就要找个人代她藏这些东西，可是她为什么谁都不去找，偏偏找上了我呢？"

林太平道："她当然知道你就住在这里，也知道这个地方连鬼都不想来的，把贼赃物藏在这里，就好像……"

郭大路道："就好像把酒藏在肚子里一样安全可靠。"

王动忽然道："这也不是最重要的原因。"

郭大路道："哦？"

王动道："最重要的是，她找来做这种事的人，一定要是个做事马马虎虎，看到阿猫阿狗都会去交朋友的糊涂虫。"

王动非但不动，也很少说话。

他说的话往往就是结论。

但这次下结论的人却不是他，是郭大路自己。

郭大路叹了口气，苦笑道："看到阿猫阿狗都会交朋友倒没关系，一看到漂亮的女人就走不动了的人才真的混账加八级。"

林太平皱了皱眉，道："你说的是谁？"

郭大路指着自己的鼻子，道："我说的就是我。"

其实郭大路倒也不是真的糊涂，只不过有很多事他根本懒得认真去想，只要他去想，他比谁都明白。

林太平忽又道："你还做错了一件事。"

郭大路叹道："郭先生做错事不稀奇，做对了才是奇闻。"

林太平道："你刚才不该用那锭金子去付账。"

郭大路道："我不用那锭金子付账，难道用我自己的手指头去付？莫忘了你刚才喝的也并不比我少。"

林太平道："棍子和金毛狮子狗若知道我们是用金子付的账，一定会奇怪这些穷鬼的金子是从哪里来的，那时我们的麻烦也就来了。”

郭大路道：“我也告诉你几件事好不好？”

林太平道：“好。”

郭大路道：“第一，棍子和狮子狗根本就不会知道，因为麦老广绝不是个多嘴的人。”

林太平道：“有了第一，当然还有第二。”

郭大路道：“第二，郭先生身上有几锭金子，也并不是空前绝后的事，并不值得大惊小怪。何况，那锭金子上连一点标记都没有，我早就检查过了，谁敢说那是偷来的，我就先给他几个大嘴巴子。”

林太平道：“还有没有？”

郭大路道：“还有，每个人都要吃饭的，我们若要吃饭，就非用那锭金子付账不可。”

只听一人道：“这点才最重要，酸梅汤找的人不但要是个好色的糊涂虫，而且还要是个穷疯了、饿疯了的糊涂虫。”

这也是结论。

这次下结论的也不是王动，是燕七。

燕七每次出现的时候，也和他失踪的时候一样飘忽。

郭大路摇了摇头，苦笑道：“这人无论跟谁说话都蛮像人的，却不知道为什么，总是偏偏喜欢臭我。”

燕七笑了笑，道：“你若不是我的朋友，想求我臭你都困难得很。”

郭大路道：“王动也是你的朋友，你为什么不去臭臭他？”

王动笑道：“能臭我的话已经被你说光，还用得着别人开口么？”

郭大路也笑了，走过去拍了拍燕七的肩头，道：“这次你又溜到哪里去了？”

燕七道：“我……我出去逛了逛。”

他好像很不喜欢别人碰到他，每次郭大路碰到他的时候，他都好像觉得很不习惯，这也许因为除了郭大路外也很少有人去碰他。

只要看到他那身衣服，别人已经连隔夜饭都要呕出来了。

郭大路道：“你到哪里逛去了？”

燕七道："山下，城里。"

郭大路道："那地方有什么好逛的？"

燕七道："谁说没有？"

郭大路道："有？"

燕七道："昨天晚上你岂非就看到个提着两个篮子的大美人么？"

郭大路道："今天晚上你看到了什么？"

燕七道："杀人。"

郭大路悚然道："杀人？谁杀人？"

燕七道："棍子。"

郭大路道："棍子杀人？杀的是谁？"

燕七道："有嫌疑的人。"

郭大路道："谁是有嫌疑的人？有什么嫌疑？"

燕七道："棍子要找的人是个五十多岁的男人，是十年前到这里来的，所以凡是十年前才搬到这里来的男人都有嫌疑，都可能是凤栖梧。"

郭大路道："凤栖梧是谁？"

燕七道："凤栖梧就是棍子要找的人。"

林太平忽然道："你说的凤栖梧，是不是'鸡犬不留'凤栖梧？"

燕七道："就是他。"

郭大路笑道："名字如此风雅的人，怎么起了个如此难听的外号？"

燕七道："因为他一下手就非把人家偷得精光不可，有时连一文钱都不替人家留下，有的人被他偷得倾家荡产，只有自己上吊抹脖子，所以他虽然没有杀过人，但被他逼死的人却不少。"

林太平道："听说这人不但心黑手辣，而且视钱如命，偷来的钱自己也舍不得花。"

郭大路道："莫非他将偷来的钱全都救济了别人，做了好事？"

燕七道："这人平生什么事都做过，就是没做过好事。"

郭大路道："那么他的钱到哪里去了？"

燕七道："谁都不知道。"

郭大路沉吟了半晌，道："城里有这种嫌疑的人一共有多少？"

燕七道："本来就不多，现在就更少。"

郭大路道："棍子已杀了几个？"

燕七道："五六个、六七个。"

郭大路瞪眼道："他杀人，你就在旁边看着？"

燕七道："现在我连看都懒得看了。"

郭大路瞪着他，忽然跳起来冲了出去。

王动叹了口气，喃喃道："为什么自从认得他之后，我总是非动不可呢？"

郭大路虽然不糊涂，却很冲动。

他本来应该先问问燕七："棍子杀的究竟是些什么人？"

他没有问，因为他知道棍子杀的也绝不会是什么好东西。

他很明白，却还是忍不住要冲动。这虽然并不是种好习惯，但至少也比那些心肠冷酷、麻木不仁的人好得多。

03

黑衣人也有种习惯——他永远不愿走在任何人的前面。

这当然不是因为他谦虚多礼，只不过因为他宁可用眼睛对着人而不愿用背。

这习惯虽然也不太好，却至少已让他多活了几年。

现在他就走在棍子和金狮子身后。

他们对他倒放心得很，因为他们知道他的剑是绝不会从人背后刺过来的。

他虽然用黑巾蒙住了脸，但却比很多人都要面子得多。

长街很静，只有三两家的窗户里，还燃着暗淡的灯火。

走到街左边的第四家，他们就停住了脚。

这屋子也和城里别的人家一样，建造得朴实而简陋，窄而厚的门、小而高的窗子、昏黄的窗纸、昏黄的灯光。

门窗都是紧紧关着的。

金狮子沉声道："就是这一家？"

棍子点了点头。

金狮子突然飞掠而起。他身材虽魁伟，行动却极灵便，轻功也不弱，脚尖在屋檐上轻轻一点，便已掠过屋脊，瞧不见了。

棍子回头瞧了那黑衣人一眼，才厉声道："这是公家办案，居民闭户莫出，否则格杀勿论。"

话未说完，屋子里的灯已熄灭。

只听"砰"的一声，显然有人撞破了后面的窗子，想夺窗而逃。

只可惜金狮子早已防到了这一招。

又是一阵惊呼。

金狮子低叱道："往哪里走？"

接着就看到一条人影上了屋脊，轻功虽不在金狮子之下，身材却瘦小得多，四下略一逡巡，就向东南方飞掠了过去。

棍子没有动。

黑衣人似乎也没有动。

但是忽然间，他已经上了屋脊，挡住了那人影的去路。

那人影一惊，双拳齐出。

黑衣人似乎没有出手。

但忽然间，出手打人的人已从屋脊上滚了下来，跌到街心。

棍子这才慢慢地走了过去。背负着双手，低头瞧着他。

寒风凄厉，天地肃杀。

他一双眼睛在冷夜中看着像两把锥子。

结了冰的锥子。

第六章

送不走的瘟神

郭大路已经在街角里看了很久，他本来早就想冲过去了。

可是冲过去干什么呢？

他自己也不知道要干什么。棍子抓的若真是个心黑手辣的强盗，他难道还能帮强盗拒捕么？

从山上一路跑下来，一路冷风扑面，他的火已经小了很多。

所以他还是在街角里等着。

跌到街心上的那个人蜷曲在那里，就像是一摊泥，动都没有动。

棍子突然一把将他拉了起来，用两只手揪着他的衣襟，一字字道：“看着我。”

这人的身子虽已站起，头还是软软地垂着。

棍子的右手松开，正正反反掴了他十几个耳刮子。

血开始从他嘴角往外流，但他还是咬着牙，连哼都没有哼一声。

棍子冷笑道：“好，有种。”

他的膝盖突然抬起，用力一撞。

这人痛得连脸都变了形，想弯腰，却弯不下去。只有将下身往上缩，整个人都缩成了一团，悬空吊在棍子手上，抖得全身的骨头都似已将松散。

棍子道：“对付不听话的人，我有很多法子，这是其中最简单的一种，你想不想再试第二种？”

这人终于抬起头，瞧着他，眼睛里充满了仇恨的怒火。

棍子的神情却忽然变了，变得和气了些，道：“你不是凤栖梧？”

这人牙齿咯咯打战，嘶声道：“你明知道我不是，为什么还要这么样对付我？”

棍子道："因为我还不能确定，除非你告诉我你是谁，我才能证实你不是凤栖梧。"

这人道："我谁都不是，只不过是这城里一个卖杂货的小商人。"

棍子沉下了脸，冷笑道："你若不是别的人，我只有把你当作凤栖梧了。"

这人颤声道："你怕抓错了人，怕上头怪你，所以你明知我不是凤栖梧，也不肯放过我。你这种人的手段，我早就知道。"

棍子的脸色又和缓下来，道："你错了，这次我找的只是凤栖梧一个人，和别人全没关系，只要你肯说出自己的身份来历，我立刻就放了你。"

这人道："放了我？你会放了我？"

棍子居然笑了笑，道："为什么我不会放你？就算你在别的地方有案，和我有什么关系？我何必狗拿耗子，多管闲事？"

这人想了很久，才咬了咬牙道："我姓韩，叫一阵风。"

棍子道："一阵风，那年春天，在张家口杀了黄员外一家人的是不是你？"

一阵风道："你说过，只要我不是凤栖梧，别的事你都不管。"

棍子道："我当然不管，但我又怎知你就是一阵风，不是凤栖梧？"

一阵风道："我身上刺着花……"

"哧"地，衣襟被撕开，胸膛上果然刺着龙卷风的形状。

这的确是一阵风的标志。

棍子淡淡道："一阵风不会冒充凤栖梧，凤栖梧却可能冒充一阵风的。"

一阵风道："你要怎么样才肯相信？"

棍子沉吟着，道："听说，黄员外是被人一剑刺死的。"

一阵风道："不是，我从来不使剑。"

棍子道："他是怎么死的呢？"

一阵风道："我用药先毒死了他，再将他抛到井里去。"

棍子又笑了笑，道："这么样说来，你的确是一阵风了。"

一阵风道："我本来就是。"

棍子道："好，很好……"

他突然出手，反手在一阵风脖子上一切。

一阵风立刻又变成了一摊泥。

他的人虽已死，但一双眼睛却还不肯死，狠狠地瞪着棍子，眼球慢慢地向外凸出，充满了愤怒与怨毒，像是在问："你答应过放了我，为什么又下毒手？"

棍子的嘴没有说话，但眼睛却似在替他回答。

他眼睛里充满了得意之色，仿佛在说："这就是我的手段，我既然不信任你，你为何又要信任我呢？"

郭大路的眼睛里也在冒火。

但他还是只有瞧着，因为这一阵风的确该杀。

官差杀贼，本是天经地义的事。

只听一人道："原来他杀人的时候，你也只不过在旁边瞧着的。"

郭大路用不着回头，也知道说话的人是谁了。

他只有叹了口气，道："但我还是要看下去。"

燕七道："你喜欢看他杀人？"

郭大路道："我要等着看他杀错一个人。"

燕七道："为什么？"

郭大路道："那时我才有理由杀他。"

燕七道："你想杀他？"

郭大路道："一阵风虽该死，但他却更该死。"

燕七道："你认为他做错了事？"

郭大路道："他做的事也不能说不对，但用的手段却太卑鄙、太可恶。"

燕七道："他若永远不杀错人呢？"

郭大路怔住了。

燕七笑了笑，道："这世上有些事本就是任何人都没法子去管的。何况棍子虽可恶，却很有用，有些人的确就要他这种人去对付。"

郭大路忽也笑了笑，道："你以为他这种人就没有人能对付得了？"

燕七道："谁能对付他？你？"

郭大路道："也许是我，也许是别人，无论是谁都没关系，我只知道天理循环，报应不爽，迟早有人去对付他的。”

这就是郭大路之所以为郭大路。

他不但对人生充满了热爱，而且充满了信心。

他确信真理永远不灭，公道永远存在。

他确信正义必定战胜邪恶，无论什么样的打击都不会让他失去这种信心。

金狮子正拍着棍子的肩，笑道：“恭喜恭喜，又一件大案被你破了。一晚上连破七案，除了你谁有这么大的本事？”

棍子道：“你。”

金狮子大笑，道：“我不行，我的心不够狠，这碗饭已渐渐吃不下去了。”

棍子脸色变了变，又忍住。

金狮子道：“下一家是谁？”

棍子抬起头，眼睛瞪着对面的一块招牌。

黑底的招牌，金字：

“利源当铺”。

利源当铺的老板虽然剥皮，却不啃骨头，而且常常还会在骨头上留点肉分给别人吃。

郭大路对这人的印象一向不错，看到棍子和金狮子向当铺走过去，他忍不住也想赶过去。

王动一直站在后面没有说话，此刻忽然道：“不能动。”

郭大路笑道：“我又不是王动，为什么不能动？”

王动道：“现在若动，一动就有麻烦。”

郭大路道：“你几时怕过麻烦了？”

王动道：“就是现在，而且怕的就是这种麻烦。”

郭大路道：“莫忘了，他是我们的大娘舅，我们随时都可能去找他的。”

王动道：“没有娘舅无妨，没有祖宗才麻烦。”

郭大路怔了怔道："没有祖宗？"

王动道："娘舅若真是有案底的贼，我去助他，岂非连我祖宗的人都丢光了。"

郭大路道："你用不着去，我去！"

王动叹了口气，道："我若能让你一个人去，现在为什么不耽在床上睡觉？"

郭大路瞧着他，瞧着他冷冰冰的眼睛、冷冰冰的脸，心里忽然涌起了一阵友情的温暖。

他若想去做一件事，就没有人能拦得住。

能拦住他的只有朋友。

这时金狮子和棍子已走到当铺门口。

门本来也是关着的，但他们还没有拍门，门忽然开了。

剥皮老板从门里探出头，道："我早就知道三位还会再来的，请进请进。"

金狮子和棍子对望了一眼，走了进去。

黑衣人把住了门。

郭大路咬着牙，喃喃道："不知道棍子要用什么手段对付他，看来我还是该去瞧瞧。"

他用不着去。

因为这时金狮子和棍子已经走了出来。

只听剥皮老板的声音在门里面道："三位要走了么，不送不送。"

金狮子含笑抱拳，道："不用客气，请留步。"

郭大路看得呆住了，喃喃道："这是怎么回事？这两人怎么忽然变得客气起来了？"

王动道："棍子要打人的时候，并不是随随便便就打下去的，否则棍子早就打断了。"

郭大路道："这剥皮老板又是谁？凭什么能令他们如此客气？"

王动沉吟道："也许就因为他谁都不是，所以人家才会对他客气。"

郭大路想了想，也不知是否想通了这句话的意思。

他已没空再想，金狮子和棍子下一个目标竟是麦老广烧腊铺。

郭大路皱眉道："想不到他们连麦老广这种人也怀疑，疑心病倒真不小。"

燕七道："这次你倒用不着担心，麦老广绝不会有什么毛病被他们找出来。"

郭大路道："我当然不担心，但却不是为了你这原因。"

燕七道："你为的是什么？"

郭大路道："他们也是人，也得吃饭，若没有麦老广，他们明天吃什么？"

王动道："吃屁。"

郭大路笑了，但笑容刚露出，立刻就又消失。

烧腊店里竟忽然传出一声惊呼，正是麦老广发出来的。

又听到棍子的声音在问："这锭金子是哪里来的？说！"

听到"金子"两个字，郭大路的人已箭一般蹿了出去。

这次连王动都没有再拦他。

只见棍子拎着麦老广，就好像麦老广拎着油鸡似的。

油鸡当然有油，麦老广脸上的汗也像是油，在灯下闪闪发光。

他不停地抖，抖得连话都说不出来了。

棍子厉声道："你说不说？金子是哪里来的？"

这次已用不着麦老广自己说了。

郭大路已冲了进去，大声道："金子是我给他的，一共买了他三十斤肉、四十斤酒，外加七只鹅、八只鸡，谁也没做蚀本生意。"

棍子慢慢地放下麦老广，慢慢地转过身，瞪着郭大路。

郭大路就吊儿郎当地站在那里，的确不像是个能用金子付账的人。

棍子道："金子是你的？"

郭大路道："是！"

棍子道："从哪里来的？"

郭大路道："一个人有金子若是也犯法的话，那么天下犯法的人可就太多了，只怕两位也不例外吧？"

棍子的脸上虽然没有表情，瞳孔却已渐渐开始在收缩。

突然间，他的手已伸出。

他不但比别人高，手也比别人长，十根又干又瘦的手指，就像是一双装在棍子上的铁爪。

但郭大路偏偏就要碰碰这双铁爪。

他既没有闪避，也没有招架，“呼”地，双拳齐出，硬碰硬就往这双铁爪反打了过去。

这一拳击出，非但棍子吃了一惊，金狮子也不禁为之失色。

棍子这一双铁爪上显然练着有鹰爪功一类的功夫，就算是瞎子也能感觉得到，对方手上若没有惊人的内功，怎么敢一出手就使出这种硬碰硬的招式？

其实郭大路的内力并不如他们想象中那么可怕，只不过他天生是个大路的人，不但花钱大路，做事大路，武功也大路。

这一拳击出，是他的拳头击断对方的鹰爪？还是对方的鹰爪洞穿他的拳头？他根本连想都没有去想。

他根本不在乎。

只要他高兴，什么样的招式都能使得出来。

但别人可没有这么样大路，何况武功讲究的本是招式的变化和技巧，不到万不得已时，谁肯和对方硬拆硬碰？

郭大路一拳击出，棍子的招式已变，肘一沉，爪上翻，十指如钩，如抓似削，击向郭大路的腕脉。

郭大路简直连瞧都没有瞧见，招式连一点都没有变。

“不变就是变，以不变应万变。”

这一招正又是武功中最高妙的原则。

棍子凌空一个翻身，几乎就撞到墙上。

郭大路简直可说是连一招都没有完全使出，就已将这六扇门里数一数二的高手击退了。

他对自己很满意，也没有追击。

“乘胜追击”这句话他并不是不知道，可是别人既然已示弱认输，既然已退了下去，又何必再追呢？

赶尽杀绝这种事郭大路是从来不会做的。

金狮子干咳两声，迎了上来，笑道：“小兄弟，有话好说，何必生这么大的火气？”

郭大路道：“是他的火气大，是他想来揍我，我哪有什么火气？”

金狮子道："误会误会，大家全是误会。"

郭大路道："但他问了我半天，我倒也想问他一句话。"

金狮子道："请问。"

郭大路道："一个人用金子来买酒买肉，是不是犯法的？"

金狮子笑道："当然不犯法，我也常常用金子来付账的。"

郭大路道："既然不犯法，就请你们放过麦老广，也放过我吧。"

金狮子道："当然当然。"

他瞟了门外的王动、燕七和林太平一眼，道："今天下午我们已叨扰了各位一顿，晚上就由我来做东，喝几杯如何？"

郭大路还在沉吟，意思已有点活动了。

他倒并不是喜欢白吃，只不过拒绝别人的话，他实在说不出口来。

王动道："现在我什么都不想，只想早点上床。"

金狮子笑道："那也好！反正我们早就想到府上拜访了，不如就趁今夜之便，到府上去做一长夜之饮，四位意下如何？"

这么样一说，王动也没法子拒绝了——六扇门中的人要到你家里去"拜访"，你能有法子拒绝么？

何况，他们若到了富贵山庄，就不能够在这里杀人了。

所以他们到了富贵山庄。

第七章

床底下的秘密

无论谁先听到“富贵山庄”的名字，再到那里去，免不了都要吃一惊。

这么样“富贵”的山庄倒也的确少见得很。

郭大路笑道：“这里本来非但没有灯，也没有油，幸好我今天从山下带了些蜡烛回来，否则大家就只好黑吃黑了。”

王动道：“其实黑吃黑也蛮有趣，怕只怕吃到鼻子里去。”

他本来回到家第一件事就是脱鞋子上床，但今天却连走都没有走过去，远远就坐了下来，又道：“各位若不嫌脏，就请坐到地上。”

金狮子笑道：“这是古风，我们的老祖宗本就是坐在地上的。”

郭大路道：“我们复古的精神比谁都彻底，连睡都睡在地上。”

金狮子道：“那张床呢？”

谁都不愿意他们注意到那张床，可是无论谁走进来都没法子不注意那张床。

王动道：“床是我一个人睡的。”

郭大路道：“这倒不是他做主人的小气，而是我们嫌脏。”

屋子里只有他们三个人说话，林太平、燕七、棍子都没有开过口，那黑衣人更连门都没有进来，背负着手，站在院子里，仿佛已和这阴森森的院子、阴森森的夜色融成了一体。

金狮子道：“小兄弟这么高的武功，不知是哪一门的高人传授的？”

他自动将话题从“床”上移开，别人当然更求之不得。

郭大路道：“我师父倒有不少，教出来的徒弟却只有我一个。”

金狮子道：“不知是哪几位？”

郭大路道："启蒙的恩师是'神拳泰斗'刘虎刘老爷子，然后是'无敌刀'杨斌杨二爷子、'一枪刺九龙'赵广赵老师、'神刀铁胳臂'胡得扬胡大爷……"

金狮子瞪大了眼睛在听着，他名字说得愈多，金狮子的眼睛瞪得愈大，仿佛已怔住。

这些名字他实在连一个也没听说过。

武林中有样很妙的事，那就是外号起得愈吓唬人的武功往往愈稀松平常，尤其是"一枪刺九龙""神刀铁胳臂"这一类的名字，更像是走江湖卖把式的，真正的名家宗主，若是起了个这么样的名字，岂非要叫人笑掉大牙。

郭大路好不容易才把这些响当当的名字说完了，笑道："家师们的名字，你可听说过？"

金狮子咳嗽两声，道："久仰得很，咳咳，久仰得很。"

他忽然一抬脚，人已蹿了过去，蹿到床边，抓着床沿，人跃起，乘势将床也提了起来。

郭大路、王动、燕七、林太平，四个人的心似也被提了起来。

床下的五口箱子若是被人发现，今天他们就算能挡住金狮子的刀、棍子的爪、黑衣人的长剑，这做贼的污名只怕是再也洗不掉的了。

他们的年纪还轻，若是背上了做贼的黑锅，到几时才能抬得起头来？

谁知床下连一口箱子都没有，什么都没有。

郭大路几乎忍不住要叫了出来。

金狮子似也怔了怔，慢慢地放下床，勉强笑了笑道："我刚才明明看到床底下有只老鼠的，怎么忽然就不见了。"

王动冷冷道："是白老鼠还是黑老鼠？"

金狮子道："这……我倒没看清楚。"

王动道："白老鼠就是财，藏金的地方往往会有白老鼠出现，明天我倒要挖挖看，说不定这下面埋着好几箱金子也未可知。"

他脸上还是冷冰冰的，连一点表情都没有。

郭大路瞟了他一眼道："金兄若肯留下来，说不定也可以发个小财的。"

金狮子勉强笑道："不必了，我这人天生没有横财运。"

这屋子现在虽破旧，本来的建筑却讲究得很，地上都铺着整块的青石板，石板缝中都长满了藓苔。

无论谁都能看出这些石板，至少已有十年没有动过。

棍子忽然站起来，道："我醉了，告辞了。"

他明明连一滴酒都没有喝，明明是睁着眼睛在说瞎话，但谁也不想揭穿他。

大家都觉得这假话说得很是时候。

棍子和金狮子走了很久，郭大路才长长松了口气，笑道："还是我们的王老大高明，若不是他把箱子搬走，我们今天就要当堂出彩了。"

王动道："王老大是谁？"

郭大路道："当然是你。"

王动道："你认为我会一个人把这五口箱子搬走，再藏起来么？"

郭大路怔住了。

若要王动搬箱子，倒不如要箱子搬王动也许反倒容易。

郭大路抓着头皮，道："若不是你，是谁？"

他转过头，就看到了燕七。

燕七道："你不必看我，我也未必比王老大勤快多少。"

林太平道："我一辈子没搬过箱子。"

他一双手又白又细，简直比小姑娘的脸还嫩。

郭大路几乎把头皮都抓破了，吃吃道："你们既然都没有搬箱子，那五口箱子，难道是自己长腿跑走的么？"

王动道："箱子虽然没有腿，酸梅汤却有腿，而且一定是双很好看的腿。"

王动说的话，往往就是结论。

除了酸梅汤之外，他们实在想不出还能有谁知道床底下有五口箱子，更没有别人会将箱子搬走。

燕七道："现在她目的已达到了，自然不必把五大箱子白白留给我们。"

林太平道：“所以她一看到我们下山，就乘机把箱子搬走。”

王动伸了个懒腰，道：“搬走了反而好，否则我在床上躺着也不舒服。”

林太平道：“我只奇怪一样事，我们明明谁都没有往床这边瞧过一眼，金狮子怎么会怀疑到床底下有毛病？”

王动道：“也许就因为我们谁都没有往床这边瞧过一眼，所以他才会怀疑。”

这也是结论。

你愈是故意装着对一件事全不关心，反而显得你对它特别关心。

尤其是女孩子。

一个女孩子若是对别人全都很和气，只有对你不理不睬，那也许就是说她心里没有别人，只有你。

林太平叹了口气，道：“看来这狮子狗倒真是个厉害人物。”

燕七道：“这人老奸巨猾，笑里藏刀，实在比棍子还厉害很多。”

郭大路已有很久没说话了，此刻忽然道：“箱子绝不是酸梅汤搬走的。”

燕七道：“不是她是谁？”

郭大路道：“她若要将箱子搬走，昨天就根本不会留下来。”

燕七道：“为什么？”

郭大路道：“要把那五口箱子搬出城，今天比昨天还困难得多，她为什么昨天不搬今天搬？她难道会是呆子？”

燕七冷笑道：“她当然不是呆子，我才是，我就是想不出还有别人会来搬箱子。”

郭大路忽然笑了，道：“为什么我一提起酸梅汤你就生气，难道你也偷偷地看上她了？我把她让给你好不好？”

燕七道：“为什么要你让？她难道是你的？”

王动叹了口气，道：“你们酸梅汤还没有吃到嘴，醋已喝了几大碗，这又何苦呢？”

燕七也笑了。

他笑得很特别，也很好看。

别人开始笑的时候，有的是眼睛先笑，有的是嘴先笑。

他开始笑的时候，却是鼻子先笑，鼻子先轻轻地皱起一点点，然后面颊上再慢慢地现出两个很深很深的酒窝。

郭大路在瞧着他，喃喃道："假如这小子不是个这么样的人，我一定会认为他是个女的。"

燕七眼睛又瞪了起来，道："我若是女的，你就是个阴阳人。"

郭大路道："我当然也知道你绝不会是女的，可是你那笑、那酒窝……"

燕七道："酒窝怎么样？酒窝的意思只不过表示会喝酒，你懂不懂？"

郭大路忽然拉起了他的手，道："走，咱们喝酒去。"

燕七道："哪里喝酒去？"

郭大路道："山下。"

燕七道："这里的酒还没有喝完，为什么要到山下喝？"

郭大路眨了眨眼，道："听说麦老广的烧烤都是半夜做的，我想去吃他半只新出炉的烧鸭。"

燕七道："我没有你这么馋，你一个人去吧。"

郭大路道："你知道我从来不一个人喝酒。"

燕七道："要不然，你找王老大陪你去。"

郭大路道："现在就算拿刀架在他脖子上，他也不会下床了。"

燕七道："他不去，我也不去。"

郭大路笑道："你又不是个大姑娘，跟我一个人去难道还不放心？"

燕七的脸仿佛红了红，道："说不去就不去，你死拉住我干什么？"

郭大路笑道："我偏要你去，不管你是男是女，我都找定你了。"

王动叹道："我看，你还是跟他去吧，遇见了他这种人，只怪你交友不慎，你若不去的话，连我也睡不成觉。"

燕七也叹了口气，道："幸好我是男人，若是个女的，那才真受不了。"

郭大路笑道：“你若真的是女人，受不了的只怕是我。”

遇见郭大路这种人，的确谁也没法子。

燕七毕竟还是被他拉了出去，刚走出大门，两人就怔住。

此刻已是深夜，这山城中的人本该都已睡了好几觉，有的甚至已快起床了。

谁知山下现在却还是灯火通明，郭大路到这里已有三个月，从来也没看见山城里灯火如此明亮过。

郭大路道：“今天难道已过年了么？”

燕七道：“好像还没有。”

郭大路道：“不是过年，为什么如此热闹？”

燕七喃喃道：“过年的时候，这里只怕也没有如此热闹。”

郭大路又拉起他的手，道：“走，我们快去凑热闹去。”

燕七道：“我自己会走路，你为什么总是要拉住我的手？”

郭大路笑嘻嘻道：“你若不愿意我拉你的手，你就拉住我的好了。”

燕七又叹了口气，道：“看来我又得改名字了，叫燕八。”

郭大路道：“为什么？”

燕七道：“遇到你这种人，我非再死一次不可。”

第八章

麦老广和他的烧鸭子

01

山城里只有三百多户人家，现在每家人都燃起了灯，而且还敞开着门，像是在迎财神的样子。

只不过他们迎接的不是财神，而是瘟神。

几十个戴着红缨帽、穿着皂服的人，腰里佩着刀，手里举着火把，挨家挨户地搜查。

燕七和郭大路一下山，就遇见了金狮子，负手站在街头，呼来喊去，俨然就像是一位在沙场上指挥若定的大将。

郭大路迎了上去，笑道："金将军准备将这里辟为战场么？"

金狮子的脸上本来仿佛带着层寒霜，看到他来了，才有了笑容，道："这也是万不得已，否则我们绝不敢惊扰良民的。"

燕七道："既然明知是良民，又何必惊扰？"

金狮子叹道："我们只知道那批赃物还留在镇上，没有运走，却不知是藏在哪一家？所以只好将附近十八县的差役捕快全都调到这里来，挨户调查。"

他又笑了笑，接着道："只要能查出那批赃物在哪里，凤栖梧这次就再也休想跑得了。"

郭大路道："这样说来，镇上我们也进不去了？"

金狮子目光闪动，道："如此深夜，两位还要到镇上去干什么？"

郭大路道："喝酒。"

金狮子道："到麦老广店里喝酒？"

郭大路道："嗯，山上的酒已喝完了，我们的酒瘾还没有过足。"

金狮子笑道："那地方我们上半夜已经搜查过了，只搜出了一锭金子，两位现在只管去无妨，请。"

他向街上巡逻的捕快，打了个手势，自己也让开了路。

走过去一段路，燕七才笑道："看样子他对你倒很买账。"

郭大路笑道："那只因我的底细，他连一点也摸不透。"

燕七也笑了，道："你说的那些名字，真的全都是你师父？"

郭大路道："这倒一点也不假。"

燕七道："你武功虽也不太怎么样，但他们还教不出你这样的徒弟来。"

郭大路笑道："我学的并不是他们武功的长处，而是他们武功的短处。"

燕七皱眉道："短处？"

郭大路道："我若看到他们武功有什么破绽缺点，自己就尽量想法子避免。这就叫'三人行，必有我师'，无论从什么人你都能学得到点东西的。"

燕七瞟了他一眼，道："看不出你倒有点学问。"

郭大路正色道："在你面前，我也用不着谦虚，我的学问本来就大得很。"

燕七又忍不住笑了，问道："那么你的长处是从哪里学来的呢？"

郭大路道："我问过你靴底的事没有？问过你怎么死了七次的事没有？"

燕七道："没有。"

郭大路道："那你为什么要问我？"

02

麦老广是个老光棍，店里大大小小，一共只四间房。

一间就是前面的店铺，一间是厨房，一间是他睡觉的地方。

最重要的一间在最后面，是他的烧烤房。

这间房门总是关着的，因为麦老广的烧烤卤味也是"独门秘方”，若是被别人偷偷学去了，他的饭碗也就砸破了。

燕七他们来的时候，麦老广正在烧烤房，房门虽是关着的，但一阵阵扑鼻的香气已经从门缝里透出。

郭大路咽了口口水，大声道：“老广，生意上门了，还不快出来？”

过了半晌，麦老广才走了出来，浑身都是油，就好像刚在猪油堆里打过滚。

看到郭大路，他不耐烦的脸上才有了笑容，道：“今晚大家都睡不成，天亮时生意一定好，所以我特地多烤了几十只鸭子，才会比平时忙点。”

郭大路笑道：“老广，你没有儿子，又没有老婆，自己更是省吃俭用，连新衣服都舍不得添一件，赚这么多钱干什么？”

麦老广道：“我地呢的整日系油里打滚啲人，要新衫做乜哩？而且，钱系不怕多啲，愈多就愈更好。”

燕七也笑了，道：“他说的这倒是老实话。”

麦老广道：“老实人当然说老实话。”

郭大路道：“麦老广倒真是个老实人，听说他来了十几年，连赵寡妇贞节牌坊后的石头巷，都没有去过一次。”

燕七道：“石头巷是什么地方？”

郭大路笑道：“石头巷是个好地方，不但美女如云，而且温柔体贴。”

燕七望了他一眼，道：“你去过？”

郭大路道：“我倒并不是不想去，只不过每次喝醉了的时候，却都忘了。”

燕七道：“清醒的时候你为什么不去？”

郭大路道：“清醒的时候我不敢去。”

燕七冷冷道：“你会不敢？”

郭大路道：“我只怕那些美女见了我这样的美男子，就再也不肯放我走了。”

燕七忍不住又笑了，道：“那种地方，偏偏要设在人家的贞节牌坊后面，你说是不是要叫人活活气死？”

麦老广道：“这么夜了，两位还要饮酒？”

燕七道："他想来吃你刚出炉的烧鸭。"

麦老广道："好，我去拣只肥啲来。"

他转身走了进去，郭大路居然也在后面跟着，道："我也到后面去瞧瞧。"

麦老广停住脚道："后面龌龊邋遢，有乜好睇？"

郭大路道："我不怕脏，反正我已经够脏了。"

燕七叹道："他若一定要去，你最好还是让他去吧，否则他就算缠到后天大天亮，也是非去不可的。"

麦老广也笑了，道："后面黑迷蒙，你行路要小心些呀。"

后面的院子果然很黑。

烧烤房就在院子的尽头，也是个黑黝黝的屋子。

麦老广步履蹒跚，走得很慢。

郭大路笑道："看你走路的样子，好像也喝过酒似的。"

麦老广道："今晚天时冻，我只饮了两杯，已经好似有点醉醉的……"

他脚下忽然一个踉跄，像是要跌倒。

郭大路刚想伸手去扶，谁知麦老广忽然一转身，如蛟龙出海、如鹞子翻身，其矫健轻捷，简直无法用言语形容。

郭大路的手刚伸出，已被他扣住了脉门。

燕七做梦也想不到这平时连走路都似要跌倒的糟老头子，忽然间变得如此可怕，大惊之下，想扑过去。

麦老广已沉声叱道："站住，否则要他的命。"

这句话说出来，竟是标准的北方口音，连一点广东味都没有。

燕七呆住，失声道："你……你就是……"

郭大路笑道："他就是凤栖梧，就是把箱子从我们床底下搬走的人，你难道还想不到？"

他人已被制，命在旦夕，居然还是笑笑嘻嘻的一点也不在乎。

麦老广冷冷道："不错，我就是凤栖梧，你怎么知道的？"

郭大路道："我本来也只不过是胡乱猜猜，因为除了棍子、金狮子、黑衣人和我们四个人之外，这地方就只有你知道我们藏有金子，只有你有机会趁我们慢慢走上山的时候，先赶去将箱子搬走。”

凤栖梧冷笑。

郭大路道：“还有，你既已被棍子他们‘冤枉’过，他们现在当然不会再怀疑你。何况，你那烧烤房谁都不能进去，把箱子藏在那里真是再好也没有了。”

凤栖梧道：“还有没有？”

郭大路道：“金狮子的鼻子最灵，他既已见过你，你身上的味道就瞒不过他的鼻子，所以你才故意来做这行生意。”

他耸起鼻子长长吸了口气，才接着道：“因为无论任何人身上的味道，都绝不会有烤鸭那么浓的，就算有狐臭的女人都不例外。”

凤栖梧道：“还有没有？”

郭大路道：“还有，我听说凤栖梧是个一毛不拔的小气鬼，就算是偷来的银子都舍不得花，甚至连老婆都舍不得娶一个；而我这阵子见到的人，再也没有比你更小气的了，放着新鲜的酒肉舍不得吃，却专门吃我们剩下的剩菜冷饭。”

他忽然笑了，接着道：“我现在才发现你这凤栖梧的名字取得真是妙极了，人家林逋是梅妻鹤子，你的妻子就是你自己，所以叫作‘妻吾’。”

他似乎对自己的幽默感欣赏极了，自己笑得眼泪都流了出来。

别人都没有笑，也笑不出。

凤栖梧冷冷地瞧着他，等他笑完了，才冷冷道：“还有没有？”

郭大路道：“没有了，这些已经够了，三样事加起来，所以凤栖梧就是麦老广，麦老广就是凤栖梧。”

凤栖梧道：“想不到你这样的混小子，也有聪明的时候。”

郭大路道：“就算是最笨的人，一生中也会聪明一两次的；何况我本来就是个天才，只不过偶尔会装装糊涂而已。”

凤栖梧道：“你想到我的烧烤房去，是么？”

郭大路道：“本来是想的。”

凤栖梧道：“好，进去。”

郭大路道：“本来虽想，现在却不想了，因为我不想被人当作鸭子吊在架上烤。”

凤栖梧冷笑道："只可惜，现在去不去已由不得你了。"

燕七道："你杀了他也没有用，还有我，我还是可以把你的秘密传出去。"

凤栖梧道："他进去了，你自然也会跟着进去的，因为你绝不会放过救你朋友的机会，我活了五六十岁，这一点至少还能看得出。"

燕七咬着牙，连眼睛都红了，莫说是五六十岁的老江湖，就算是三岁大的孩子也能看得出他对郭大路是多么关心。

郭大路敞声大笑，道："人生得一知己，死而无憾，有了这样的好朋友，死活又有什么关系，只不过……"

凤栖梧道："只不过怎样？"

郭大路道："我知道你绝不会杀我们的。"

凤栖梧道："哦？"

郭大路道："因为你就算把我们两个全杀了也没有用。"

凤栖梧道："哦？"

郭大路道："不但王老大知道我们要到你这里来，金狮子也知道，我们若是突然失踪了，他们怎么会不怀疑？"

凤栖梧冷冷道："那是以后的事。"

郭大路道："你既然不在乎，现在为什么还不动手杀我？"

凤栖梧道："这里反正不会有人来，我用不着那么急。"

郭大路道："你还没有动手，只因你还拿不定主意，我知道你一向是个很小心的人，不是十拿九稳的事，你绝不肯做。"

燕七忽然道："只要你放了他，我们也许可以替你保守秘密。"

凤栖梧目光闪动，看起来就像是一只老狐狸。

老狐狸的毛病就是太多疑，不但怀疑别人，也怀疑自己。

郭大路悠然道："你知道，我对于抓贼并没有兴趣，只不过不喜欢被人骗而已。"

只听一人笑道："谁都不喜欢被人骗的。"

这是金狮子的声音。

语声中，金狮子、棍子、黑衣人已慢慢地走进了院子。

也就在这同一刹那间，四面墙头火把高举，几十个捕快弓上弦，刀出鞘，已将这小小的院子团团围住。

凤栖梧满脸发光，也不知是油？是汗？突然反手一抡。

郭大路百把斤重的身子竟被他抡了出去，冲向金狮子和那黑衣人。

凤栖梧的人就像已变成了一根箭，“嗖”地射出，一眨眼已掠上房脊，顺手夺过了两把刀，施出“凤凰展翅”。

刀光一闪间，已有两名捕快自房上跌下，再一闪，凤栖梧身形已远在三丈开外。

这闯了几十年江湖，作过无数件大案的巨盗，果然有非常人能及之处。

他不但身法快，出手快，而且善于把握机会。

这是他第一个机会，也是他最后一个机会。

黑衣人、金狮子的轻功就算比他强，被冲过来的郭大路挡了挡，也是万万追不上他的了。

突听一声低叱：“下去。”

房脊后突然出现了两个人，挡住了凤栖梧的去路。

其中有个人好像只挥了挥手，凤栖梧就被震出，在房脊上踉跄倒退，原路退回，“砰”地，跌下院子，刚好跌在那两名捕快的身上。

房脊后的两个人轻轻一掠，也已落入院中。一个面容冷漠，喜怒不形于色；一个斯斯文文，秀气得如少女。

王动和林太平也来了。

郭大路刚站稳，就拍手笑道：“我们的王老大果然有两下子。”

王动道：“不是我。”

不是他，自然就是林太平。

这小姑娘似的人竟有这么大的本事？

谁也看不出，却又不能不相信。

这时凤栖梧已被人像裹粽子似的绑了起来。

金狮子仰天吐出口气，笑道：“追踪了二十年，今天总算才将这条老狐狸抓住。”

郭大路道：“赃物一定就在烧烤房里，随时可以搬出来。”

金狮子笑着道：“这就叫人赃俱获，当真是功德圆满。”

郭大路道：“你也用不着谢我，若是一定要谢，就谢谢他吧。”

他指着林太平，笑道："我这位朋友长得虽然秀里秀气的，喝起酒来却像是个大水缸。"

金狮子眼睛瞟着棍子，道："我们可真该谢谢他们才是，你说怎么谢呢？"

棍子沉着脸，道："拿下来，统统拿下来。"

郭大路几乎跳了起来，道："你说什么？"

棍子沉声道："这四人窝贼收赃，纵不是凤栖梧的同党也是江洋大盗！统统给我五花大绑带回去，严刑拷问，不怕他不招。"

郭大路简直肚子都要气破，气极了，反而笑了，道："我倒要看看谁敢来动我？"

棍子厉声道："你敢拒捕？"

王动忽然道："不敢。"

棍子道："既然不敢，还不束手就缚？"

王动道："我们虽不敢拒捕，只可惜你不是捕快，而是强盗。"

燕七道："比强盗还凶。"

王动道："你们苦苦追踪凤栖梧，根本不是为了他的人，而是为了他的钱。"

燕七道："一个捕头每月的薪俸有多少？能养得起你们？就凭金大爷身上的这套衣服，只怕连将军都穿不起。"

王动道："何况，要雇这位黑仁兄这样的职业杀手，花费一定必不在少，官家自然是不会出这种钱的。"

燕七道："但赃物却多得很，天下到处有贼，所以贼赃也取之不尽，用之不竭。"

王动道："小贼不妨拿回去邀功领赏，凤栖梧这样的大贼，不如就索性自己留下了。"

燕七道："像这样的贼，抓一个至少可以吃上个两三年。"

王动道："但留着我们，总有泄漏风声的一天，所以不如也索性杀了灭口。"

燕七道："你们做的事虽然比强盗凶，但却不犯法，这真妙极了。"

王动道："我早就说过，黑吃黑反而有趣，怕只怕吃到鼻子里去。"

两人一搭一档，连郭大路和林太平都听得怔住了，江湖中这种见不得人的勾当，他懂得实在没有燕七他们多。

棍子几乎想发作，却都被金狮子拦住。

等他们话说完，金狮子才笑道："你们说得一点也不错，我全都承认。"

他指着棍子笑道："这人在开封、洛阳、济南、天津，每个城里都有个家，每个家里都有老婆，单凭一份捕头的薪俸，能养得起么？"

棍子板着脸道："你的老婆也不比我少。"

郭大路怒道："只可惜你们这些老婆眼看都要做寡妇了。"

金狮子笑道："你们可知道我为什么要将这些事说给你们听？"

他指着墙头，道："这里有三十张强弓、四十把快刀，这些人都是我过命的兄弟，他们会不会放你们走？"

棍子冷冷道："乱箭穿心而死，那滋味可不太好受。"

金狮子道："何况，还有这位我不惜重资请来的黑仁兄。"

他笑了笑，接着道："你们当然也知道他不姓黑，他那柄剑至少就可以对付你们两三个，所以我看你们不如还是听话些好，至少死也死得痛快些。"

郭大路怒道："放你妈的屁！"

金狮子变色道："先杀了他，以儆效尤。"

黑衣人一直负手站在旁边，此刻忽然道："你要谁杀他？"

金狮子道："当然是你。"

棍子道："杀一个多加黄金三百两。"

黑衣人道："好！"

他忽然反手拔剑，剑光一闪，已刺入了金狮子的肩头。

不是长剑，是短剑。

四尺长的剑鞘中，装着的竟只不过是柄一尺七寸长的短剑。

金狮子本来也不是容易对付的角色，但他既想不到黑衣人会向他出手，更想不到是这么短的一柄剑。

棍子大惊之下，喝道："射！"

喝声中，他身形已掠起。

但别人怎么会放他走。

郭大路、燕七，两个往上一夹，棍子斜斜冲出。

王动本来没有动。

现在忽然动了，只动了一动。

这一动之准、之快，也简直叫人没法子形容。

棍子只觉眼前一花，自己的手上就好像忽然多了副手铐。

墙头上的人呼啸一声，抛弓的抛弓，丢刀的丢刀，眨眼间就逃得一个不剩。他们得到的好处，还不值得他们拼命。

然后，每个人的眼睛都瞪着那黑衣人，谁也不知道这人究竟是怎么回事。

金狮子的目中更似已要冒出火来，咬着牙道："你拿了我的金子，却反过来咬我一口，你这种人简直连狗都不如。"

黑衣人淡淡道："我本来就不是狗。"

金狮子道："久闻'剑底游魂'南宫丑是条好汉，说一不二，所以我们才不惜重金请你来，谁知终日打雁的人，今日倒被雁啄了眼。"

黑衣人道："你们本来就瞎了眼。"

金狮子道："你……你难道……"

黑衣人道："你以为我真是南宫丑？"

金狮子道："你不是南宫丑是谁？"

黑衣人道："也是个专找人麻烦的人，只不过这次是特地来找你们麻烦的。"

金狮子道："你究竟是谁？"

黑衣人道："你的顶头上司提督老爷，早已知道你们有毛病了，所以特地请我来调查调查你们究竟有什么花样。"

他发出声短促而尖锐的冷笑，接着道："现在你自己供出了自己的罪状，真凭实据全都有了，这是不是也叫作人赃俱获、功德圆满？"

金狮子瞪着他，再也说不出一个字来。

黑衣人这才向王动他们拱了拱手，笑道："无论哪一行里都有败类，六扇门里也不例外。但望四位下次见到捕快时，莫要以为人人都和他们一样。"

郭大路含笑道："实不相瞒，我也几乎就做了捕快。"

燕七笑道："他若做了捕快，那真是强盗们的运气来了。"

黑衣人道："今日之事，全仗着四位仗义援手，这三个人我现在就想带回去交差了。"

燕七道："请便。"

郭大路忽然拍了拍凤栖梧的肩，笑道："其实进了监牢反而会更舒服些，那里包管一文钱都用不着花。"

凤栖梧翻了翻白眼。除了翻白眼外，他还能做什么别的？

黑衣人道："至于这贼赃……"

郭大路道："贼赃自然该入库充公。"

黑衣人道："其实这件案子本该算四位破的，在情在理，都该从贼赃里提出三成来，作为各位的酬劳，只要四位肯随我到府城里去走一趟……"

他话未说完，王动已抢着道："不必了。"

只为了金子就要他走一趟远路，杀了他的头他也不干。郭大路、燕七、林太平也不干。在他们眼中看来，世上还有很多事都比钱财重要得多。

郭大路笑道："这些东西除了带给我们不少麻烦外，别的什么都没有，阁下只要肯将这烧烤房里的鸭子拨给我们做酬劳，我们已领情得很了。"

03

黎明。城里又恢复宁静，风还是那么吹，雪还是那么落。世上有些东西本就不是其他任何事所能改变的。有些人也一样。

鸭子烤到现在，正是时候。郭大路撕开只鸭子，正待放怀大嚼，忽然间，七八块指头般大小的翡翠从鸭肚子掉了下来。每个人的眼睛都圆了。再撕开鸭子，肚子里装的是玛瑙。三四十只鸭子，倒有十来只肚子里是装着东西的。

燕七眨着眼，忽然道："我明白了。"

郭大路道："你明白了？"

燕七道：“凤栖梧本来是想将值钱的珠宝藏在鸭肚里运走，好瞒过别人的耳目，谁知却被我们闯了去，所以他只塞了一小半。”

郭大路道：“有道理。”

燕七道：“那位黑仁兄也不知道贼赃有多少，就算清点，也点不出。”

郭大路道：“有道理。”

燕七笑道：“你还装什么糊涂，这道理你早就知道了。”

郭大路眨了眨眼，道：“我知道？”

燕七道：“你若不知道，为什么要人家把鸭子留给你？”

郭大路叹了口气，道：“你若一定要这么样想，我也没法子。”

他忽又笑了笑，道：“反正在情在理，他都应该提出三成来做我们酬劳的，这种钱取不伤廉，我们不花也是白不花。”

燕七盯着他，摇着头道：“有时我真猜不透你。”

郭大路道：“哦？”

燕七道：“我实在猜不出你究竟是真聪明？还是真糊涂？”

王动悠然道：“你说他糊涂时他偏偏聪明得很，你说他聪明时他反而糊涂了。”

这也是结论。

第九章

菩萨和臭虫

01

钱是男人不可缺少的，女人也是。

钱能惹祸，女人惹的祸更多。

除此之外，钱还有一样和女人相同的地方：

来得容易，去得一定也快。

郭大路一向认为自己是个很有原则的人，无论做什么事都有原则。

他吃鸭子的原则是：“有肉的时候，绝不啃骨头；有皮的时候，绝不吃肉。”

现在鸭子的皮都已被剥光了，剥了皮的鸭子看着就像是个五十岁的女人被剥光了衣服，忽然变得说不出的臃肿可笑。

柚子却像是二十岁的女人，皮剥得愈干净，就愈好看。

很少人能从鸭子身上联想到女人，郭大路能。

酒已喝下他肚子，钱已装进他口袋的时候，无论从任何东西上，他都能立刻联想到女人。

现在酒已喝完，珠宝也已分成四份。

郭大路眨眨眼，忽然道：“你们有什么打算？”

什么打算？谁也没有打算。

燕七瞪着他，道：“莫非你有什么打算？”

郭大路眼睛盯着只剥了皮的鸭子，道：“大家都已经憋了很久，今天当然都应该去活动活动，否则骨头只怕都要生锈了。”

燕七道：“我们的骨头不像你，一有了几个钱就会发痒。”

郭大路叹了口气，又笑了，道："就算我是贱骨头，反正我想去活动活动。"

燕七道："你是不是想单独活动？"

郭大路道："嗯。"

燕七冷笑，道："我就知道有些人只有穷的时候才要朋友，一有了钱，花样就来了。"

郭大路瞪眼道："你难道没有单独活动过？"

燕七扭过头，道："你要走，就走吧，又没有人拉住你。"

郭大路站起来，又坐下，笑道："我只不过想单独活动个一天半天，明天晚上我们再见面。"

没有人理他。

郭大路搓着手，又道："麦老广既已被抓去，这里就连家好馆子都没有了，我知道县城里有家奎元馆，酒菜都不错，好在县城也不远，明天我们就在那里见面如何？……我请客。"

还是没有人理他。

郭大路急了，道："难道我连单独活动一天都不行吗？"

王动这才翻了个白眼，道："谁说不行？"

郭大路道："那么明天你去不去？"

王动道："你难道就不能把酒菜从奎元馆买回来请我么？"

郭大路道："求求你，不要这么懒行不行？你也该去买几件新衣服换换了，这套衣服再穿下去，连你的人都要发霉了。"

王动忽然站起来，慢慢地往外走。

郭大路道："你要到哪里去？"

王动道："到麦老广的床上去。"

郭大路道："去干什么？"

王动叹了口气，道："到床上去还能干什么？当然是去睡觉，你到床上去难道是干别的事么？"

郭大路笑了，他的确是想干别的事去，而且的确是在床上。

他站起来，笑道："你在这里睡一觉也好，反正明天要到县城去，也省得再回家还要来回地跑。能少走一段路也是好的。"

王动道："答对了。"

郭大路瞟了燕七一眼，道："你明天是不是也跟王老大一起去？"

林太平点点头，燕七却淡淡道："我今天就跟你一起去。"

郭大路怔了怔，道："可是……我……"

燕七也瞪起了眼，道："你怎么样？难道一有了钱，就真的连朋友都不要了？"

郭大路一路走，一路叹着气。

燕七用眼角瞟着他，道："你怎么回事？有什么地方不舒服。"

郭大路苦着脸，道："好像吃坏了，肚子有点不舒服。"

燕七冷冷道："我看你难过的地方恐怕不是肚子吧。"

他忽然笑了笑道："其实你什么地方难过，我早就清楚得很。"

郭大路道："你清楚？"

燕七眼珠子转动，道："有经验的都知道一句话，叫'单嫖双赌'，我怎么会不清楚。"

郭大路怔了半天，只有笑了笑，苦笑着道："你以为我撇开你们，是想一个人溜去找女人？"

燕七道："你难道没有这意思？"

郭大路不说话了。

燕七悠然道："其实这也不是什么丢人的事，男人有了钱，哪个不想找女人？"

郭大路立即接着问道："你难道也有这意思？"

燕七也不说话了。

燕七道："老实说，跟着你，就因为要你带我去，我知道你在这方面一定很有经验，是不是？"

郭大路"嗯"了一声，忽然咳嗽起来。

燕七道："像你这样又风流、又潇洒的花花公子，当然一定知道在什么地方才能找到最好的女人。"

他用眼角瞟着郭大路，又道："大家既然是朋友，你总不能不指点我一条明路吧。"

郭大路的脸好像已有点发红，喃喃道："当然，当然……"

燕七道："那么我们现在该怎么走呢？"

郭大路道："当然是……先到城里去再说。"

燕七又笑了笑，道："其实你本该把王老大他们也一起找来的，让他们也好开开眼界，我真不懂你为什么要瞒着他们。"

郭大路一点也不想瞒别人，他本觉得找女人并不是什么丢人的事。

找不到女人才丢人。

他瞒着别人，只因为他根本不知道在什么地方才找得到女人。

他根本还没有找过，就因为还没找过，所以才想找，所以才想得这么厉害。

县城好像很快就到了。

一进城，燕七就问道："现在我们该怎么走呢，往哪条路走？"

十步之内，必有芳草。

郭大路干咳了几声道："往哪条路上走都一样。"

燕七道："都一样？"

郭大路道："哪条路上都有女人。"

燕七笑道："我也知道每条路上都有女人，但女人却有很多种，问题是哪条路上才有你要找的那种女人？"

郭大路擦了擦汗，忽然间计从心上来，指着旁边一家茶馆，道："你先到那里去等着，我去替你找来。"

燕七眨着眼，道："我为什么要在这里等，难道不能我们一起去吗？"

郭大路正色道："这你就不懂了，这种地方都很秘密，愈秘密的地方愈精彩。但若看到陌生人，她们就不肯了。"

燕七叹了口气，道："好吧，反正你是识途老马，我什么都得听你的。"

看着燕七走进茶馆，郭大路才松了口气。

谁知燕七又回过头，大声道："我在这里等你，你可不能溜呀！"

郭大路也大声道："我当然不会溜的。"

他的确不想溜，只不过想先将行情打听清楚，好教燕七佩服他。

"像我这样又风流、又潇洒的花花公子，若连这种地方都找不到，岂非要叫燕七笑掉大牙，而且至少要笑上个三五年。"

他用最快的速度转过这条街，前面的一条街好像还是和那条一模一样：有茶馆，有店铺，有男人，当然也有女人。

“但哪个才是我要找的那种女人呢？”他看来看去，哪个都不像，每个女人好像都很正经。

“干这种事的人，脸上又不会挂着招牌的。”

郭大路站在路旁，发了半天怔，自己鼓励自己，安慰自己：“只要有钱，还怕找不到女人？”

他准备先去买套风光的衣服再说。人要衣装，佛要金装。穿得风光些，至少先占了三分便宜。

奇怪的是，买衣服的铺子好像也不太容易找。

他好不容易才找到一家，忽然看到有个人在里面选衣服，竟是燕七。

“这小子居然没有在茶馆里等我。”

只听燕七在里面笑着道：“要最好看的衣服，价钱贵点没关系，今天我与佳人有约，要穿得气派些。”

郭大路皱起了眉头：“难道这小子反而先找到路了么？”

看到燕七满脸春风的样子，郭大路不禁又好气，又好笑。

“既然你不仁，我又何妨不义，现在你总不能说我溜了吧。”

他决定连衣服都不换，决定撇开燕七了。

“姐儿爱的是俏，鸨儿爱的是钞，我既俏又有钞，换不换衣服又何妨？”

这条街上也有茶馆，一个人手提着鸟笼，施施然从茶馆里走了出来。

这人年纪并不大，但两眼无光，脸色发青，一脸疲劳过度的样子，而且任何人都能看得出他是干什么疲劳过度的。

郭大路忽然走过去，抱抱拳，笑道：“我姓郭，我知道你不认得我，我也不认得你，但现在我们已经认得了。”

他做事喜欢用直接的法子。

幸好这人也是在外面混的，怔了怔之后，也笑了，道：“郭朋友有何见教？”

郭大路道："人不风流枉少年，这句话你想必也有同感。"

这人道："原来郭兄是想风流风流。"

郭大路道："正有此意，只恨找不着入天台的路而已。"

这人笑道："郭兄找到我，可真是找对人了。但要风流，就得有钱，没有钱是要被人打出来的。"

郭大路被人打了出来。

他忽然发现姐儿并不爱俏。

姐儿爱的也是钞。

郭大路并不是个好欺负的人，绝不肯随随便便挨人打的。可是他又怎么能跟这种女人对打呢？

他膀子上被人咬了两口，头上也被打出了个包，现在他一只手摸着头上的这个包，一只手还在摸着口袋。

口袋是空的，比他的肚子还空。他明明将那份珠宝放在这口袋里的，现在却已不见了。

早上吃的鸭皮，现在都已消化得干干净净，酒也早就变成了汗。

等到天黑时，汗都流干了。

郭大路找了个破庙，坐在神案前，望着那泥菩萨发怔。泥菩萨好像也正望着他发怔。

他本来已计划得很好，准备先舒舒服服地吃一顿，再舒舒服服地洗个澡，他甚至已想象到一双玉手替他擦背时的旖旎风光。

可是现在呢？

现在替他擦背的是只臭虫，也许还不止一只，他坐着的蒲团就好像是臭虫的大本营，好像全世界的臭虫都已集中到这里，正一队一队地钻入他衣服，准备在他背上开饭。

郭大路一巴掌打下去，只恨不得一巴掌将自己打死算了。

"我这人难道是天生的穷命？就不能有一天不挨饿的？"

他忽然又想到了朋友的好处。

"我为什么要一个人单独行动？为什么要撇开燕七呢？"

想到他们现在一定在大吃大喝，他更饿得几乎连臭虫都吞得下去。

"一个人的确不该撇开他的朋友，无论想干什么，也得跟朋友在一起，除了朋友外，世上还有什么值得珍惜的呢？"

郭大路忽然变得又珍惜友情，又多愁善感起来——无论谁又穷又饿的时候，他都会变成这样子的。

幸好明天又要和他们见面了，但他只希望时间过得愈快愈好。

"我这么样想他们，他们说不定早已忘了我，王动一定早已呼呼大睡，燕七说不定正在跟他的佳人打情骂俏。"

想到这里，郭大路又不禁长长叹了口气，忽然发现自己实在是个很重友情的人，觉得自己对朋友，总比朋友对他好。

于是他又觉得安慰，安慰中又带着点伤感。

这种心情使他暂时忘记了别的。

他忽然迷迷糊糊地睡着了。

02

第二天早上，郭大路一醒来就决定先到奎元馆去等他的朋友。

他决定先大吃一顿，等他的朋友来付钞。

他决定选最好的吃，来补偿补偿这一夜受的罪。

他只觉得每个人都应该好好补偿补偿他，因为他几乎已忘了自己是为什么受的罪，为什么吃的苦。

这也许因为他的头已饿得发晕，昏昏迷迷中，他好像觉得自己这一切都是为了朋友而牺牲的。

他很同情自己。

只可惜奎元馆的老板并不这么想。非但没有开门，连窗子都没有开。

郭大路当然不会怪自己来得太早，只怪这些人太懒，为什么到现在还不开门，难道存心跟他过不去？

一个饿得发晕的人，通常都不太讲理的。

他正想去敲门，后面忽然有个人拍了拍他肩头，道："早。"

燕七穿着身崭新的衣服，满面春风地站在那里，一副吃得饱、睡得足的样子。

郭大路一肚子没好气，嘟着嘴道："现在还早？太阳都晒到屁股上了。"

燕七笑道："春宵一刻值千金，你为什么不躺在美人膝上多晒晒太阳呢？"

郭大路道："那里臭虫太多。"

燕七道："臭虫？美人窝里怎么会有臭虫？"

郭大路也发觉自己说漏嘴了，咳嗽了两声，嘿嘿笑道："并不是真的臭虫，只不过她那双手老是在我身上爬来爬去，比臭虫还讨厌。"

燕七眨了眨眼，摇头叹息道："最难消受美人恩。你真是有福不会享，我想找个臭虫在我身上爬爬还找不到哩。"

郭大路道："哈哈，哈哈。"

他也想笑得开心些，但声音却偏偏像是从驴脖子里发出来的，好像有只脚踩着了驴脖子。

燕七上上下下地瞧着他，道："你是不是肚子又不舒服了？一定又吃得太饱。"

郭大路道："嗯。"

燕七吃吃笑道："那位姑娘既然对你这样好，一定亲自下厨房，特别弄了不少好东西给你吃，好让你补补元气。"

郭大路冷冷瞟了他一眼，道："想不到你忽然也变得很有经验了。"

燕七又叹了口气，道："我怎么有你这么好的福气呢。"

郭大路道："你昨天晚上到哪里去了？"

燕七道："你还好意思问我，我在茶馆里等得发昏，连你的鬼影子都没等着，只好一个人孤魂野鬼般到处乱逛，差点连睡觉的地方都找不到。"

"原来这小子也会装蒜。"

郭大路恨得牙痒痒的，偏偏又不能拆穿他的把戏，只好嘿嘿笑道："谁叫你没耐心多等等的？害得我一个人要应付好几个大姑娘，简直烦得我要命。"

燕七摇着头，不停地唉声叹气，好像后悔得要命。

郭大路又有点开心了，接道："其实你也用不着难受，下次总还有机会的。尤其其中有个小姑娘，不但长得漂亮，对人更温柔体贴，你心里想要什么，用不着开口，她已经替你准备得好好的。"

燕七听得眼睛发直，道："这么样说来，她简直是位救苦救难的泥菩萨。"

郭大路怔了怔道："泥菩萨？哪里来的泥菩萨？"

他忽然想起昨天庙里的那泥菩萨。

燕七笑道："我的意思是女菩萨，专门救男人的女菩萨。"

郭大路这才松了口气——做过贼的人，心总是比较虚的。

燕七道："今天早上那女菩萨替你做了些什么好东西吃？"

郭大路咽了口口水，淡淡道："也没什么好吃的，只不过是些燕窝啰，鸡汤啰，面啰，包子啰，火腿啰，蛋啰……"

他简直恨不得把自己心里想吃的东西全说出来，虽然没吃到，至少也解解馋。

只可惜他实在说不下去了，因为再说下去，他口水立刻就要流下来。

燕七叹道："看来你非但艳福齐天，口福也真不错，我却已经快饿死了，非要找个地方吃东西去不可……"

他话还没有说完，郭大路已抢着道："到哪里去吃？我陪你去。"

燕七道："不必了，你既然已吃饱，我怎么好意思叫你陪我？"

郭大路又急又气，已经忍不住快将老实话说出来了，幸好就在这时，奎元馆的门忽然开了一线，一个人从里面探出头来，眼睛半闭，仿佛终年都睡不醒，一脸懒洋洋的样子，斜眼瞄着他们，淡淡道："小店就有东西吃，客官为什么要舍近求远？"

燕七和郭大路全都笑了。

王动！

郭大路失笑道："你这人做事倒真是神出鬼没，究竟是什么时候来的？什么时候做了'奎元馆'的伙计？"

王动淡淡道："难得被郭大少请次客，若是睡过了头，错过机会，岂非冤枉得很？倒不如索性头一天晚上就赶来，睡在这里等，也免得走路。"

燕七笑道："好主意，王老大做事果然是十拿九稳，能请到这么诚心诚意的客人，做主人的也一定感动得很。"

郭大路满肚子苦水吐也吐不出，只有嘿嘿地干笑，喃喃道："我实在感动得很，简直他妈的感动极了。"

王动道："现在还没到你感动的时候，等我们吃起来，那才真要你感动哩。"

燕七笑道："不错，非他妈的要他感动得眼泪直流不可。"

奎元馆地方不小，有楼上楼下两层，楼下也有十七八张桌子。

晚上桌子就都拼在一起，店里的伙计就在桌子上打铺。

店里一共有七个伙计，现在正一个个睡眼惺忪地爬起来，纷纷招呼着王动，显得既殷勤又亲切。

"王大哥等的人已经来了么？"

"还不快起来招呼王大哥的客人！"

郭大路眼睛发直，真想问问王动，什么时候又做了这些人的大哥？

他忽然发觉王动这人做事不但神出鬼没，而且交朋友也有两手，他自己就永远没法子跟饭铺的伙计交上朋友。

燕七已忍不住问道："这地方你以前常来么？"

王动道："这还是第一次。"

燕七的眼睛也直了，心里也实在佩服得很，一天晚上就能够将饭铺里的伙计弄得这么服帖，可真不是件容易事。

王动道："你们要吃什么，说吧，我这就叫他们去起火。"

燕七道："给我来碗炖鸡面，煮三个蛋下去，再煎两个排骨，有熏鱼和肴肉也来两块。"

王动道："我也照样来一份好了，郭大少呢？"

郭大路又咽了口口水，道："我……"

他的话还没有说出口，燕七已抢着道："他不要，他已经吃得快胀死了。"

郭大路又急又气又恨，恨得牙痒痒的，手也痒痒的，恨不得把拳头塞到这多事婆的嘴里去。

燕七眼珠子直转，好像在偷偷笑，忽又问道："林太平呢？来了没有？”

王动道：“也来了，还在楼上睡大觉。”

燕七笑道：“看不出他睡觉的本事倒也不小。”

楼上非但没有人，连个鬼影子都没有。

屋角里有几张桌子拼在一起，桌上的确铺着被，但被窝却是空的。

燕七道：“他的人呢？”

王动也在发怔，道：“我刚刚下楼的时候，他明明还睡在这里的，怎么一下子人就不见了？”

燕七道：“你没看到他下楼？”

王动摇摇头，眼睛盯着扇窗子。

燕七笑道：“看来这人做事也有点神出鬼没，又不要他付账，他溜什么？”

他眼睛也随着王动向那扇窗子看过去。

楼上一共有八扇窗子，只有这扇窗子是开着的。

燕七又道：“刚才这扇窗子是不是开着的？”

王动道：“没有，我不喜欢开着窗子睡觉，我怕着凉。”他悄悄地走向窗口。

窗下就是奎元馆的后门，后门对着条小河，河上有条小桥。

河水虽然又脏又臭，小桥虽然又破又旧，但现在太阳刚升起，淡淡的阳光照着河水，河水上的晨雾还未消散，微微的风吹着河畔的垂柳，风中隐隐传来鸡啼声，看起来倒真还有几分诗情画意。

煞风景的是，桥对面正有个背着孩子的妇人蹲在河畔洗马桶。

燕七皱了皱眉，又皱了皱鼻子，大声道：“这位大嫂，刚才有个人从这扇窗户里下去，你瞧见了没有？”

妇人抬起头，瞪了他一眼，又低下头，喃喃道：“大清早的，这人莫非撞见鬼了么？”

燕七碰了一鼻子灰，只有苦笑着喃喃道：“这小子到哪里去了？莫非掉在河里淹死了么？”

郭大路肚子愈来愈空，虚火上升，正想找个人出出气，板着脸道：“淹死一个少一个，就怕他淹不死。”

王动眼角瞟着他，道："这人今天早上怎么这么大的火气，难道昨天晚上还没有把火气放出去？"

燕七吃吃笑道："人家昨天晚上又有臭虫，又有女菩萨，就算有天大的火，也该出得干干净净。"

王动道："女菩萨？臭虫？难道昨天晚上他睡在破庙里的？那就不如到这里来睡桌子了。"

郭大路的脸一下子就涨得通红，幸好这时伙计已端着两碗面上楼。

好大的两碗面，还外带两大碟熏鱼排骨。一阵阵香味随着热气往郭大路鼻子里钻，你叫郭大路怎么还受得了？

郭大路忽然集中注意，全心全意地盯着桌子下面，就好像桌子下面正有几个小妖怪在演戏。

燕七和王动嘴里虽在吃着面，眼睛也不由自主随着他向桌子下瞧了过去。

郭大路就趁着这机会，飞快地伸出手，往最大的一块排骨上抄了过去。

谁知他的手刚摸到排骨，一双筷子突然凭空飞过去，"啵"地，在他手背上重重地敲了一下。

燕七正在斜眼瞟着他，带着笑道："刚吃了十七八样东西，还想偷人家的肉吃，难道真是饿死鬼投胎？"

这小子当真是天生的一双贼眼。

郭大路涨红着脸，讪讪地缩回了手，喃喃道："狗咬吕洞宾，好心替他赶苍蝇，他反而要咬我一口。"

燕七道："这么冷的天，哪来的苍蝇？"

王动道："苍蝇虽没有，至少臭虫有几个。"

这两人今天也不知犯了什么毛病，时时刻刻都在找郭大路的麻烦，随时随地都在跟他作对。

郭大路只好不理不睬，一个人发了半天怔，忽然笑道："你们知不知道我在想什么？"

没有人说话，因为嘴里都塞满了肉。

郭大路只好自己接着道："我在想，这碗面的味道一定不错。"

燕七喝口面汤把肉送下肚，才笑道："答对了，我们真还很少吃到这么好吃的面。”

郭大路道：“你知不知道这碗面为什么特别味道不同？”

燕七眨眨眼，道：“为什么？”

郭大路悠然道：“因为这碗面是用河里的水煮的，洗马桶的水味道当然特别不同了。”

燕七居然不动声色，反而笑嘻嘻道：“就算是洗脚水煮的面，也比饿着肚子没有面吃好。”

郭大路怔了半晌，忽然跳起来，张开双手，大叫道：“我也要吃，非吃不可——谁再不让我吃，我就要拼命了。”

03

林太平坐着在发怔。

他已回来了很久，发了半天怔，好像在等着别人问他：“怎么会忽然失踪？到哪里去了？干什么去了？”

偏偏没有人问他，就好像他根本没有离开过似的。

林太平只有自己说出来，他先看了郭大路一眼，才缓缓道：“我刚才看到了一个人，你们永远都想不到是谁。”

郭大路果然沉不住气了，问道：“那个人我认不认得？”

林太平道：“就算不认得，至少总见过。”

郭大路道：“究竟是谁？”

林太平道：“我也不知道他是谁，因为我也不认得他。”

郭大路又怔住了，苦笑着道：“这人说的究竟是哪一国的话？你们谁能听得懂他在说什么？”

林太平也不理他，接着又道：“我虽不认得他的人，却认得他那身衣服。”

郭大路忍不住又问道：“什么衣服？”

林太平道：“黑衣服。”

郭大路笑了，道：“穿黑衣服的人满街都是，我随便从哪里都能找到几十个。”

林太平道："除了他的衣服外，我还认得他的那柄剑。"

郭大路这才听出点名堂来了，立刻追问道："什么样的剑？"

林太平道："一尺七寸长的剑，却配着四尺长的剑鞘。"

郭大路吐出口气，道："你什么时候看到他的？"

林太平道："你们来的时候。"

郭大路忽然笑了，道："你认为这件事很奇怪？"

林太平道："你认为不奇怪？"

郭大路道："他本来就是要到县城里来交差的，你若没有在这里看到他，那才奇怪。"

林太平道："他本来应该将金狮子、棍子、凤栖梧和那批贼赃都交到衙门里去，是不是？"

郭大路道："是。"

林太平道："但衙门里却没有听说过这件事，这两天根本没有人押犯人来。"

郭大路这才觉得有点吃惊道："你怎么知道的？"

林太平道："我已经到衙门里去打听过了。"

郭大路想了想，道："也许他准备将犯人押到别的地方去。"

林太平道："没有犯人。"

郭大路皱眉道："没有犯人是什么意思？"

林太平道："没有犯人的意思，就是金狮子、棍子、凤栖梧，已经全不见了，那批贼赃也不见了，我一直追踪到他落脚的地方，那地方只有他一个人。"

郭大路怔住了。

燕七和王动也怔住了。

林太平将郭大路面前的酒一饮而尽，淡淡道："现在你认为这件事奇怪不奇怪？"

郭大路道："奇怪。"

第十章

杀人与被杀

01

桌子已拉开，棉被已收走。

奎元馆客人上座的时候已经快到了。但现在楼上却还是只有他们四个人。四个人动也不动地坐在那里，就像是四个木头人。

会喝酒的木头人。

壶里的酒就像是退潮般消失了下去，大家你一杯，我一杯，自己倒，自己喝，谁也不去招呼别人。

然后燕七、王动、郭大路就像是约好了似的，同时大笑了起来。

他们就算是白痴，现在也知道这次又上了别人个大当。

那黑衣人根本就不是官差，也不是什么提督老爷派来调查金狮子和棍子的密探，他也是黑吃黑。

被人骗得这么惨，本是很恼火的事。

但他们却认为很可笑。

燕七指着郭大路，笑道："王老大说得一点也不错，该聪明的时候你反而糊涂了；不但糊涂，而且笨；不但笨，而且笨得要命。"

郭大路也指着他，笑道："你呢？你也并不比我聪明多少。"

林太平一直在旁边静静地看着他们，等他们笑声停下来，才问道："你们笑完了没有？"

郭大路喘着气，道："还没有笑完，只不过已没力气再笑。"

林太平道："你们认为这件事很可笑？"

王动忽然翻了翻白眼道："不笑怎么办？哭么？"

这就是他们做人的哲学。

他们会笑，敢笑，也懂得笑。

笑不但可以令人欢愉，也可以增加你对人生的信心和勇气。

“笑的人有福了，因为生命是属于他们的。”

林太平看着却笑不出。

郭大路道：“你为什么不跟我们一样笑？”

林太平道：“若是笑就能解决问题，我一定比你们笑得还厉害。”

郭大路道：“笑就算不能解决问题，至少总不会增加烦恼。”

他又笑了笑，接着道：“何况，你若学会了用笑去面对人生，渐渐就会发觉人生本没有什么真正不能解决的问题。”

林太平道：“无论你笑得多开心，还是一样被人骗。”

郭大路道：“你不笑还是一样被骗了，既然已被骗，为什么不笑？”

林太平不说话了。

郭大路道：“你究竟有什么问题？”

燕七道：“你为什么对这件事如此关心？”

林太平沉默了半晌，道：“因为那人就是真的南宫丑。”

燕七道：“你怎么知道？”

林太平道：“我就是知道。”

郭大路道：“南宫丑和你又有什么关系？”

林太平道：“没有关系——就因为没有关系，所以我才要……”

郭大路道：“要怎么样？”

林太平道：“要杀了他。”

郭大路看看燕七，又看看王动，道：“你们听见他说的话没有？”

王动一动也不动。

燕七点点头。

郭大路道：“这孩子说他要杀人。”

王动还是不动。

燕七又点点头。

郭大路慢慢地回过头，看着林太平。

林太平脸上一点表情也没有。

郭大路道：“你刚才已看见他？”

林太平道：“是。”

郭大路忽然笑了，道：“那么你刚才为什么不杀了他？”

林太平脸上还是一点表情也没有，他脸上就像是戴上了个面具。

铁青色的面具，看起来几乎已有点可怕。

他一字字道：“我已经杀了他。”

壶里又添满了酒，因为王动吩咐过：“看到我们的酒壶空了，就来加满。”

奎元馆里的伙计对王动很服帖。

每个人都瞪大了眼睛，望着酒壶。

郭大路忽然笑了笑，道：“酒不是用眼睛喝的。”

燕七道：“我的嘴很忙。”

郭大路道：“忙什么？”

燕七道：“忙着把想说的话吞回肚子里去。”

客人已渐渐来了，这里已不是说话的地方。

郭大路端起酒杯，又放下，道：“郭大少难得请次客……”

燕七道：“这次便宜了你，我们走吧。”

林太平第一个站了起来，王动居然也站了起来。

郭大路的手已伸到他面前。

王动看看他，道：“你想干什么？想要我替你看手相？”

郭大路勉强笑了笑，道：“不必看了，我是天生的穷命；最要命的是，只要我一想请客，袋子里就算有钱也会飞走。”

王动道：“你想问我借钱付账？”

郭大路干咳了几声，道：“你知道，我昨天晚上干的是件很费钱的事。”

王动本来想笑的，但看了林太平一眼，却叹了口气，道：“你找错人了。”

郭大路愕然道：“你的钱也花光了？”

王动道：“嗯。”

郭大路道：“你……你怎么花的？”

王动道：“我昨天晚上干的也是件很费钱的事。”

郭大路道：“你在干什么？”

王动道："世上只有一件事比找女人更费钱，那就是赌。"

郭大路道："你输光了？输给了谁？"

王动道："这饭铺里的伙计。"

郭大路怔了半晌，忍不住笑了，道："难怪他们对你这么服帖，饭铺里的伙计对冤大头总是特别服帖的，何况，你若把钱输给我，我也一样服帖你。"

王动道："冤大头不止我一个。"

郭大路道："还有谁？"

王动看看林太平，又看看燕七。

郭大路跳起来，道："难道你们的钱都输光了？"

没有人出声，沉默就是答复。

郭大路又一屁股坐了下去，苦笑道："如此说来，这些伙计岂非全发了财？"

王动道："他们也发不了财——他们迟早也会输给别人的。"

郭大路慢慢地点着头，喃喃道："不错，来得容易去得快，怎么来的怎么去。"

王动道："但我们对人类总算也有点贡献。"

郭大路道："什么贡献？"

王动道："钱流通得愈快，市面愈繁荣，人类就是这样进步的。"

郭大路想了想，苦笑道："你说的话好像总有点道理。"

王动道："所以你也不必难受。"

郭大路道："我难受什么？我又没有输……"

王动道："抱歉的是我们把你的钱也一齐输了。"

郭大路怔住。

王动道："破庙里的泥菩萨陪人睡觉，也不会收钱的。"

郭大路的眼睛慢慢地变圆了，道："你们知道？……你们早就串通好了的？……偷我的小偷就是……"

他手指忽然直戳到燕七的鼻子上，大叫道："就是你。"

燕七道："答对了。"

郭大路一把揪住他衣襟，咬着牙道："你为什么做这种事？"

燕七不说话，脸却似有点发红。

王动淡淡道："他也是为你好，他不想朋友得花柳病。"

郭大路的手慢慢放开，一屁股又坐到椅子上，手摸着头，喃喃道："天呀……天呀，你怎么会让我交到这种好朋友的？"

他忽又跳起来，咬着牙道："你们既然知道四个人都已囊空如洗，为什么还要在这里大吃大喝？"

王动道："为了要让你高兴。"

郭大路忍不住叫了起来，道："让我高兴？"

王动道："一个人请客的时候，总是特别高兴的，是不是？"

郭大路双手抱头，道："是是是，我真高兴，真他妈的高兴得不如死了算了。"

一个伙计忽然走过来，道："王大哥不必为付账的事发愁，这里的账已算清了。"

郭大路叹了口气，道："想不到这里总算有个良心好的人。"

这伙计脸红了红，笑道："我本来的确想替王大哥结账，只可惜有人抢着先把账会了。"

王动道："是谁？"

这伙计道："就是坐在那边角上的那位客人。"

他回过身，想指给他们看，又怔住。

那边角上的桌子上还摆着酒菜，人却已不见了。

郭大路走在最后面，走了几步，又回过头，拍了拍那送客下楼的伙计肩膀，道："我有件事想问问你。"

这伙计道："请说。"

郭大路道："你赢了这么多钱，准备怎么花呢？"

这伙计道："我不准备花它。"

郭大路瞪着他，就好像忽然看到个圣人似的。

这伙计忽又笑了笑，道："我准备用它做本钱，再去赢多些，最近我手气不错。"

郭大路还在瞪着他，忽然大笑，笑得弯下腰，差点从楼上滚下去。

他大笑着拍这伙计的肩，道："好主意，好主意，就要这样，人类才会进步，我代表天下的人感激你。"

这伙计还想问："感激我什么？"

郭大路却已走下了楼。

这伙计叹了口气，摇着头，喃喃道："看来这些人不但是冤大头，而且还是疯子。"

以前有个很聪明的人说过一句很聪明的话："被人当作冤大头和疯子，其实也是件很有趣的事，甚至比被人当作英雄圣贤更有趣。"

那伙计并不是聪明人，当然没听过这句话，就算听过，也不会懂。

这句话中的道理，本就很少有人能听得懂的。

世上有两种人。

一种人做的事永远是规规矩矩、顺理成章，他们做的事无论谁都能猜得出，都能想得通。

另一种人做事却不同了，他们专喜欢做些神出鬼没的事，非但别人想不通他们在做什么，也许连他们自己都想不通。

王动就是这种人。

林太平也是。

但世上却还有样东西比这种人更神出鬼没。

那就是钱。

你不想要钱的时候，它往往会无缘无故、莫名其妙地来了。

你最需要它的时候，却往往连它的影子都看不到。

02

杀人是什么滋味？

很少人知道。

一万个人中，也许只有一个是杀过人的。

有人说："不管杀人是什么滋味，至少总比被人杀好。"

说这种话的人，他自己一定没有杀过人。

也有人说："杀人的滋味比死还可怕。"

说这种话的人，就算自己没有杀过人，至少已经很接近了。

"你有没有杀过人？"

"你怎么杀他的？"

"你为什么要杀他？"

林太平一直在等着他们问他这三句话。

他们没有问。

王动、燕七、郭大路，三个人又好像约好了，连一句话都没有问。

一路上三个人根本没有开过口。

县城距离那山城并不远，但是不说话的时候就显得很远了。

郭大路嘴里有一搭没一搭地哼着小调，曲调也许已流传很久，歌词却一定是他自己编的。

除了他之外，没有人能编得出这种歌词来。

"来的时候威风，去的时候稀松。来的时候坐车，去的时候乘风。来的时候当当响，去的时候已成空。来的时候……"

燕七忽然道："你在唱什么？"

郭大路道："这叫'来去歌'，来来去去，一来一去，去的不来，来的不去。"

燕七忽地跟着他的调子唱道："放的不通，通的不放，放放通通，一通一放。"

郭大路道："放什么？"

燕七道："狗屁。这叫放狗屁。"

郭大路板着脸道："你们用不着臭我，以前有人求我唱，我还懒得唱哩。"

王动点点头，道："我知道那些是什么人。"

燕七眨眨眼，道："是什么人？"

王动道："聋子。"

郭大路想板起脸，自己却忍不住笑了。

林太平忽然冷笑，道："聋子至少比那些装聋作哑的人好。"

郭大路眨眨眼，道："谁装聋作哑？"

林太平道："你，你，你。"

他用手指往他们三个人脸上一个个点了过去，接道："你们心里明明有话要问，为什么还不问出来？"

王动道："不是不问，是不必问。"

林太平道："为什么不必问？"

王动道："那种人活着不嫌多，死了也不嫌少。"

郭大路道："对，对，那种人死一个少一个，愈少愈好。"

他拍了拍林太平的肩，笑着道："你既然没有杀错人，我们又何必问呢？"

林太平咬着牙，忽又道："你们杀过人没有？"

郭大路看看王动，王动看看燕七。

燕七苦笑道："我只被人杀过。"

林太平忽然纵身向路旁掠了过去，刚落到树后，哭声已传了出来。

燕七看看郭大路，郭大路看看王动。

王动道："他以前没有杀过人。"

郭大路点点头，道："这是他第一次杀人。"

燕七叹了口气，道："原来杀人的滋味比被杀还难受。"

王动道："南宫丑发现他在后面跟踪，一定以为他已发现了黑吃黑的秘密，所以就先向他出手，想杀了他灭口。"

郭大路道："谁知想杀人的，反而被杀了。"

燕七道："林太平的武功好像比我们强得多，比南宫丑也强得多。"

郭大路叹道："这就叫作'人不可貌相，海水不可斗量'。我刚看到他的时候，还以为他连只鸡都抓不住。”

哭声还没有停。

燕七道：“想杀人的未必杀得了人，他虽然杀了人，却不想杀人的。”

郭大路道：“我们去劝劝他好不好？”

王动道：“不好。”

郭大路道：“为什么？”

王动道：“哭虽然没有笑好，但一个人偶尔能大哭一场也不错。”

郭大路叹道：“我还是宁可笑，一个人要笑的时候，至少用不着躲在树后头。”

燕七也叹了口气，道：“而且你无论怎么笑都不必怕人家来看热闹。”

你愈怕别人看热闹，愈有人来看热闹。

现在还没有天黑，路上的人还很多，有的人已停下脚，直着脖子往这边瞧，有的人甚至已走了过来。

郭大路擦了擦汗，苦笑着悄悄道：“我只希望别人莫要怀疑他是被我们欺负哭的。”

没有人“怀疑”。

每个人简直都已确定了。

看到这些人的眼色，燕七也不禁擦了擦汗，道：“你赶快想法子把他劝走好不好？”

郭大路苦笑道：“我没那么大本事，我最多也不过只能挖个洞。”

燕七道：“挖个洞干什么？”

郭大路道：“好钻到洞里去，也免得被人家这么样死盯着。”

燕七叹道：“你最好挖个大点的。”

郭大路恨恨道：“你们若是少输些，若是没有输光，我们至少还能雇辆车，让他坐在车里去哭个痛快。”

这句话刚说完，居然真的就有辆很漂亮的马车驶了过来，而且就停在他们面前。

燕七瞟了王动一眼，悄悄道：“我们最后那一把的确不该赌的，既然已输定了，就不该想翻本。”

王动淡淡道："赌钱的人若不想翻本，靠赌吃饭的人早就全都饿死，你总不至于想看人饿死吧。"

那马车的车夫忽然跳下车，走到他们面前，赔着笑道："哪位是郭大爷？"

郭大路道："谁找我？找我干什么？"

车夫躬身道："请郭大爷上车。"

郭大路道："我不喜欢坐车，我喜欢走路。"

车夫赔笑道："这辆车是郭大爷的朋友特地雇来的，车钱早已付过了。"

郭大路怔了怔，道："谁雇的？"

车夫笑道："那是郭大爷的朋友，郭大爷不认得，小人怎么会认得？"

郭大路想了想，忽然点点头，道："我想起他是谁了，他是我的干儿子。"

一坐上车，林太平就不哭了，只是坐在那里呆呆地发怔。

郭大路也在发怔。

燕七忍不住问道："你真有干儿子？"

郭大路苦笑道："我有个见鬼的干儿子。我就算想做人家的干儿子，人家也嫌我太穷，哪有人肯做我的干儿子？"

燕七皱眉道："那么雇车的人是谁呢？"

郭大路道："八成就是那个在奎元馆替我们会账的人。"

燕七道："你瞧见那人没有？"

郭大路叹道："那时别人不看我，已经谢天谢地了，我怎么还敢去看别人？"

一个人要付账，口袋里却没钱的时候，的确连头都抬不起来的。

燕七道："你呢？"

他没有问林太平，问的是王动。

林太平那时当然也没有心情去注意别人。

王动笑了笑，道："那时我只顾着看郭大少脸上的表情，我从来也没有看过他那么可爱。"

郭大路瞪了他一眼，道：“我只恨没有看到你把钱输光时的样子，你那时脸上的表情一定也很可爱。”

于是燕七也开始发怔，他自己也没看见替他们付账的是谁。

王动道：“那车夫找的是郭大少，那人一定是郭大少的朋友。”

郭大路叹了口气，道：“我可没有那么阔的朋友，我的朋友中，最阔的就是你。”

王动道：“我很阔？”

郭大路道：“你至少还有栋房子，虽然是人厌鬼不爱的房子，但房子总归是房子。”

王动淡淡道：“你若喜欢，我就送给你吧。”

郭大路道：“我不要。”

王动道：“为什么不要？”

郭大路笑道：“我现在身无长物，囊空如洗，乐得无牵挂，不像你们，还要为别的事担心。”

燕七道：“王老大还有栋房子可担心，我有什么好担心的？”

郭大路上上下下瞟了他一眼，笑道：“你至少还有身新衣裳，做事的时候就免不了要担心会不会把衣服弄脏，坐下来的时候免不了要看看地上有没有泥巴，怎及得我这样自由自在。”

燕七凝视着他，道：“这世上真的没有一个你关心的人？没有一样你关心的事？”

郭大路忽然不说话了，眉目中间似乎露出了一丝悲伤之色。

燕七忽然发现这人也许并不像表面看起来那么开心，说不定也有些伤心事，只不过他一直隐藏得很好，从不让别人知道。

他只让别人知道他的快乐，分享他的快乐。从不愿别人来分担他的痛苦和忧郁。

燕七看着他，一双眸子忽然变得分外明亮。

他和郭大路相处得愈久，愈觉得郭大路确实是个很可爱的人。

也不知过了多久，王动忽然长长叹息了一声，道：“快到了，快到家了。”

他叹息声中充满了欢愉满足之意。

往窗外望出去，已可看到那小小的山坡。

郭大路也忍不住长长叹了口气，道：“看来无论是金窝银窝，也比不上你那狗窝。”

王动瞪眼道：“我的狗窝？”

郭大路笑了，道：“我们的狗窝。”

03

黄昏。

夕阳满山。

半枯的秋草在夕阳下看着宛如黄金，遍地的黄金；石板砌成的小径斜向前方伸展，宛如黄金堆中的一串白玉。

风在吹，鸟在啼，秋虫在低语，混合成一种比音乐还美妙的声音，它美妙得宛如情人的耳畔低语。

满山弥漫着花的香气、草的香气、风的香气。甚至连夕阳都仿佛被染上了芬芳，芬芳得宛如情人鬓边的柔发。

人生原来竟如此芬芳，如此美妙。

郭大路长长叹了口气，大笑道：“我现在才知道穷原来也是件很开心的事。”

燕七道：“开心？”

郭大路说道：“有钱人有几个能享受到这样的美景？能呼吸到这样的香气？他们只能闻得到铜臭气。”

燕七也笑了。

郭大路忽然发觉他的笑容如夕阳般灿烂，忍不住笑道：“我现在才发现你一点也不丑，只不过有时的确太脏了些。”

燕七这次居然没有反唇相讥，反而垂下了头。他本来并不是这么好欺负的人，是什么令他改变了的？

是这夕阳？是这柔风？还是郭大路这明朗的笑脸？

王动忽然道：“有钱也并不是坏事。”

郭大路道：“穷呢？”

王动道：“穷也不坏。”

郭大路道："什么才坏？"

王动道："什么都不坏，坏不坏只看你这个人懂不懂得享受人生。"

郭大路仔细咀嚼着他这句话，心中忽然充满了温暖、幸福和满足。

他满足，只因他能活着。

他活着，就能享受人生——如此美妙的人生。

所以，朋友们，你绝不要为有钱而烦恼，更不要为穷而烦恼。

只要你懂得享受人生，你就算没有白活。

那么有天你就算死了，也会死得很开心。

因为你活得也比别人开心。

马车不能上山，他们就走上山。

他们走得很慢。

因为他们知道无论走得多慢，总还是会走到的。

天已渐渐黑了。

他们也绝不担心。

因为他们知道天很快还会亮的。

所以他们心中充满了欢愉，就连林太平眼睛都明亮了起来。

他们终于看到了王动那栋房子，虽然是栋又旧又破的房子，但在这夕阳朦胧的黄昏时看来，也美丽得有似宫殿。

每个人都有座宫殿，他的宫殿就在他心里。

奇怪的是，有些人却偏偏找不到。

王动尖锐的面容也变得柔和起来，忽然笑了笑，问道："你们猜猜，我回去后，第一件事想干什么？"

郭大路和燕七同时抢着道："上床睡觉。"

王动道："答对了。"

但人生中时常也会发生意外的。

他们还没有走到那栋屋子，忽然看到窗子里亮起了灯光。

开始时是对着门的那扇窗子。

然后每扇窗子都接着有灯光亮起。

灯光明亮。

他们又怔住。

燕七道："屋子里有人。"

郭大路道："会不会有朋友来看你？"

王动道："本来是有的，自从我将最后一张椅子卖掉了后，朋友就忽然全都不见了。"

他淡淡地笑了笑，接着道："他们也许全都和我一样懒，怕来了之后没地方坐。"

这淡淡的笑容，正象征着他对人生了解得多么深刻。

所以他对任何人都没有很大的要求。

他给的时候，从没有想到要收回来——这也许就是他为什么活得比别人快乐的原因之一。

燕七皱眉道："那么，是谁点的灯呢？"

郭大路笑道："我们何必猜？只要进去看看，岂非就知道了？"

这本来也是种很正确的态度，但这次却错了。

他们进去看了，还是不知道。

第十一章

来路不明的书生

屋子里没有人。

灯就像是自己燃着的。

崭新的铜灯，亮得像黄金。

崭新的铜灯摆在崭新的梨花木桌上，崭新的桌子摆在崭新的波斯地毡上，铜灯旁边还有鲜花……

什么都有。

只要是你能在一间屋子里看到的东西，这屋子里就样样俱全。

这里就像是出现了奇迹。

唯一还没有改变的，就是王动的那张大床。

但床上也换了崭新的被褥，被上还绣着花朵。

郭大路站在门口，看得眼珠子都快掉了下来，喃喃道："我们是不是走错了地方？"

燕七苦笑道："没有走错，别的地方绝没有这么大的床。"

郭大路叹道："看来这地方真像是有神仙来照顾过了，不知道是不是女神仙？"

燕七道："看来王老大一定也和董永一样，是个孝子，感动了天上的仙子。"

郭大路道："仙子说不定是来找我的，我也是个孝子。"

燕七道："你是个傻子。"

他们嘴里虽这么样说，心里却都已明白，一定有个人将这些东西送来，这人也许就是那在奎元馆替他们付账的人。

他们这么说，只不过是在掩饰心里的惊疑和不安。

因为他们猜不出这人是谁，更猜不出这人为什么要做这些事。

王动慢慢地走到床边，慢慢地脱下鞋子，很快地躺了下来。

他无论做什么事时，都慢条斯理，一点也不着急，只有躺下去时，却快得很，快得要命。

郭大路皱眉道："你就这样睡了么？"

王动打了个呵欠，呵欠就算他的回答。

郭大路道："你知不知道这些东西是谁送来的？"

王动道："不知道。我只知道累了就要睡觉。"

这些东西是仙女送来的也好，是恶鬼送来的也好，他都不管。就算天下所有的仙女和恶鬼全都来了，也不能叫他不睡觉。

他只要一闭上眼睛，好像就立刻能睡得着。

郭大路叹了口气，道："我倒还真佩服他。"

燕七咬着嘴唇，道："我到后面的院子去看看，也许人在那里。"

后面的院子里还有排屋子，就是那天酸梅汤他们住的地方。

前面这排屋子除了正厅和花厅外，还有七八间房，除了王动睡的这间外，还有三间屋子里也摆着很舒服的床。

郭大路喃喃道："他居然还知道我们有四人住在这里，想得倒真周到。"

突听燕七在后面院子里大叫道："你们快来看看，这里有个……有个……"

有个什么东西，他竟好像说不出来。

郭大路第一个冲出去，林太平也在后面跟着。

院子里已打扫得干净，居然还不知从哪里移来几竿修竹，一丛菊花，燕七正站在菊花丛中，看着样东西发呆。

他看着的赫然是口棺材。

崭新的棺材。

棺材头上仿佛刻着一行字，仔细一看，上面刻的赫然竟是"南宫丑之柩"。

林太平突然全身冰冷，连嘴唇上的血色都褪得干干净净。

郭大路心里也有点发毛，忍不住问道："你在什么地方杀他的？"

林太平道："就……就在外面。"

郭大路道："什么地方外面？"

林太平道："他住的屋子外面。"

郭大路道："你杀了他后，有没有把他的尸体埋起来？"

林太平咬着嘴唇，摇摇头。

郭大路叹道："你倒真是管杀不管埋。"

林太平的样子就好像又要哭出来了。

燕七道："无论谁第一次杀人的时候，都难免心慌意乱，杀人之后只怕连看都不敢再看一眼，哪里顾得了别的。"

郭大路道："你这倒好像是经验之谈。"

燕七道："你莫忘了，我虽然没有杀过人，至少被人杀过。"

郭大路叹了口气，道："你杀他的时候，旁边还有没有别的人？"

林太平又摇摇头。

郭大路道："若没有别人，是谁把他尸身装进棺材里的？这棺材又是谁送来的？"

他忽然笑了笑，又道："总不会是他自己跳进棺材，再将棺材送来的吧。"

郭大路有个毛病，无论什么时候都忍不住要开开玩笑。

他自己也知道玩笑开得并不妙。

林太平的脸色变得更惨，咬着嘴唇，讷讷道："我……我本不是……"

这句话还没有说完，棺材里忽然"咚"的一响。

接着，又是"咚"的一响。

燕七和郭大路的脸色也不禁变了。

"莫非棺材里的死人已还魂？"

郭大路拍了拍林太平的肩，勉强笑道："用不着害怕，他活着时我们都不怕，死了怕什么？"

燕七道："既然不怕，就索性打开棺材，让他出来吧。"

他好像真的要去将棺材打开。

郭大路忍不住道："等一等。"

燕七道："你不是不怕的吗？"

郭大路道："我当然不怕，只不过……只不过……"

“咚，咚咚！”这次棺材里竟一连串地响了起来，而且声音比刚才更大，真的好像死人急着要出来。

胆子小的人，此刻只怕早已被吓得落荒而逃了。

林太平忽然道：“让我来开这口棺材，他反正是来找我的。”

郭大路道：“你不能去，还是让我来。”

他嘴里说着话，人已跳了过去。

其实他心里也很怕，也许比别人还怕得厉害，这若是他自己的事，说不定他早已溜之大吉。

但林太平是他的朋友，只要是朋友的事，他就算怕得要命也会硬着头皮挺上去。

燕七瞧着他，目光又变得很温柔，忽然道：“你不怕被鬼抓去？”

郭大路道：“谁说我不怕的？”

他嘴里在说“怕”，手已将棺材盖掀起。

“嗖”地，一样活生生的东西从棺材里蹿了出来。

郭大路就算真的胆大包天，也忍不住叫了出来。

从棺材里跳出来的这样东西也在叫，“汪汪汪”地叫。

是条狗，黑狗，活生生的黑狗。

郭大路怔在那里，擦着汗，想笑，却笑不出口，过了很久，才长长吐出口气，苦笑着道：“这玩笑实在开得不高明，只有白痴才会开这种玩笑。”

燕七道：“他绝不是白痴，也绝不是在开玩笑。”

郭大路道：“不是玩笑，是什么？”

燕七道：“这人不但知道林太平杀了南宫丑，而且还知道林太平住在这里。”

郭大路叹道：“他知道的事确实不少，可是他为什么要这样做？”

燕七也叹了口气，道：“也许他另有用意，也许他只不过吃饱了饭没事做而已；不管是为了什么，他既然已做了就绝不会停止。”

郭大路道：“你认为他一定还要再做些别的事？”

燕七点点头，道：“所以我们只要能沉住气，就一定能等得到他的。”

他也拍了拍林太平的肩，笑道：“所以我们现在还是去睡吧，放着那么舒服的床，不睡才真的是白痴。”

只听王动的声音远远从屋子里传出来，道：“答对了。”

第二天早上郭大路是被一串铃声吵醒的。

他醒的时候，铃声还在“叮叮当当”地响，好像是从花厅那边传过来的。

每个人起床时火气总比平时大些，尤其是被人吵醒的时候。

这就叫作“下床气”。

郭大路忍不住吼了起来，道：“是谁在穷摇那鬼铃铛？手痒么？”

他叫的时候，好像听到王动也在叫。

铃声却还是不停。

郭大路跳起来，赤着脚冲出去，喃喃地道：“一定是燕七那小子，他的手好像随时随地都会痒。”

只听一人笑道：“我的手痒时只想打人，却绝不摇铃。”

燕七也出来了，身上的衣服居然已穿得整整齐齐。

这人就好像每天都是穿着衣服睡觉的。

郭大路揉了揉眼睛，苦笑了一下，又皱着眉说道：“总不会是林太平吧，除非他真的是被鬼迷住了。”

铃声还在响。

这时他们听得很清楚，的确是从花厅里传出来的。

两个人对望了一眼，同时冲了进去。

林太平的确在花厅里，但摇铃的却不是他。

他只不过站在那里发怔，摇铃的是条猫。

黑猫。

一个铃铛用绳子吊在花架下，绳子的另一头就绑在这黑猫的脚上。

黑猫不停地跳，铃铛不停地响。

花厅中的桌子上摆着一大桌的东西，都是吃的东西，有鸡，有鸭，有包子，有馒头，还有一大坛酒。

黑猫摇铃，原来是叫他们来吃早饭。

郭大路忍不住又揉揉眼睛，道：“我的眼睛有毛病么？”

燕七道：“你的眼睛只有在看到女人时，才会有毛病。”

郭大路苦笑道："也许这是条女黑猫。"

燕七道："是公的。"

郭大路道："你怎么知道？"

燕七道："因为它看来并不喜欢你。"

郭大路眨眨眼，道："就算是母的，也不会喜欢我，喜欢的一定是王老大。"

这次轮到燕七不懂了，忍不住问道："为什么？"

郭大路道："母猫都喜欢懒猫。"

突听王动的声音在后面道："我看这条猫一定是母的。"

这次郭大路和燕七都不懂了，几乎同时问道："为什么？"

王动道："因为它会做饭。"

猫当然不会做饭。

郭大路撕下条鸡腿，塞进嘴里，又拿出来，道："鸡还是热的。"

燕七道："包子也是热的。"

郭大路道："看来这些东西送来还不久。"

燕七道："答对了。"

郭大路道："是谁送来的呢？难道也是那个在奎元馆替我们付钱的人？"

燕七道："又答对了。"

郭大路道："他为什么要这样拍我们的马屁，难道真是我干儿子？"

燕七道："咪咪……咪咪……"

郭大路道："你几时变成一条猫了，我可听不懂猫说的话。"

燕七"扑哧"一笑，道："我是在跟你的干儿子说话。"

他将每样东西都撕了一点，放在盘子上，那黑猫已跳了过来，燕七轻轻抚着它脖子上的毛，道："这些东西都是你送来的，你自己先尝点吧。"

郭大路也笑了，道："这人好孝顺，看来倒好像是这条猫的干儿子。"

其实他当然也知道燕七这样做是为了要试试这些东西里有没有毒。

燕七做事好像总是特别细心，看起来却偏偏又不像是个细心的人。

细心的人没有那么脏的，他简直就从来不洗澡。

食物中没有毒，郭大路的鸡腿已下了肚。

燕七道："看来这人对我们倒没有什么恶意，只不过有点毛病而已。"

郭大路道："不是有点毛病，是有很多毛病，毛病不大的人，怎么会做这种事？"

他吞下个包子，忽又道："这人一定是个女的。"

燕七道："你怎么知道？"

郭大路道："只有女人才会做这疯疯癫癫的事。"

燕七咬着嘴唇，居然也点了点头，才说道："她这么样做，说不定是因为看上了你，要讨好你，因为……"

郭大路笑了，忍不住问道："因为什么？因为我很有男子气，还是因为我长得俊？"

燕七道："都不是。"

郭大路道："是因为什么呢？"

燕七淡淡道："只不过因为她是个疯疯癫癫的女人，也只有疯疯癫癫的女人才会爱上你。"

郭大路想板起脸，却又忍不住笑了，道："疯女人至少总比没有女人好。"

窗外阳光普照大地，在这种天气里，别人无论说什么他都不会生气，尤其不会对燕七生气。

他喜欢燕七。

他渐渐觉得自己在这堆朋友中最喜欢的就是燕七。

奇怪的是，燕七却偏偏好像处处都要跟他作对，随时随地都要找机会臭臭他。

更奇怪的是，燕七愈臭他，他愈喜欢燕七。

王动总是在旁边看着他们臭来臭去，他看着他们的时候，眼睛里总是有种很特别的笑意。

郭大路的手刚将包子送到嘴里去，就去拿酒杯。

燕七瞪了他一眼，道："酒鬼，你难道就不能等到天黑再喝酒吗？”

郭大路笑了笑，居然将酒杯放下来，喃喃地道：“谁说我要喝酒，我只不过是想用酒来漱漱口而已。”

就在这时，他们忽然听到外面有人在曼声长吟：“远上寒山石径斜，白云深处有人家。停车坐爱枫林晚，霜叶红于二月花……好一片风光呀，好一处所在。”

郭大路又笑笑，道：“来了个酸丁。”

王动道：“不是一个，是三个。”

郭大路道：“你怎么知道？”

王动还没有说话，外面果然有另一人的声音道：“公子既然喜欢这里，咱们不如就在这里歇下吧，我走得腿都酸了。”

又有一人道：“不知道这家的主人是谁？肯不肯让我们进去坐坐？”

这两人的声音听来还是孩子，但孩子也是人，来的果然是三个人。

郭大路叹了口气，道：“好灵的耳朵，虽然只不过是条懒猫，耳朵还是比人灵。”

“咪”的一声，那黑猫已蹿了出去。

猫的耳朵果然特别灵，连王动自己都不禁笑了。

只听那位公子道：“高门掩而不闭，灵奴已来迎客，看来这家主人不但好客，而且，还必定风雅得很……风雅得很。”

郭大路忍不住笑道：“风雅虽未必，好客却倒是真的。”

他第一个迎了出去。

旭日新鲜得像刚出炉的馒头，令人看了不由自主从心底升出一种温暖之意。

在这么好的天气里，无论谁都会变得分外友善的。

郭大路脸上带着友善的微笑，望着门外的三个人。

两个垂髫童子，一个背着个书箱，一个挑着担子，站在他们主人身后，两张小脸被晒得好像是个熟透了的苹果。

他们的主人是个文质彬彬的书生，年纪并不太大，长得非常英俊，而且风度翩翩，温文有礼。

这么样三个人，无论谁看到都不会讨厌的。

郭大路笑道："你们是游山来的？倒真的选对了天气。"

书生长揖，道："小可无端冒昧，打扰了主人清趣，恕罪恕罪。"

郭大路道："也不是主人，是客人，所以我才知道这里的主人好客。"

书生笑道："却不知主人在何处？是否能容小可一见？"

郭大路道："这里的主人虽好客，却有点病。"

书生道："不知主人有何清急？小可对岐黄之道倒略知一二。"

郭大路笑道："他的病你只怕是治不好的，他得的是懒病。你若想见他，只好自己进去。"

书生微笑道："既然如此，就恭敬不如从命了。"

他走路也很斯文，简直有点弱不禁风的样子，但那两个垂髫童子身上背的书箱和担子却好像不太轻。

挑担子的一个走在最后面，一路走，担子里一路叮叮地响。

郭大路摸了摸他的头，道："你这担子里装的是什么呀？重不重？"

这孩子眼睛眨眨，道："不太重，只不过是些酒瓶子，茅台酒都是用瓶子装的。我们公子最爱喝酒，还喜欢作诗，我不会作诗，我只会喝酒。"

郭大路笑了，问道："你也会喝酒？你多大年纪了呀？"

这孩子道："十四了，明年就十五。我叫钓诗，他叫扫俗，我们家公子姓何，人可何，我们是从大名府来的。因为我们的主人喜欢游山玩水，所以我们成年难得在家里。"

郭大路每问一句话，这孩子至少要回答七八句。

郭大路愈看愈觉得这孩子有趣，故意逗着他，又问道："你为什么叫钓诗呢？诗又不是鱼，怎么能钓得起来？"

钓诗撇了撇嘴，好像有点看不起他，道："这典故你都不懂吗？因为酒的别名又叫作'钓诗钩'，我总是替公子背酒，所以叫钓诗；因为读书能扫掉人肚子里的俗气，所以他叫作扫俗。"

他上上下下瞧了郭大路几眼，又道："你大概没有念过什么书吧？"

郭大路大笑，道："好孩子，果然是强将手下无弱兵，不但能喝酒，还很有学问。"

他大笑着又道："我书虽念得不多，酒却喝得不少，你想不想跟我喝几杯？"

钓诗道："你酒量若真的好，为什么不敢跟我们公子喝酒去？"

郭大路这才发现那何公子早已进了花厅，已开始和王动他们寒暄起来，从窗口看进去，可以看到王动和林太平对他也很有好感。

燕七却有点心不在焉的样子，不时扭过头往窗子外面看。

郭大路一看到他，他就站了起来，一面背对着别人向郭大路悄悄打了个手势，一面往外边走。

他走出花厅时，郭大路迎了上去，道："你找我有事？"

燕七白了他一眼，道："你为什么好像总是长不大似的？跟孩子聊得反而特别起劲。"

郭大路笑道："那孩子的一张嘴比大人还能说会道，有时你若跟孩子们聊聊，就会发现自己也好像变得年轻起来。"

燕七没有说话，却沿着长廊，慢慢地向后院走了过去。

郭大路也只好跟着他走，忍不住问道："你有话要跟我说？"

燕七又走了段路，才忽然回头，道："你看这位何公子怎么样？"

郭大路道："看来他倒是个很风雅的人，而且据说还很能喝酒。"

燕七沉吟道："你想他会不会就是那……"

郭大路眼睛一亮，抢着道："就是那在奎元馆替我们付账的人？"

燕七点点头，道："你想可不可能？"

郭大路道："嗯，我本来没有想到这点，现在愈想愈有可能。"

燕七道："这地方又没有什么名胜风景，游山的人怎么会游到这里来？而且迟不来，早不来，恰巧在今天早上来。"

郭大路道："世上凑巧的事本来很多，但这件事的确太巧了些。"

燕七道："你以前有没有见过他？"

郭大路道："没有。"

燕七道："你再想想。"

郭大路道："用不着再想，这样的人我若见过，一定不会忘记。"

燕七咬着嘴唇，道："看王老大和林太平的样子，好像也不认得他。”

郭大路道：“他叫什么名字？”

燕七说道：“他自己说他叫何雅风，但也可能是假名。”

郭大路道：“他为什么要用假名字？难道你认为他对我们有恶意？”

燕七道：“到目前为止，倒看不出有什么恶意。”

郭大路道：“非但没有恶意，简直可以说对我们太好了，好得已不像话。”

燕七道：“就因为他对我们太好，所以我才更觉得怀疑——一个人若是对别人好得过了分，多少总有些目的。”

郭大路忽然笑了笑。

燕七道：“你笑什么？”

郭大路道：“我在想，一个人‘做人’实在很难，你若对别人太好，别人会怀疑你有目的；你若对别人太坏，别人又会说你是混蛋。”

燕七瞪了他一眼，道：“我就知道你一定会帮着他说话的。”

郭大路道：“为什么？”

燕七道：“因为他也能喝酒，酒鬼总认为一个人只要能喝酒，就绝不会是坏人。”

郭大路笑道：“这倒是实话，喝酒痛快的人，心地总比较直爽些，你绝不会看到喝醉酒的人，还在打主意害人的。”

燕七道：“他并没有醉。”

郭大路道：“快醉了——我现在就打算进去把他灌醉。”

他笑了笑，又道：“只要他一喝醉，就不怕他不说实话。”

燕七忽然也笑了笑。

郭大路道：“你笑什么？”

燕七道：“我在想，你这人至少还有样别人比不上的长处。”

郭大路笑道：“我的长处至少有三百多种，却不知你说的是哪一种？”

燕七道：“你随时随地都能把握住机会。”

郭大路道：“什么机会？”

燕七道：“喝酒的机会。”

郭大路弄错了一件事——人清醒时有很多种，所以喝醉了时也并不完全一样，并不是都像他自己那样，只要一喝醉，就把心里的话全说出来。

有的人喝醉了喜欢吹牛，喜欢胡说八道，连他自己都不知道在说什么，等到清醒时早已忘得干干净净。

还有的人喝醉了根本不说话。

这种人喝醉了也许会痛哭流涕，也许会哈哈大笑，也许会倒头大睡，但却绝不说话。

他们哭的时候如丧考妣，而且愈哭愈伤心，哭到后来，就好像世上只剩下了他这么样一个可怜人。

你就算跪下来求他，立刻给他两百万，他反而会哭得更伤心。

等他清醒时，再问他为什么要哭，他自己一定也莫名其妙。

他们笑的时候，就好像天上忽然掉下了满地的金元宝，而且除了他之外，别人都捡不到。

就算他的家已被烧光了，他还是要笑。你就算“噼噼啪啪”给他十几个大耳光，他也许笑得更起劲。

他们只要一睡着，那就更惨，就算全世界的人都来踢他一脚，也踢不醒，就算把他丢到河里，他还是照睡不误的。

何雅风恰巧就是这种人。

开始的时候，他好像还能喝，而且喝得很快，不停地把酒一杯又一杯往嘴里倒，但忽然间，你刚眨了眨眼，他已经睡着了。

他一睡着，郭大路就笑。

燕七恨恨道：“你也喝醉了么？”

郭大路道：“我醉？你看，我有没有一点喝醉的样子？”

燕七道：“没有一点，有八九点。”

郭大路道：“你错了，我现在清醒得简直就像孔夫子一样。”

燕七道：“你笑得却像是土狗。”

郭大路道：“我只不过笑他，还没开始，他已经被我灌醉了。”

燕七道：“你还记不记得为什么要灌他酒？”

郭大路道：“当然记得，我本来是想要叫他说实话的。”

燕七道："他说了吗？"

郭大路道："说了。"

燕七道："说了？说了什么？"

郭大路道："他说，他若对我们有恶意，就不会喝醉，醉得像死猪一样。"

燕七上上下下地看着他，摇着头道："有时我真看不透你，究竟是喝醉了？还是很清醒？"

郭大路嘻嘻地笑，看着王动。

王动道："你看我干什么？"

郭大路笑道："我在等着你说话，现在岂非已轮到你说话了。"

王动道："你要我说什么？"

郭大路道："说我清醒的时候也醉，醉的时候反而清醒。"

王动也忍不住笑了，这的确是他说话的口气。

郭大路道："我答对了么？"

王动笑道："答对了。"

后院那排屋子里，也摆了两张床。

这两张床好像就是为喝醉了的客人准备的。

何雅风就像是个死人般被抬到这张床上。

郭大路笑道："他今天来，还是算来对了时候，若是前两天来，就只好睡地板。"

王动道："我只望他这一觉能睡到明天天亮。"

郭大路道："为什么？"

王动道："免得我们去当东西。"

郭大路道："为什么要当东西？"

王动道："请客人吃晚饭。"

郭大路笑道："也许我们用不着当东西，只等着猫儿摇铃就行了。"

燕七道："你认为晚饭还会有人送来？"

郭大路道："嗯。"

燕七忍不住笑道："你简直好像已经吃定他了。"

郭大路大笑道："一点也不错，我已经准备吃他一辈子，要他养我的老。"

他声音说得特别高，好像故意要让那人听到。

那人是不是一直躲在暗中偷看着他们？

那人是不是何雅风？是不是喝醉了？

醉得快的人，往往醒得也快。

还没到黄昏，那两个孩子忽然从后院跑到前面来，恭恭敬敬地站在他们面前，恭恭敬敬地送上了份请帖。

钓诗道："我们家公子说今晨叨扰了各位，晚上就该他回请，务必请各位赏光。"

郭大路看了王动一眼，挤了挤眼睛。

王动喃喃道："看来用不着等猫摇铃了。"

钓诗没听见他在说什么，就算听见，也听不懂，忍不住问道："王大爷在说什么？"

郭大路不等王动开口，已抢着道："他说我们一定赏光。"

燕七叹了口气，摇摇头，道："这人的脸皮倒真不薄。"

钓诗忽然眨眨眼，又问："这位大爷在说什么？"

郭大路又抢着道："他说我们马上就去。"

第十二章

郭大路的拳头

01

钓诗笑道："既然如此，我们就得回去准备了。"

郭大路道："快去，愈快愈好。"

钓诗恭恭敬敬地行了个礼，忽然也向扫俗挤了挤眼睛，悄悄道："拿来。"

扫俗瞪了他一眼，哼道："你急什么，算你赢了就是。"

这次郭大路忍不住问道："你说什么？"

钓诗抢着道："他什么也没有说。"

他拉着扫俗就想溜，扫俗看起来却比较老实，而且好像很着急，红着脸道："我跟他打赌，输给他一吊钱，他逼着问我要。"

郭大路道："怎么输的？"

扫俗道："我生怕各位不肯赏光，他却说……"

他眼睛瞟着郭大路，忽然摇摇头，道："他说的话，我不敢说。"

郭大路道："你只管放心说，绝对没有人怪你。"

扫俗眼珠子直转，道："若是有人怪我呢？"

郭大路道："那也没关系，我保护你。"

扫俗这才笑道："他说，就算别人不好意思，大爷你也一定会去的。因为这些人里面，就数大爷你的脸皮最厚。"

他话刚说完，已拉着钓诗溜之大吉。过了很久，还可以听到他们在吃吃地笑。

郭大路又好气，又好笑，喃喃道："原来这小鬼也不老实，居然会绕着圈子骂人。"

燕七忍不住笑道：“其实他这也不能算骂人，只不过在说实话而已。”

王动道：“其实他也不能算是脸皮厚，只不过是人穷志短……”

燕七接着道：“而且是饿死鬼投胎。”

郭大路也不生气，悠然道：“好，我又穷，又饿，又厚脸皮，你们都是君子。”

他忽然冷笑了两声，道：“但若不是我这个厚脸皮，你们这些伪君子，今天晚上就要上当铺、出洋相。”

燕七道：“人家到底是客人，你怎么好意思去吃人家的？”

郭大路冷冷道：“他到底还是个人，吃他至少总比吃猫的好；一个人若连猫送来的东西都吃得不亦乐乎，还有什么脸摆架子？”

王动道：“谁摆架子？我只不过想要他把酒菜送到这里来而已。”

02

菜不多，酒倒真不少。

菜虽然不多，却很精致，摆在一格格的食盒里，连颜色都配得很好，就是看看都令人觉得很舒服。

何雅风道：“这些菜虽是昨夜就已做好了的，但小弟终年在外走动，对保存食物的法子，倒可算是略有心得，可以保证绝不致变味。只不过以路菜敬客，实嫌太简慢了些。”

郭大路忽然笑道：“你昨天晚上就准备了这么多菜，难道算准了今天晚上要请客？”

钓诗正在斟酒，抢着道：“我们家公子最好客，一路上无论遇着什么人，都会拉着他喝两杯，所以无论到哪里，酒菜都准备得很充足。”

郭大路向他挤了挤眼睛，悄悄笑道：“这么样看来，脸皮厚的人并不是只有我一个。”

何雅风道：“郭兄在说什么？”

郭大路道：“我在说他……”

钓诗忽然大声咳嗽。

郭大路笑道：“他酒倒得太慢了，我简直已有些迫不及待。”

他第一个举起酒杯，嗅了嗅，大笑道：“好酒，我借花献佛，先敬主人一杯。”

他刚想喝，何雅风已按住了他的手，笑道：“郭兄先等一等，这第一杯水酒，应该我敬四位，四位一齐……”

忽然间，一条黑狗、一只黑猫，同时从外面蹿了进来，蹿上了桌子，刚斟满的几杯酒就一齐被撞翻。

何雅风脸色变了变，突然出手。

他一双手看起来又白净、又秀气，就好像一辈子没有碰过脏东西，连酒瓶子倒了，都不会去扶一扶。

这只猫和这条狗却好像刚从泥里打过滚出来的。

可是他一出手，就抓住了它们的脖子，一只手一个，将它们拎了起来，正准备往外面甩。

他刚往外甩，忽然又有两双手伸过来，轻轻地接了过去。

郭大路接住了那条黑猫，燕七接住了黑狗。

郭大路抚着猫脖子笑道：“你来干什么？莫非要和何公子抢着做主人么？”

燕七拍着狗头道：“你来干什么？莫非也和郭先生一样，急着要喝酒？”

何雅风锁着眉，勉强笑道：“这么脏的小畜生，两位为何还抱在身上？”

郭大路道：“我喜欢猫，尤其是好请客的猫。”

燕七笑道：“我喜欢狗，尤其是好喝酒的狗。”

酒倒翻在桌子上的时候，这条狗的确伸出舌头来舔了舔。

王动忽然道：“只可惜这不是金毛狮子狗。”

林太平挟起块油鸡，又放下，道：“只可惜这不是烤鸭。”

何雅风声色不动，微笑道：“四位说的话，小弟为何总是听不懂？”

郭大路笑道：“也许我们都在说醉话。”

燕七抱着的狗突然惨吠了一声，从他怀中跳起来，“砰”地，落在桌子上，就像是忽然被人割断了脖子，连叫都叫不出了。

本来鲜蹦活跳的一条狗，突然就变成了条死狗。

燕七看看死狗，又抬起头看看郭大路，道：“你瞧见了么，这就是急着要喝酒的榜样。”

郭大路也在看着死狗，又抬起头看看何雅风，道：“我们都不是广东人，阁下为何要请我们吃狗肉？”

王动看看何雅风，脸上一点表情也没有，淡淡道：“听说黑狗的肉最滋补。”

林太平冷笑道：“也许这并不是黑狗，只不过穿了身黑衣服。”

何雅风居然还是声色不动，慢慢地站起来，拍了拍身上的酒渍道：“各位少坐，在下去换套衣服，去去就来。”

郭大路看着王动，道：“他说他去去就来。”

王动道：“我听见了。”

郭大路道：“你相信？”

王动道：“相信。”

郭大路道：“为什么？”

王动道：“因为他根本不到别地方去，他就在这帘子后换衣服。”

何雅风静静地看着他们，再也不说别的话，看了很久，缓缓转身，提起了后面椅上的箱子，走入帘后。

帘子是锦缎做的，就挂在这小客厅中间。

别的人瞪着帘子，郭大路却看着钓诗。

钓诗的小脸也已发白。

郭大路忽又向他挤了挤眼睛，笑道：“你们为什么不去换衣服？”

钓诗嗫嚅着道：“我……我没有带衣服来。”

郭大路笑道：“这里没有衣服换，难道不会回家去换？”

钓诗立刻喜动颜色，拉起扫俗的手，拔腿就跑。

燕七笑了笑，道：“看来这人的脸皮虽厚，心倒不黑。”

他看着郭大路时，目中充满了温柔之意，但等他回过头时，目光立刻变得冰冷，脸色也立刻变得冰冷。

何雅风已从帘子后走了出来。

他果然换了身衣服。

一身黑衣服。

黑衣服、黑靴、脸上蒙着黑巾，连身后背着的一柄剑，剑鞘都是乌黑色的。

一柄四尺七寸长的剑。

林太平变色道："原来是你，你没有死。"

黑衣人冷冷道："只因你还不懂得杀人，也不会杀人。"

林太平脸上阵青阵红。

他的确还不会杀人，杀了人后就已心慌意乱，也不去看看那人是否真的死了。

黑衣人道："你若会杀人，就算我真的死了，你也该在我身上多戳几刀。"

林太平咬着牙道："我已学会了。"

黑衣人道："学不会的，不会杀人的人，永远都学不会的。杀人也得要有天分。"

燕七忽然道："这么样说来，阁下莫非很有杀人的天分？"

黑衣人道："还过得去。"

燕七笑了笑，淡淡道："阁下若真有杀人的天分，我们现在就已经全都死了。"

黑衣人沉思了半晌，道："你们还活着，真该谢谢那条狗。"

燕七看着郭大路，道："我发现了一样事。"

郭大路道："什么事？"

燕七道："他至少很有杀狗的天分，因为他至少杀了条狗。"

郭大路眨眨眼，道："我也发现了一件事。"

燕七道："什么事？"

郭大路道："他不是南宫丑。"

燕七道："为什么？"

郭大路道："因为他不丑。"

王动忽然道："名字叫南宫丑，人并不一定就会很丑。"

郭大路笑道："不错，就好像名字叫王动的人，并不一定喜欢动。"

王动道："答对了。"

郭大路道："但他脸上也没有刀疤。"

江湖中很多人都知道，南宫丑虽侥幸自疯狂十字剑下逃了性命，脸上却还是被划了个大十字，所以从不愿以真面目见人。

王动道："谁看过南宫丑脸上有刀疤？"

郭大路道："至少我没有看见过。"

王动道："他既然从不以真面目见人，谁能看到他的脸？"

郭大路笑道："不错，也许他刀疤在屁股上。"

黑衣人一直在冷冷地看着他们，此刻忽然道："你们只说对了一样事。"

郭大路道："哪样？"

黑衣人道："我不杀人，只杀狗。"

郭大路笑道："原来你也很坦白。"

黑衣人道："我刚才杀了一条，你是第二条。"

夜很静，正是个标准的"月黑风高杀人夜"。

除了他们外，这山上活人本就不多——今天晚上也许又要少一个。

也许少四个。

院子有树，风在吹，树在动。

黑衣人却没有动。

他静静地站在那里，仿佛已经和这杀人之夜融为一体。

无论谁都不能不承认，他的确是个"杀人"的人。

他身上的确像是带着种杀气。

剑还未出鞘，杀气却已出鞘。

郭大路还在屋里慢慢地脱衣服。

黑衣人就在外面等着，仿佛一点也不着急。

郭大路忽然笑道："这人倒很有耐心。"

王动道："要杀人，就要有耐心。"

郭大路道："耐心杀不了人。"

王动道："你故意想要他着急，他不急，你就急了，你一急，他就有机会杀你。"

郭大路笑了笑，道："所以我也不急。"

燕七一直在看着他，忽然道："你非但不必急，也不必一个人出去。"

郭大路道："我虽然是厚脸皮，却不是胆小鬼。"

燕七道："对付这种人，我们本不必讲什么江湖道义。"

郭大路道："你想四个打一个？"

燕七道："为什么不行？"

郭大路叹了口气，道："我倒也很想那么样做，只可惜我是个男人。"

燕七垂下头，道："可是你……你有没有把握对付他？"

郭大路道："没有。"

燕七道："那么你……"

郭大路打断了他的话，笑道："有把握要去，没有把握也要去，就等于有钱要喝酒，没有钱也要喝酒。"

王动笑笑道："这比喻虽然狗屁不通，却说明了一件事。"

燕七道："什么事？"

王动道："有些事本就是非做不可的。"

林太平忽然道："好，你去，他若杀了你，我替你报仇。"

郭大路笑了，拍了拍他的肩，笑道："你虽然是个混蛋，但至少很够义气。"

燕七忽又拉住他的手，悄悄道："站得离他远些，他的剑并不长。"

郭大路笑道："你放心，我不会上当的。"

他走了出去。

燕七叹了口气，道："我真不懂，有些人为什么总是硬要充英雄。"

王动淡淡道："也许他本来就是英雄——有些人天生就是英雄。"

林太平叹道："不错，无论他是酒鬼也好，是混蛋也好，但却的的确确是个英雄，不折不扣的大英雄。"

燕七叹息着喃喃道："可惜英雄大多都死得早。"

郭大路也站在院子里，果然站得离黑衣人很远。

黑衣人道："你的剑呢？"

郭大路笑笑，道："我的剑已送进当铺了。"

黑衣人冷笑道："你敢以空手对我？是不是还怕死得不够快？"

郭大路又笑笑，道："既然要死，就不如死得快些，也免得活着穷受罪，受穷罪。"

黑衣人道："好，我成全你。"

说到"好"字，他已反手拔剑。

他的手刚触及剑柄，郭大路已冲了过去。

燕七的心几乎跳出了胸膛。

郭大路难道真的想快点死？明知对方用的是短剑，为什么还要送上门去？

剑光一闪，剑已出鞘。

不是短剑，是长剑。

剑光如漫天长虹，亮得令人眼花。

只可惜郭大路已冲入他怀里，已看不到这柄剑，看不到这剑光。

他的眼睛也没有花。

他虽然没有看到黑衣人的剑，却看到了黑衣人的弱点。

他看得很清楚。

"砰"地，黑衣人身子飞出。

他身子向后飞出，剑光却向前飞出，身子撞上后面的墙，长剑钉入了前面的树。

他一倒下去就不再动。

郭大路站在那里，看着自己的拳头，仿佛觉得很惊讶、很奇怪。

他自己仿佛也没有想到自己一拳就能将对方打倒。

别人也没有想到。

燕七更没有想到，他怔了半天，才冲出去，又惊奇，又欢喜，又带着几分惶恐，笑着道："我叫你离他远些，你为什么偏偏要冲过去？"

郭大路笑了，道："也许因为我是个傻子。"

他的笑看起来真有点傻兮兮的。

可是他当然一点也不傻——你认为他傻的时候，他却偏偏会变得很聪明，而且比大多数人都聪明得多。

燕七笑道："谁说你傻了，只不过，我实在不懂，你怎么看出他这次用的不是短剑？”

郭大路笑笑道：“我根本没有看出来，我是猜出来的。”

燕七怔了怔，道：“若是猜错了呢？”

郭大路道：“我不会猜错。”

燕七道：“为什么？”

郭大路笑嘻嘻道：“因为我的运气好。”

燕七怔了半晌，忽也笑了，大笑道：“你虽然不傻，但却也不老实，一点都不老实。”

郭大路的确不老实。

因为他会装傻。

他当然已看出黑衣人这次用的不是短剑。

因为这次黑衣人的剑柄在左肩，却用右手去拔剑，拔剑的时候，胸腹向后收缩，力量全都放在前面。

所以他胸膛和小腹之间就有了弱点。

郭大路看出了这弱点。

他一拳就打在这弱点上。

只要能看得准，能判断正确，一拳就够了，用不着第二拳。

高手相争，最有效的就是这第一拳。

这一拳，你若不能打倒别人，自己也许就会被人打倒。

胜与负的分别，往往只不过在一线之间，也往往只不过在一念之间。

燕七忽又道：“我还有件事不懂。”

郭大路道：“哦？”

燕七道：“他的手比剑短得多，为什么一伸手就能将剑拔出来？”

郭大路想了想，笑道：“我也不懂。”

王动道：“我懂。”

他走过来，手里拿着的就是黑衣人的剑鞘。

燕七接过剑鞘，看了看，笑道：“我也懂了。”

无论谁只要看过这剑鞘，都会懂的。

剑鞘里本有两柄剑，一柄长，一柄短。这点燕七也已想到。

他却未想到这剑鞘根本不是真正的剑鞘，只不过是个夹子。

剑并不是从上面“拔”出来的，而是从旁边“挥”出来的。

燕七笑道：“这就好像鸡蛋一样。”

郭大路怔了怔，道：“像鸡蛋？”

燕七道：“你知不知道要用什么法子才能把鸡蛋站在桌子上？”

郭大路道：“不知道。”

燕七笑道：“呆子，你只要把鸡蛋大的那一头敲破，这鸡蛋岂非就能站住了？”

郭大路笑道：“你真是个天才，这法子你怎么想得到的。”

世上有些事的确就像鸡蛋一样。

你认为很复杂的事，其实却往往很简单。

有些人也和鸡蛋一样。

无论多没用的人，你只要打破他的头，他就能自己站起来了。

03

院子里多了个坟。

狗坟。

燕七亲手将那黑狗装入棺材，黯然叹息着道：“你从棺材里来，现在又往棺材里去了，早知如此，你又何必来。”

郭大路苦笑道：“它若不来，我们就要往棺材里去了。”

林太平叹道：“它来的时候，我还踢了它一脚，谁知道它却救了我们的命。”

王动道：“狗不像人，狗不记仇，只记得住别人的恩惠。”

郭大路道：“不错，你只要给狗吃过一块骨头，它下次见了你，一定会摇尾巴；但有些忘恩负义的人，你无论给过他多少好处，他回过头来反而会咬你一口，所以……”

林太平接着道：“所以狗比人还讲义气，至少比某些人讲义气。”

郭大路道：“所以我们应该替它立个碑。”

林太平道："碑上写什么呢？"

郭大路道："义犬之墓。"

燕七摇摇头，道："义犬两个字还不够，你莫忘记，它也是我们的救命恩人……"

王动道："碑不妨后立，祭文却不可不先读。"

郭大路道："你会作祭文？"

王动点点头，忽然站起来，朗声道："棺中一狗，恩朋义友。你若不来，我们已走。初一十五，香花奠酒。呜呼哀哉……尚飨。"

猪不能太肥，人不能太聪明。

肥猪总是先挨宰，人若要活得愉快些，也得带几分傻气，做几件傻事。

那并不表示他们就是傻子。

他们当然知道猫自己不会做饭，狗也不会自己将自己装进棺材里。

这只猫和这条狗一定有个主人。这人是谁呢？

燕七道："这人将棺材送来的时候，一定已知道南宫丑并没有死。"

郭大路道："不错，他送这口棺材来，就是要告诉我们南宫丑没有死。"

燕七点点头道："他早已知道了南宫丑的阴谋。"

郭大路道："可是他为什么不对我们说明白呢？"

燕七道："因为他还不想跟我们见面。"

林太平道："为什么？他既然没有恶意，做事为什么要这样鬼鬼祟祟的？"

郭大路道："我看这人一定是个女人。"

燕七道："怎见得？"

郭大路道："只有女人才会做这些鬼鬼祟祟、莫名其妙的事。"

燕七板着脸道："女人就算做这种事，那也只因为男人更莫名其妙。"

郭大路笑道："莫忘记你也是男人。"

燕七道："莫忘记你也是女人生出来的。"

王动看着燕七，忽然道："男人天生就看不起女人，女人也天生就看不起男人，这本是天经地义的事，几千百年前如此，几千百年后一定还是这样，所以……"

燕七道："所以怎么样？"

王动道："所以这种事本没有什么好争辩的，我不懂你们为什么总是对这问题特别有兴趣。"

他叹了口气，接着道："我们的问题本来已够多了，现在又多了一个。"

郭大路道："多了个什么问题？"

王动道："南宫丑。"

南宫丑并没有死，因为没有人愿意杀他。

他们谁都不愿意杀人，尤其不愿杀一个已被打倒的人。南宫丑至少有件事没有说错："有些人天生就不会杀人，而且永远都学不会的。"

郭大路道："不错，他的确是个问题。"

林太平道："他不是已经被我们关起来了吗？"

郭大路道："是的。"

林太平道："你怕他会逃走？"

郭大路道："他逃不了。"

一个人若已被绑得像只粽子，谁都休想能逃得了。

林太平道："既然逃不了，还有什么问题？"

郭大路道："问题就在这里，他既然逃不了，我们就得看着他，是不是？"

林太平点点头。

郭大路苦笑道："我们连自己都快养不活了，怎么养得起别人？"

林太平终于明白了，皱着眉道："我们不如放了他吧。"

郭大路道："这种人也放不得。"

林太平道："那么我们难道要养他一辈子？"

郭大路道："所以这才是问题。"

燕七忽然道："我们可以要他自己养自己。"

郭大路眼睛立刻就亮了起来，道："不错，他比我们有钱得多。"

燕七道："至少他刚从凤栖梧身上捞了一票。"

郭大路站了起来，道："我这就去问他，将那些珠宝藏在什么地方了？"

燕七道："你问得出？"

郭大路笑道："我虽不是夹棍，但也有我的法子。"

燕七失笑道："看来这个人已从夹棍那里学会了几套。"

第十三章

男人和猫

01

后园有间柴房。

柴房好像并不是堆柴的，而是关人的，无论哪家人抓住了强盗，一定都会将他关在柴房里。

这柴房里有蜘蛛，有老鼠，有狗屎猫尿，有破锅破碗，有用剩下的煤屑……几乎什么都有，就是没有柴，连一根柴都没有。

也没有人。

被绑得跟粽子一样的南宫丑，也不见了。

地上只剩下一堆绳子。

郭大路发了半天怔，拾起根断绳子看了看道："这是被刀割断的。"

燕七道："而且是把快刀。"

只有快刀割断的绳子，切口才会如此整齐。

林太平皱眉道："这么样说来，他并不是自己逃走的，一定有人来救他。"

郭大路笑道："我实在想不到连这种人也会有朋友。"

燕七道："会不会是那两个小鬼？"

郭大路道："不会，他们既没有这么大本事，也没有这么大胆子，而且……"

他忽又笑笑，道："小孩子有点地方，就跟女人一样。"

燕七道："哪点？"

郭大路道："小孩子都不会很讲义气……他们根本不懂。"

燕七瞪了他一眼，林太平已抢着道："会不会是金毛狮子狗？"

郭大路道：“你怎么想起他的？”

林太平道：“我那天并没有看到金毛狮子狗，也许南宫丑已将他放了，也许他们根本就是串通好了的。”

郭大路摇摇头，道：“南宫丑这种人就算什么事都做得出，但至少有一件事是绝不会做的。”

林太平道：“哪件事？”

郭大路道：“他绝不会留着别人跟他分赃。”

他笑了笑，又解释道：“桌上若有三碗饭，他就算吃不下，也不会留下一碗来分给别人，他就算胀死也全都要吃下去。”

林太平道：“你认为棍子和金毛狮子狗都已被他杀了？”

郭大路点点头，道：“我饿了。”

这句话和他们现在谈论着的事完全没有关系，连一点关系都没有。

你简直无法想象一个人会在这种时候忽然说出这句话来。

林太平看着他，眼睛张得很大。王动和燕七也在看着他，好像都想研究这个人，构造是不是和别人不同？

郭大路笑笑，又道：“我说到三碗饭的时候，就已发觉饿了；说到吃的时候，就已想到我们至少已有大半天没吃东西。”

王动道：“你说到什么的时候，就会想到什么？”

郭大路道：“好像是的。”

王动道：“你说到狗屎的时候，难道就会想到……”

他的话还没有说完，郭大路忽然转身跑了出去。

往厕所那边跑了过去。

王动看着，看得眼睛发直，好像已看呆了。

燕七长长叹了口气，又忍不住笑道：“这人实在是个天才。”

林太平笑道：“这样的天才，世上也许还不多。”

燕七道：“非但不多，恐怕只有这么样一个。”

王动终于也叹了口气，道：“幸好只有一个。”

这也是结论。

像郭大路这种人若是多有几个，这世界也许就会变得更快乐。

02

动物中和人最亲近的，也许就是猫和狗。有些人喜欢养狗，有些人认为养猫和养狗并没有什么分别。

其实它们很有分别。

猫不像狗一样，不喜欢出去溜达，不喜欢在外面乱跑。

猫喜欢耽在家里，最多是耽在火炉旁。

猫喜欢吃鱼，尤其喜欢吃鱼头。

猫也喜欢躺在人的怀里，喜欢人轻轻摸它的脖子和耳朵。

你每天若是按时喂它，常常将它抱在怀里，轻轻地抚摸它，它一定就会很喜欢你，做你的好朋友。

但你千万莫要以为它只喜欢你一个人，只属于你一个人。

猫绝不像狗那么忠实，你盘子里若没有鱼的时候，它往往就会溜到别人家里去，而且很快就会变成那个人的朋友。

你下次见着它的时候，它也许已不认得你，已将你忘了。

猫看着当然没有狗那么凶，却比狗残忍得多，它捉住只老鼠的时候，就算肚子很饿，也绝不会将这老鼠一口吞下去。

它一定要先将这老鼠耍得晕头转向，才慢慢享受。

猫的“手脚”很软，走起路来一点声音也没有，但你若惹了它，它那软软的“手”里就会突然露出尖锐的爪子来，抓得你头破血流。

猫若不像狗，像什么呢？

你有没有看过女人？有没有看过女人吃鱼？有没有看过女人躺在丈夫和情人怀里的时候？

你知不知道有很多男人的脸上是被谁抓破的？

你知不知道有些男人为什么会自杀？会发疯？

那么我问你：猫像什么？

你若说猫像女人，你就错了。

其实，猫并不像女人，只不过有很多女人的确很像猫。

03

这只猫是黑的，油光水滑，黑得发亮。

郭大路正在仔细研究着这只猫。

一个饿得发昏的人，是绝没有兴趣研究猫的。一个饿得发昏的人，根本就没有兴趣研究任何东西。

郭大路当然已吃饱了。就像昨天早上一样，饭菜又摆在桌子上的时候，他们就听见这只猫在摇铃。

郭大路忽然道："这只猫吃得很饱。而且一直都吃得很饱，常常挨饿的猫，绝不会长得像这个样子。"

燕七笑了，问道："你研究了半天，就在研究这件事？"

郭大路理也不理他，又道："假如说这些家具、这些酒菜和那口棺材都是个叫好好先生的人送来的，那么这只猫一定也是他养的，所以……"

燕七道："所以怎么样？"

郭大路道："所以那好好先生家里一定很舒服、很阔气，否则这只猫就绝不会被养得这么肥、这么壮。"

燕七眨眨眼，道："那又怎么样呢？"

郭大路道："我若是猫，有个这么阔气的主人，就绝对不肯跟别人走的。"

燕七道："所以……"

郭大路道："所以我们若将这只猫放了，它一定很快就会回到主人那里去。"

燕七眼睛亮了，道："那么你还抱着它干什么？"

郭大路拍了拍猫的脖子，笑道："猫兄猫兄，你若能带我们找到你的主人，我一定天天请你吃鱼头。"

他放开手，把猫送出门。

谁知这只猫"咪呜"一声，又跳到他身上来了，而且伸出舌头轻轻舔他的手。

燕七笑道："看来这条猫一定是母的，而且已经看上了你。"

郭大路拎起猫的脖子，放下。

猫还是围着他打转。

郭大路皱眉道："你为什么还不走？难道不想你的主人？他对你一向不错呀。"

王动忽然笑了笑，道："猫的记性虽然不好，脑筋却很清楚。"

郭大路道："脑筋清楚？"

王动道："它既然知道这里有鱼吃，为什么还要跑到别的地方去？"

郭大路道："但我又不是它的主人，它为什么要缠住我？"

王动道："你刚才喂它吃过一条鱼，是不是？"

郭大路点点头。

王动道："谁喂它吃鱼，谁就是它的主人。"

郭大路叹了口气，喃喃地道："看来这的确是条母猫。"

林太平忽然道："这里若没有鱼吃呢？"

王动道："那么它也许就会回去了。"

林太平笑道："我只希望这条猫也认得路的。"

猫的确认得路。

它若在外面找不到东西吃，无论它在哪里，都一定很快就能找得到路回家。

下午。

从早上到下午，都没有东西吃，无论是人是猫，都会饿得受不了的。

现在郭大路就算还想抱着这条猫，猫也不肯让他抱了。

它一溜烟蹿了出去。

郭大路在后面跟着。

燕七跟着郭大路，林太平跟着燕七。

王动道："你们最好不要跟得太近。"

林太平道："你呢？"

王动没有说话，只叹了口气，仿佛觉得林太平这句话问得很愚蠢。

他躺了下去。

山坡的左面是一大片荒坟，就算在清明时节，这里也很少有人来扫墓的。埋葬在这里的人，活着时就并不受人注意，死了后更是很快就被人遗忘。

穷人的亲戚朋友本不多，何况是个死了的穷人。

郭大路时常觉得很感慨，每次到这里来都会觉得有很多感慨。

但现在却没有时间来让他感慨。

那条猫跑得很快。

它很快地蹿入坟场，又蹿出去，远远看来，就像是一股黑烟。

无论谁要追上一条猫，都不是件很容易的事，你除了专心去追它之外，根本就没工夫去想别的事。

追女人的时候也一样。

也许就因为没工夫去想，所以才会去追。

若是仔细想想，也许就会立刻回头了。

坟场旁边，有片树林。

树林里有间小木屋。

这是枣林，木屋就是用枣木板搭成的，郭大路以前也曾到这枣林里来逛过，却没有看到这小木屋。

木屋好像是这两天才搭成的。

猫蹿入树林，忽然不见了。却有一阵阵香气从木屋里传出来。

是红烧肉的味道。

郭大路耸了耸鼻子，脸上露出微笑。

木屋里生着火，火上炖着肉。

一个老头子蹲在地上扇火，一个老太婆正在往锅里倒酱。

还有个头发长长的女人，一直蹲在旁边不停地催他们。

这只猫蹿进屋子，就蹿入她怀里。

她显然就是这只猫的主人。

郭大路终于找到了他要找的人。他追到门口的时候，她刚好回过头。

两个人目光相遇，都吃了一惊。

然后郭大路就叫了起来："酸梅汤，原来是你？"

04

红烧肉炖烂，切得四四方方的，每块至少有四两。

郭大路恰好能一口吃一块。

猫伏在酸梅汤脚下，懒洋洋的；这是条很随和的猫，并不一定要吃鱼，并不反对红烧肉。

无论是人是猫，肚子饿的时候，都不会反对红烧肉的。

吃下七八块肉，郭大路才叹了口气，道："我简直连做梦也没有想到会是你。"

酸梅汤抿着嘴笑了。

郭大路道："你做事总是这么样神秘兮兮的么？"

酸梅汤垂下头，笑道："我本来是想自己送去的，可是我怕你们不肯收。"

燕七冷冷道："你根本不必送这些东西来的。"

酸梅汤道："你们帮了我很多忙，我总不能不表示一点心意。"

郭大路道："但这些东西还是不能收。"

酸梅汤道："为什么？"

郭大路道："因为……因为你是女人。"

酸梅汤道："女人也是人。"

郭大路瞟了燕七一眼，笑道："她说话的口气倒跟你差不多。"

燕七板着脸，道："男人送这么多东西来，我们也一样不能收。"

郭大路接着道："何况，我们已吃了你好几顿，已经不太好意思了。"

酸梅汤眨眨眼，道："那么，就算我把这些东西存在你们这里好了。"

王动道："那就要租金。"

酸梅汤道："我付。"

王动道：“还要保管费。”

酸梅汤道：“我也付。”

王动道：“每天十两银子。”

酸梅汤道：“好。”

王动道：“要先付，不能欠账。”

酸梅汤笑道：“我先付十天行不行？”

她真的拿出了一百两银子。

王动没有动，只是盯着这一大锭银子看，好像看得出了神。

郭大路他们却在盯着王动。

他们忽然开始觉得王动这人很莫名其妙，很岂有此理。

别人好心好意地送酒给他喝，送饭给他吃，送椅子给他坐，送床给他睡，还把他的破屋子修饰一新。

他却要收人家的租金，而且还要先付。

“这人他妈的简直是个活混蛋。”

郭大路瞪着他，几乎已忍不住要骂了出来。

王动的眼睛已经从银子上移开，瞪着酸梅汤，忽然道：“你有病。”

酸梅汤怔了怔，道：“有病？”

王动道：“不但有病，而且病很重。”

酸梅汤笑道：“我吃又吃得下，睡又睡得着，怎么会有病呢？”

王动道：“也许你这病就是吃多了胀出来的。”

他脸上毫无表情，又道：“你花钱买了这么多东西，又费了很多事送到这里来，却还心甘情愿地付我租金，一个人若是没有病，怎么会做这种事？”

郭大路笑了。

他也开始觉得酸梅汤的确有病，而且还的确病得很重。

酸梅汤眼珠子在打转，道：“我若说这么样做只不过因为觉得欠了你们的情，你们信不信？”

王动看了看郭大路，道：“你信不信？”

郭大路道：“不信。”

王动道：“若连他都不信，只怕天下就没有别的人会信了。”

酸梅汤叹了口气道：“所以我也没有这么样说。”

郭大路道："你准备怎么样说？"

酸梅汤眼珠子不停地转，咬着嘴唇，道："一个男人若是看上了一个女人，想要娶她，是不是就会做出很多莫名其妙的事来？"

王动道："是。"

男人为了一个他已爱上了的女人，简直什么事都做得出的。

酸梅汤道："女人也一样。"

王动道："一样？怎么一样？"

酸梅汤道："一个女人，若是看上了一个男人，想要嫁给他，也一样会做出很多莫名其妙的事来的。"

她的脸忽然红了，垂着头道："我……我今年已经十八了。"

十八岁的女孩子，通常都会想到一件事。

嫁人。

十八岁的女孩子，有哪个不怀春？

这本是很正常的事。

郭大路又笑了，道："你没有病，男大当婚，女大当嫁，谁也不能说你有病。"

他挺了挺胸，又道："却不知你看上的人是谁？"

燕七瞪了他一眼，冷冷道："当然是你。"

郭大路笑道："那倒不一定。"

他嘴里虽说"不一定"，脸上的表情却已是十拿九稳了。

像他这样的男人，就算打锣都找不到的。

酸梅汤的确正在看着他，但却摇了摇头，抿着嘴笑道："也许是你，也许不是你，我现在还不能说。"

郭大路道："为什么？"

酸梅汤道："因为现在还没有到时候。"

郭大路道："几时才到时候？"

酸梅汤眼波流动，又低着头，道："我总要先看看他是不是真的很好，这是我的终身大事，我总不能不特别小心。"

郭大路道："你现在还看不出？"

酸梅汤道："我……我还想再等等，再看看。"

燕七冷冷道："我看你还是快点看吧，有人已经快急死了。"

郭大路笑道："没关系，你慢慢地看，好人总是好人，愈看愈好的。"

酸梅汤嫣然道："我看出来之后，一定第一个告诉你。"

燕七忽然站起来，扭头走了出去。

郭大路道："你为什么要走呢？大家一起聊聊天不好吗？"

燕七道："有什么好聊的？"

郭大路道："你难道没有话说？"

燕七道："我只有一句话说。"

他头也不回，冷冷地接着道："现在的女孩子，脸皮的确愈来愈厚了。"

郭大路看着燕七走出去，才摇了摇头，笑道："这人的脾气虽然有点怪，但却是个好人。酸姑娘，你千万不能生他的气。"

酸梅汤嫣然道："我不姓酸，我姓梅。"

郭大路道："梅花的梅？"

酸梅汤点点头，道："我叫梅汝男。"

郭大路笑道："又是梅花，又是兰花，简直可以开花店了。"

酸梅汤笑道："不是兰花的兰，是男人的男。"

郭大路道："梅汝男，这名字倒有点怪。"

梅汝男道："先父替我取这名字的意思，就是告诉我，你要像个男人，不能扭扭捏捏的，想做什么事就去做，想说什么就说出来。"

王动忽然道："令尊九泉之下有灵，一定会觉得很高兴。"

梅汝男道："为什么？"

王动道："因为你的确没有辜负他的期望。"

梅汝男的脸红了，道："你……你认为我做事真的很像男人？"

王动道："你是女人？"

梅汝男忍不住笑了。

郭大路也笑道："你做事的确比很多男人还像男人，譬如说……"

他将声音压得很低很低，悄悄道："我们那朋友燕七，有时就很像女人，不但有点娘娘腔，而且常常会无缘无故地发脾气。"

梅汝男道："你认为女人常会无缘无故地生气？"

郭大路只笑，不说话。

梅汝男道："女人也跟男人一样，若是生气，一定有缘故的，只不过男人不知道而已。"

她笑了笑，接着道："其实男人并不如他们自己想的那么聪明。"

郭大路想说话，却又忍住。

他决心不跟她争辩，要争辩也等她说出她看上的是哪个人之后再争辩。

那到时他就会告诉她，男人至少总比她想象中聪明得多。

到那时她一定就会相信了。

郭大路面上露出了笑容，好像已想象到那时候的旖旎风光，酸梅汤正躺在他的怀里，告诉他"那个人"就是他。

"那时她就会知道究竟是谁聪明了。"

郭大路笑得几乎连嘴都合不起来。

林太平也在笑。

他是不是也在想着同样的事呢？

一个人若不会自我陶醉，也许就不能算是个真正的男人。

也许根本不能算是个人。

人之所以比畜生强，也许就因为人会自我陶醉，畜生不会。

梅汝男忽又道："其实一个男人能有点娘娘腔也不错。"

郭大路道："为什么？"

梅汝男道："那种人至少不会很野蛮、很粗鲁，而且一定比较温柔体贴。"

郭大路忽然站了起来，一扭一扭地走出去，忽又回头，问王动道："你看我是不是也有点娘娘腔呢？"

王动道："你是男人？"

郭大路大笑，道："我本来以为是的，现在连自己也有点弄不清了。"

05

月亮。月亮很亮。

圆圆的月亮挂在树梢。

燕七一个人坐在树下，痴痴地发着怔。

郭大路忽然也走过来，坐在他旁边。

燕七皱了皱眉，瞪起了眼睛，道："你来干什么？"

郭大路道："来聊聊。"

燕七板着脸，道："你跟我有什么好聊的，你为什么不去找那位梅姑娘？"

郭大路摸摸下巴，道："你好像不太喜欢她。"

燕七道："喜欢她的人已经够多了，用不着我再去凑数。"

郭大路没有说话。

燕七横了他一眼，道："今天下午，你们好像聊得很开心嘛。"

郭大路道："嗯。"

燕七道："既然聊得那么开心，何必来找我？"

郭大路忽然笑了，道："你在吃醋。"

燕七的脸好像红了红，道："吃醋？我吃谁的醋？"

郭大路笑道："你知道她喜欢的人一定是我，你却很喜欢他，所以……"

燕七不等他的话说完，站起来就要走。

郭大路拉住他的手，他用力甩开，郭大路又拉住，道："我是来找你谈正经事的。"

燕七皱着眉，道："正经事？你嘴里还说得出什么正经事？"

郭大路道："你好像说过，这附近有个姓梅的人家，有个大少爷叫'石人'梅汝甲。"

燕七道："我说过。"

第十四章

南宫丑的秘密

郭大路道："你想，梅汝男会不会是梅汝甲的妹妹呢？"

燕七道："是不是都和我没关系。"

郭大路道："梅家是不是和凤栖梧有仇？"

燕七道："不清楚。"

郭大路道："我想一定是的，所以，梅汝男才会用计除掉凤栖梧，可是她和南宫丑是不是也有仇？南宫丑是不是她救走的？她将南宫丑救走，是不是为了那批珠宝？"

燕七道："你为什么不问她自己去？"

郭大路叹了口气，道："她自己既然没有说，我问也问不出的。"

燕七冷笑道："我看你是不敢问。"

郭大路道："不敢？"

燕七道："你怕得罪她，怕她生气，所以……"

他忽然闭上嘴，脸拉得更长。

郭大路回过头，就看到梅汝男走过来。

她脸上带着甜笑，眼睛又大又亮，笑道："那些事你们本来就该问我的，我怎么会生气？"

燕七板着脸，冷冷道："我们刚才说的话，你全听见了？"

梅汝男低下头，道："我不是故意想来偷听的，我是来告诉你们，晚饭已准备好了。"

燕七道："来得倒真巧。"

他本已站了起来，现在又扭头就走。梅汝男看着他走远，才叹了口气苦笑道："我又没有得罪他，他为什么一看见我就走？"

郭大路笑道："也许因为他很喜欢你。"

梅汝男眨了眨眼，道："喜欢我？为什么反而躲着我呢？"

郭大路道："也许就因为他已看出你喜欢的人不是他。"

梅汝男低着头，过了很久，忽然笑了。

郭大路道："你笑什么？"

梅汝男抿着嘴笑道："我笑你们男人，总是该问的话不问，该说的话不说。"

郭大路道："我想问你的那些事，你……"

梅汝男打断了他的话，拉起他的手，笑道："走，我们吃饭去，那些事吃完饭我再告诉你。"

郭大路道："现在为什么不告诉我？"

梅汝男道："我怕你听了吃不下饭去。"

她拉着郭大路的手走进屋子，拉得很紧，坐下来后好像还舍不得放开。

王动在盯着她的手，林太平也在盯着她的手，燕七想故意装作看不见，却还是忍不住偷偷瞟了几眼。

郭大路心里真是说不出的舒服，所以这顿饭吃得特别多。

他抹嘴的时候，梅汝男忽然道："你们猜的都没有错，我是梅汝甲的妹妹，我们家的确跟凤栖梧有仇，只可惜一直找不着他，所以才想出这法子。"

她笑了笑，接着道："我们早已算准棍子和金毛狮子狗一定能将凤栖梧从窝里掏出来，他们是官差，找人自然比我们方便得多。"

说到这里，她忽然叹了口气，才接着道："直到这里为止，你们都还没有猜错。"

郭大路道："以后呢？"

梅汝男道："以后的事，你们就全都猜错了。"

郭大路怔了怔，道："我们猜错了哪些事？"

梅汝男道："第一，那黑衣人并不是南宫丑。"

郭大路道："不是南宫丑是谁？"

梅汝男咬着嘴唇，过了很久才下定决心，道："是我哥哥。"

这句话说出来，大家都吃了一惊，郭大路简直忍不住要叫了起来。

林太平也不禁失声道："你哥哥？他为什么要做那种事呢？"

梅汝男垂下头，道："江湖中人都以为我们梅家是武林世家，一定是家财万贯，因为我们家的排场一向都很大，江湖上的朋友只要找到我们，我们从没有让他们失望过。"

她神情变得很凄凉，黯然道："其实自从先父去世之后，我们家早已变得外强中干，非但没法子接济别人，连自己的日子都过得很艰苦，所以……"

王动道："所以你们不但想要凤栖梧的命，还想要他的钱。"

梅汝男点点头，道："不错，我们计划本是双管齐下，我到这里来作案的时候，我哥哥早已找到棍子和金毛狮子狗，而且做了他们的保镖。"

郭大路道："像棍子和金毛狮子狗那么精明的人，怎么会随随便便相信他就是南宫丑？怎么会随随便便就用他做保镖呢？"

梅汝男道："第一，因为他们根本也没有见过南宫丑；第二，因为我哥哥身上带着样南宫丑的信物；第三，因为他们根本想不到会有人冒充南宫丑。"

郭大路道："第四，因为你们的运气不错。但是你哥哥身上怎么会有南宫丑的信物？"

梅汝男道："因为他是我哥哥的朋友。"

郭大路叹了口气，苦笑道："看来你哥哥倒也是个天才，居然能交到这种朋友。"

梅汝男的脸红了红，道："他本来就喜欢交朋友，而且喜欢帮人家的忙，江湖中得过他好处的人也不知有多少。就因为他朋友太多、太慷慨，所以我们家才会一天比一天穷。"

郭大路笑道："不错，守财奴就永远不会缺钱用，早知他是这么样的一个人，我那拳就该打得轻点的。"

梅汝男的脸沉了下来，缓缓道："我还要告诉你两件事。"

郭大路道："你说。"

梅汝男道："第一，我不喜欢别人在我面前侮辱我哥哥；第二，若非他用的兵器不顺手，挨揍的不是他，是你。"

"石人"梅汝甲用的兵刃是石器，这点郭大路也听说过。郭大路只好笑笑，道："却不知那真的南宫丑武功如何？"

梅汝男淡淡道："你遇见的若真是南宫丑，现在也许就不会坐在这里了。"

郭大路道："不坐在这里在哪里？"

梅汝男道："躺着，就算没有躺在棺材里，至少也躺在床上。"

郭大路大笑，只不过笑得多少已有点不自然了。

幸好梅汝男已接着道："我们的计划从头到尾都进行得很顺利，直到……"

她看了林太平一眼，林太平道："直到我无意中看到了他。"

梅汝男叹了口气，道："我真希望那天你们没有到城里去，没有看到他。"

林太平道："他生怕我们还要追查他的秘密，所以想来把我们杀了灭口。"

梅汝男凄然道："他是我们梅家的独生子，绝不能让我们梅家几百年的声名毁在他手上。"

王动叹道："所以他宁可承认自己是南宫丑，也不肯说出自己真实的身份来。他宁可死，也不能丢人，是么？"

梅汝男点点头，眼圈儿红了。

王动忽然长叹了口气，道："做一个武林世家的独生子，的确有很多不足为外人道的痛苦。"

郭大路道："世上也许只有一种人比他更痛苦。"

王动道："哪种人？"

郭大路道："他的妹妹。"

梅汝男瞟了他一眼，似笑非笑，似怨非怨，看起来真是说不出的动人。

林太平痴痴地看着她，忽然道："那口棺材是你送来的？"

梅汝男道："嗯。"

林太平道："你为的是什么？"

梅汝男叹道："我知道你杀了人之后，心里一定很难受，送那口空棺材来，为的就是告诉你，你杀的人并没有死。"

林太平的样子更痴了，喃喃道："无论如何，我总该谢谢你。"

郭大路看了看他，又看了看梅汝男，也叹了口气，道："你真该谢谢他，他对你真不错。”

燕七一直没有开口，忽然冷冷道：“但棺材上还是写着南宫丑的名字。”

梅汝男道：“无论如何，我总不能出卖我哥哥。”

她眼圈儿更红了，接着道：“我虽然知道他做得不对，但也只能在暗中阻止……”

燕七道：“所以你一直不敢露面。”

梅汝男黯然道：“我不敢露面，也不能露面。但我还是尽我所有的力量来讨好你们，只希望你们能看在我的面上原谅他。”

燕七道：“他的人呢？”

梅汝男道：“回家了。”

燕七道：“是你把他救走的？”

梅汝男道：“当然是我，他是我嫡亲的哥哥，我总不能看着他受苦……”

她忽然抬起头，道：“假如你们还不肯原谅他，也不必再去找他，可以来找我，我愿意承当一切过错。”

林太平忽然站了起来，大声道：“无论别人怎么说，我总认为你没有错。”

郭大路道：“谁说她错了，谁就是混蛋。”

王动道：“我只能说她简直不是个人。”

林太平立刻红了脸，连脖子都粗了，瞪眼道：“你说她不是人？”

王动叹道：“她的确不是人，因为像她这么样有勇气的人，我还没见过。”

郭大路拍手道：“一点也不错，这些话她本来根本不必告诉我们的，但她却一点也没有隐瞒，这种勇气谁能比得上？”

燕七道：“你也比不上？”

郭大路叹道：“若换了我，我倒真未必敢将这种事当面说出来。”

燕七忽然笑了笑，道：“你现在总该知道，女人并没有你想象中那么差劲吧？”

郭大路道：“非但不差劲，简直伟大。”

梅汝男眼圈又红了，道：“你们……你们真的都不怪我？”

郭大路道："怪你？谁敢怪你？我们简直应该跪下来跟你磕头。"

王动道："若不是你，我们就算没有被毒死，也饿死了。"

梅汝男垂下头，道："其实我哥哥也并不是……"

郭大路抢着道："你也用不着为他解释，我们也不怪他。"

梅汝男道："真的？"

郭大路道："我若是他说不定也会这么样做的。"

王动道："我做得也许比他更凶。"

郭大路道："我只担心你哥哥，他以后若知道你在跟他捣蛋，一定会气得要命。"

梅汝男苦笑道："他现在就已知道。"

郭大路怔了怔，道："他知道后怎么样？"

梅汝男道："气得要命。"

郭大路道："你怎么办？"

梅汝男道："我就溜了。"

郭大路皱眉道："但你迟早要回去的，那是你的家。"

梅汝男又垂下头，不说话了。

王动忽然笑了笑，道："她若回去，当然一定要受罪，但是她却可以不回去。"

郭大路道："为什么？"

王动微笑着，道："一个女孩子嫁了人之后，就可以不必回娘家。"

郭大路恍然，失笑道："不错，她若出了嫁，就不是梅家的人了，她哥哥就再也管不着她。"

王动道："所以她就不能不赶快出嫁。"

郭大路道："嫁给谁呢？"

王动悠然道："当然是嫁给她喜欢的人，也许是我，也许是你。"

郭大路忽然怔住了。

他忽然发现梅汝男在偷偷地笑。

梅汝男一直垂着头，红着脸，静静地坐在那里，好像很难受、很伤心的样子，但嘴角却已情不自禁露出了微笑。她笑得就像是只刚偷来了八只鸡的小狐狸。

郭大路终于恍然大悟，原来这四个大男人全都上了她的当了。

在这种情况下，无论她喜欢的人是谁，看起来都已非娶她不可。

这小狐狸已在不知不觉中将他们全都套住，套住了他们的脖子，现在只要她的手一提，就有个人要被她吊起来，吊一辈子。

“看来女人的确要比男人想象中聪明得多。”

只不过她想吊的人究竟是谁呢？

王动还在笑，笑得也像是只狐狸，老狐狸。

他好像已知道自己绝不会被吊起来的。

他好像还知道一些郭大路不知道的事，忽又笑了笑，道：“我们这些人虽然并不是什么大英雄、大豪杰，但也绝不是忘恩负义的胆小鬼，对不对？”

林太平道：“对。”

王动道：“所以梅姑娘若是有什么困难，我们就一定要想法子替她解决，对不对？”

林太平道：“对。”

他又是第一个抢着说话的。

郭大路看着他，暗中叹了口气：“到底是年轻人，随时随地都会热情过度，别人刚准备好绳子，他就抢着往自己头上套。”

他这口气还没有完全叹出来，就发觉王动在瞪着他，道：“你呢？你说对不对？”

郭大路想说不对也不行，只恨不得找个鸡蛋塞到王动嘴里去，燕七忽然道：“根本就不必问他，若论起怜香惜玉、见义勇为这种事，天下还有谁比得上郭先生？”

王动点点头，好像被燕七说到心里去了，正色道：“这话倒真的一点也不假，但是你呢？”

燕七笑笑，淡淡道：“只要王老大一句话，我还有什么问题？”

王动长长吐出口气，展颜笑道：“梅姑娘，我们说的话，你全听到了么？”

梅汝男低着头，从鼻子里“嗯”了一声，轻得就好像蚊子叫。

王动道：“那么你若有什么困难，为什么还不说出来呢？”

梅汝男头垂得更低，一副可怜巴巴的样子，轻轻道："我不好意思说。"

王动道："你只管说。"

梅汝男脸也红了，显得又可怜，又难为情的样子，费了半天劲，才断断续续地说道："我哥发现我这么做的时候，简直气得要发疯，一直逼着我，问我为什么要做这种事，为什么帮着外人害自己的哥哥？"

王动道："你怎么说？"

梅汝男的脸更红，道："我想不出别的话说，只好说……只好说……只好说……"

她好像忽然抽了筋，说来说去都只有这三个字。

郭大路实在受不了，忍不住道："说什么？"

梅汝男用力咬了咬嘴唇，像是下了很大的决心，红着脸道："我只好说，我帮的也不是外人。他就问，不是外人是什么人，我就只好说是……是……"

郭大路又忍不住问道："是什么？"

梅汝男道："我只好说是他的妹夫，因为我已和这人定亲。"

说完了这句话，她好像全身都软了，差点跌到桌子底下去。

郭大路也差点掉到桌子底下去。

王动眨着眼，道："你哥哥听了你这话，又怎么说呢？"

梅汝男道："他听了这话，气才算平了些，但却又警告我，假如我在骗他，他就要把我活活打死，又逼着我带……带回家去。"

王动道："带什么回去？"

梅汝男咬着嘴唇道："带人……"

王动道："带什么人？"

梅汝男道："妹……妹夫……"

王动道："谁的妹夫？"

梅汝男道："我……我哥哥的妹夫。"

说完了这句话，她好像整个人又全都软了。

郭大路的人也软了。

王动又长长吐出口气，好像到现在才总算弄清楚她的意思。

事实上，要弄清楚一个女孩子说的话，也的确不太容易。

王动笑道：“看来现在已只剩下一个问题了。”

林太平道：“什么问题？”

王动道：“我们这四个人，谁是梅姑娘哥哥的妹夫呢？他是不是肯跟梅姑娘回去？”

林太平道：“谁会不肯？难道他忍心看着梅姑娘被她哥哥活活打死？”

王动道：“万一有人不肯呢？”

林太平道：“那么他简直就不能算是我们的朋友，对这种不是朋友的朋友，我们就用不着客气了。”

王动抚掌道：“不错，就算有人不肯去，另外的三个人也得逼着他去，你们赞成不赞成？”

林太平道：“赞成。”

王动眼角瞟着郭大路道：“你呢？”

燕七忽又冷冷道：“这句话你也不该问的，你难道将郭先生看成了忘恩负义的人？”

王动笑道：“那就好极了，现在所有的问题都已解决，梅姑娘，你还等什么呢？”

梅汝男却偏偏还要让他们再等等。女人好像天生就喜欢让男人着急。

她眼珠子不停地转，在这四个人脸上转来转去。

郭大路只希望这双眼珠子不要停在他脸上。

其实他一点也不讨厌这位“酸梅汤”，今天早上她来的时候，若说她喜欢的是别人，不是他，他一定会气得要命。

但喜欢是一回事，娶她做老婆又是另一回事了。

被逼着娶她做老婆，更是件完全不同的事，就好像他虽然喜欢喝酒，但也不愿被人捏着鼻子，拿酒往他嘴里灌的。

他只望这位酸梅汤的眼睛有毛病，看上的不是他，是别人。

酸梅汤的眼睛却偏偏一点毛病也没有，而且在盯着他。

不但在盯着他，而且还在笑，笑得很甜，很迷人。

无论谁知道自己已钓上条大鱼的时候，都会笑得很甜的。

郭大路也想对她笑笑，却实在笑不出。

他心里在叹气："算我倒霉，谁叫我长得比别人帅呢！"

梅汝男忽然道："我答应过，我决定的时候，一定第一个告诉你。"

郭大路喃喃道："其实你也用不着对我太守信，女孩子答应人的事，常常都会忘的。"

梅汝男嫣然道："我没有忘记。你跟我出来，我告诉你。"

她忽然站起来走出去，脚步轻盈得就像是燕子。

一只刚捉住七八条大毛虫的燕子。

第十五章

苦 差

01

她走到门口还转回头向郭大路招了招手。她的手又白又嫩。

你的脖子假如已被一双手扼住，无论这双手多么白，多么嫩，那滋味也是一样不太好受的。

郭大路只好站起来，看看燕七。

燕七没有看他。

郭大路看看王动。

王动在喝酒，酒杯挡住了他的眼睛。

郭大路看看林太平。

林太平在发怔。

郭大路咬咬牙，恨恨道："我祖宗一定积了德，否则怎会交到你们这种好朋友呢？"

只听梅汝男在门外道："你在说什么？为什么还不出来？"

郭大路叹了口气，道："我什么也没有说，我在放屁。"

他总算走了出去。看他那愁眉苦脸、垂头丧气的样子，就好像被人押着上法场似的。

过了半天，林太平忽然叹了口气，喃喃道："想不到这人原来也会装蒜的，心里明明喜欢得要命，却偏偏要装出这种愁眉苦脸的样子，叫人看着生气。"

他口气好像有点酸溜溜的，肚子里的酒好像全都变成了醋。

王动笑了，道："你弄错了一样事。"

林太平道："什么事？"

王动道："他心里并不喜欢。"

林太平道："不喜欢？梅姑娘难道还配不上他？"

王动道："配不配得上是一回事，喜不喜欢又是另外一回事。"

林太平道："你怎么知道他不喜欢？"

王动道："因为他还没有变成呆子，也没有变成哑巴。"

林太平眨眨眼，他听不懂。

王动也知道他听不懂，所以又解释道："有个很聪明的人说过一句很有道理的话，他说，无论多聪明的人，若是真的喜欢上一个女人，他在她面前也一定会变得呆头呆脑的，甚至连话都说不出来。"

他有意无意间向燕七看了看，笑道："但他在梅姑娘面前，说的话还是比别人多……"

燕七打断了他的话，冷冷道："这只因有的人天生就是多嘴婆。"

王动笑笑，不说话了。

没有人愿意做多嘴婆——平时也没有人会认为他是多嘴婆，但今天他却好像有点变了，说的话至少比平时多好几倍。

林太平就在奇怪：这人今天为什么变得如此多嘴？这些话究竟是说给谁听的？

林太平只知道一件事：若没有特别的原因，王动连嘴都懒得动。

02

月光很美。

也许很少有人会注意到，但冬天的月光并不一定就不如春天的月光那么动人，冬天的月光也一样能打动少女的心。

圆圆的月亮挂在树梢，梅汝男就站在树下。月光照着她的脸，她的眼睛。

她的眼睛比月光更美。

就连郭大路也不能不承认，她的确是个很好看的女孩子，尤其是她的身材，郭大路几乎从来也没有见过身材这么好的女人。

她好像比郭大路第一次看到她的时候更漂亮了，这也许是因为她的衣服，也许是因为她的笑。

她今天穿的不再是粗布衣服，窄窄的腰身，长长的裙子，衬得她的腰更细，风姿更迷人。

她又在看着郭大路笑，笑得更甜。

郭大路本来最欣赏她的笑，现在却几乎连看都不敢去看一眼。

女孩子的笑就像是她们的衣服首饰、胭脂花粉一样，全都是她们用来诱男人上钩的饵。聪明的男人最好连看都不要看。

郭大路那天若已懂得这道理，今天又怎会惹上这么多麻烦？

他暗中叹了口气，慢吞吞地走过去，忽然道："你哥哥真的酒量很好？"

梅汝男笑道："假的，他平常根本很少喝酒。"

郭大路苦笑道："那就更麻烦了。"

梅汝男道："有什么麻烦？"

郭大路笑道："我本来还想一见面就先想法子把他灌醉的，免得他想起昨天的事，故意找我的麻烦。"

梅汝男嫣然道："你若怕他找你麻烦，不妨躲着他些，等过几天他的气平了后，再去见他。"

郭大路道："你不是急着要我回去见他吗？"

梅汝男眼睛忽然瞪得很大，瞪着他，道："你以为……你以为……"

她忽然笑了，笑得弯了腰。

郭大路怔住，眼睛也已发直，也在瞪着她，讷讷道："不是我……"

梅汝男笑得连话都说不出了，只能不停地摇头。

郭大路忍不住道："不是我是谁？"

梅汝男好不容易停住笑，喘口气道："是燕七。"

郭大路叫了起来，道："燕七？……你看上的人是燕七？"

梅汝男点点头。

郭大路这才真的怔住了。

其实他根本就不想跟梅汝男成亲，根本就不想跟任何人成亲。

梅汝男看上的既然不是他，他本该大大地松口气，觉得很开心才对。

但也不知为了什么，现在他忽然又觉得难受、很失望，甚至有点酸溜溜。过了很久，才将这口酸气吐出来，摇着头，喃喃道：“我实在不懂，你怎么会看上他的？”

梅汝男眼波流动，笑道：“我觉得他很好，样样都好。”

郭大路道：“连不洗澡那样也好？”

梅汝男道：“有个性的男人，在没有成亲的时候，常常都不修边幅的，但等到有个妻子照顾他的时候，他就会变了。”

她眼睛发着光，就像做梦似的，痴痴地笑着道：“老实说，我从小就喜欢这种不拘小节的男人，这种人才真的有男子气。那种成天打扮得油头粉脸的男人，我一看就要吐。”

郭大路看着她的眼睛，忽然觉得这双眼睛简直一点也不美，简直就好像瞎子的眼睛一样。

梅汝男道：“我也知道他总是在躲着我，好像很讨厌我，其实真正有性格的男人都是这样子的。那种一见了女人就像苍蝇见了血的男人，我更讨厌。”

郭大路的脸好像有点发热，干咳了几声，道：“这么样说来，你是真的很喜欢他？”

梅汝男道：“你连一点也看不出？”

郭大路叹了口气，苦笑道：“我只觉得你好像跟我特别亲热。”

梅汝男嫣然道：“那不过是我故意逗他生气的。”

郭大路道：“你既然喜欢他，为什么反而要逗他生气？”

梅汝男道：“就因为我喜欢他，所以才要逗他生气，这道理你也不懂？”

郭大路苦笑道：“这么样看来，一个男人还是莫要被女人看上的好。若是永远都没有女人看上他，他活得反而开心些。”

梅汝男眨着眼，道：“你现在很开心么？”

郭大路道：“当然很开心，简直开心极了。”

郭大路走进来的时候，就算瞎子也能看得出他一点也不开心。

假如他出去的时候看起来像是个被押上法场的囚犯，那么他现在这样子看起来简直就像是个死人。也许只不过比死人多了口气而已。

一大口又酸又苦的冤气。

屋子里的情况几乎还是和他刚才离开时完全一样，王动还是在喝酒，林太平还是直发怔，燕七还是故意装作看不见他。

郭大路把王动手里的酒杯抢了过来，大声道："你今天怎么回事？变成了个酒坛子吗？"

王动笑笑，道："好朋友的喜酒当然要多喝几杯，你难道舍不得？"

郭大路本来也想笑笑的，却笑不出来，用眼角瞟着燕七，道："这里倒的确有个新郎官，但却不是我。"

王动好像并不觉得意外，只淡淡地问道："不是你是谁？"

郭大路没有回答。

他已转过身，瞪大了眼睛，看着燕七。

燕七忍不住道："你看什么？"

郭大路道："看你。"

燕七冷笑道："我有什么好看的？你只怕看错了人吧。"

郭大路叹了口气，道："我正是想找出你这人究竟有什么好看的地方，会有人看上你。"

燕七皱了皱眉，道："谁看上了我？"

郭大路道："新娘子。"

燕七开始有点吃惊了，道："新娘子跟我又有什么关系？"

郭大路总算笑了笑，道："新娘子若是跟新郎官没有关系，跟谁有关系？"

燕七的眼睛也瞪了起来，道："谁是新郎官？"

郭大路道："你。"

燕七呆住了。

开始时他显得很吃惊，后来忽然变得很欢喜，终于忍不住笑了出来，就好像面前忽然掉下个大元宝似的。

郭大路眨眨眼，道："原来你也很喜欢她。"

燕七不说话，直笑。

郭大路道："你若是不喜欢她，为什么笑得这么开心？"

燕七不回答，反问道："她人呢？"

郭大路淡淡道："正在院子里等新郎官，你最好不要让她等得太着急。"

燕七没有让她等，郭大路的话还没有说完，他已跳起来，冲了出去。

郭大路看着他，慢慢地摇着头，喃喃道："看来新郎官比新娘子还急。"

王动忽然笑道："你是不是很不服气？"

郭大路瞪了他一眼，冷冷道："我只不过觉得有点奇怪。"

王动道："有什么好奇怪的？"

郭大路道："我只奇怪，为什么每个女人的眼睛都有毛病。"

王动道："你认为梅姑娘不该看上燕七的？你认为他很丑？"

郭大路想了想，道："其实他也不能叫作太丑，至少他的眼睛并不丑。"

其实，燕七的眼睛非但不丑，而且很好看，尤其是在眼睛带着笑意的时候，看起来就像是春风中清澈的湖水。

王动道："他的鼻子很丑吗？"

郭大路又想了想，道："也不算是很丑，只不过笑起来的时候就像个肉包子。"

燕七笑的时候，鼻子总是要先轻轻地皱起来，但那非但不像个包子，而且反显得很俏皮，很好看。

王动道："他的嘴很丑？"

郭大路忽然笑了，道："我很少看到他的嘴。"

王动道："为什么？"

郭大路笑道："他的嘴好像比金毛狮子狗的嘴还要小。"

王动道："小嘴很难看？"

郭大路只好搔搔头，因为他并不是个会昧着良心说话的人。

王动道："他什么地方难看？"

郭大路想了很久，忽然发觉燕七从头到脚实在都长得很好。

就连他那双脏兮兮的手，都比别人长得秀气些。

郭大路只好叹了口气，道："他若时常洗洗澡，也许并不是个很难看的人。"

王动忽又笑了，道："他若真的洗了个澡，你也许会吓一跳。"

郭大路也笑了，道："我倒真希望他什么时候能让我吓一跳。"

王动道："你既然也觉得他不错，那么梅姑娘看上他，又有什么不对呢？"

郭大路叹道："对，对极了。"

他忽然听到院子里发出一声尖叫。

是梅汝男在叫，叫得就像一个被人踩到尾巴的猫。

郭大路站起来，像是想出去看看，却又坐下，摇着头笑道："我知道新郎官都很急，却还是没有想到燕七会急得这么厉害。"

他这句话刚说完，就看到燕七走了进来。

一个人走了进来。

郭大路道："新娘子呢？"

燕七道："没有新娘子。"

郭大路道："有新郎官，就有新娘子。"

燕七道："也没有新郎官。"

郭大路看着他，忽又笑了，道："新娘子是不是已经被新郎官吓跑了？"

他忽然发现燕七脸上有三条长长的指甲印，就好像是被猫抓的。

燕七却一点也不在意，反而好像很愉快，眨着眼，笑道："她的确已经走了，但却不是被我吓走的。"

郭大路道："不是？你没有动手动脚，她为什么会叫？"

燕七笑笑，道："我若真的动手动脚，她还会走吗？"

郭大路只有承认："不会。"

因为他也知道，一个女人若是喜欢了一个男人时，就怕他不动手动脚。

"可是她为什么要走呢？"

燕七道："因为，她忽然改变了主意，不想嫁给我了。"

郭大路愕然道："她改变了主意？怎么会的？"

燕七道："因为……因为我对她说了一句话。"

郭大路摇头道："我不信，一个女人若已打定了主意要嫁给你，你就算说三千六百句话，她也不会改变主意的。"

他又笑着道：“你几时看过有人肯让已钓上手的鱼溜走的？”

燕七笑道：“也许她忽然发现这条鱼刺太多，也许她根本不喜欢吃鱼。”

郭大路道：“天下没有不喜欢吃鱼的猫。”

燕七道：“她不是猫。”

郭大路看着他的脸，笑道：“若不是猫，怎么会抓人呢？”

郭大路当然知道女人不但也会抓人，而且抓起人来比猫还凶。

猫抓人总还有个理由，女人却不同。

她高兴抓你就抓你。

郭大路只有一件事想不通：“你究竟是用什么法子，让她改变主意的？”

燕七道：“我什么法子也没有，只不过说了一句话而已。”

郭大路道：“说的是什么话？”

燕七道：“那是我的事，你为什么一定要问？”

郭大路道：“因为我也想学学。”

燕七道：“为什么要学？”

郭大路笑道：“只要是男人，谁不想学？”

燕七道：“那我更不能告诉你了。”

郭大路道：“为什么？”

燕七笑了笑，道：“因为那是我的秘密，若被你学会，我还有什么戏唱？”

郭大路叹了口气，喃喃道：“我还以为你是我朋友哩，谁知你连……”

王动忽然打断了他的话，道：“朋友之间难道就不能有秘密？”

郭大路道：“那也要看是什么样的秘密。”

王动道：“秘密就是秘密，所有的秘密都一样。”

郭大路道：“这么样说来，你也有秘密？”

王动点点头，道：“你呢？你难道没有？”

郭大路想了想，终于勉强点了点头。

王动道：“别人若要问你的秘密，你肯不肯说？”

郭大路又想了想，终于勉强摇了摇头。
王动道："那么你就也不能问别人的。"
他躺了下去。
他躺下去的时候，就表示谈话已结束。

03

只有正确的结论才能使谈话结束。
王动的结论通常都很正确。
每个人都有秘密。
每个人都有权保留自己的秘密，这是他的自由。

第十六章

郭大路的秘密

01

秘密是什么呢?

秘密就是你唯一可以独自享受的东西。

它也许能令你快乐，也许令你痛苦，它无论是什么，都是完全属于你的。

它若是痛苦，你只有独自承当;若是快乐，你也不能让人分享。

连最好的朋友也不能。

因为假如有第二个人知道你的秘密，那就不能算是秘密了。

有些秘密的确是种享受。

当你刚吃了顿好饭，洗了个热水澡，身上穿着件宽大的旧衣服，一个人坐在舒服的椅子上，面对着窗外满天夕阳的时候，你忽然想起秘密，心里就会不由自主泛起种温暖之意……

你的秘密假如是这一种，就不妨永远保留着它，否则就不如快些说出来吧。

02

郭大路坐在檐下，已坐了很久。

只要还有一样别的事可做，他就不会坐在这里。

有的人宁可到处乱逛，看别人在路上走来走去，看野狗在墙角打架，也不肯关在屋子里。

郭大路就是这种人。

但现在他唯一能做的事，就是坐在这里发怔。

檐下结着一根根的冰柱，有长有短，也不知有多少根。

郭大路却知道，一共有六十三根，二十六根比较长，三十七根比较短。

因为他已数过十七八次。

天气实在太冷，街上非但看不到人，连野狗都不知躲到哪里去了。

他活了二十多年，过了二十多个冬天，但却想不起有哪一天比这几天更冷。

一个人真正倒霉的时候，好像连天气都特别要跟他作对。

他常常都很倒霉，但却也从来没有像现在这样倒霉过。

倒霉就像是种传染病，一个人真的倒霉了，跟他在一起的人也绝不会走运的。

所以他并不是一个人坐在这里。

燕七、王动、林太平，也都坐在这里，也都正发着怔。

林太平忽然问道："你们猜这里一共有多少根冰柱？"

燕七道："六十三根。"

王动道："二十六根长，三十七根短。"

郭大路忍不住笑了，道："原来你们也数过。"

燕七道："我已数过四十遍。"

王动道："我只数过三遍，因为我舍不得多数。"

郭大路道："舍不得？"

王动道："因为我要留着慢慢地数。"

郭大路想笑，却已笑不出来。

这话虽然很可笑，但却又多么可怜。

郭大路忽然站起来，转过身，看着屋子中央的一张桌子。

紫檀木的桌子，镶着整块的大理石。

郭大路喃喃道："不知道我现在还有没有力气将这桌子抬到娘舅家去？"

王动道："你没有。"

郭大路眨眨眼，道："要不要我来试试？"

王动道："你根本不必试。"

郭大路道："为什么？"

王动道："我也知道你当然能抬得起一张空桌子，但桌上若压着很重的东西，那就不同了。"

郭大路道："这桌上什么也没有呀。"

王动道："有。"

郭大路道："有什么？"

王动道："面子！而且不是我一个人的面子，是我们大家的面子。"

他淡淡地接着道："我们不但收了人家的租金，还收了人家的保管费，现在若将人家的东西拿去当了，以后还有脸见人么？"

郭大路叹了口气，苦笑道："不错，这桌子我的确抬不起来。"

王动道："世上最重的东西就是面子，所以这张桌子只有一种人能抬得起来。"

郭大路道："哪种人？"

王动道："不要脸的人。"

林太平叹了口气，道："那种人通常都是吃得很饱的。"

燕七道："猪通常也都吃得很饱的。"

林太平笑了，道："所以一个人若要顾全自己的面子，有时不得不亏待自己的肚子，面子毕竟比肚子重要得多。"

燕七道："因为人不是猪，只有猪才会认为肚子比面子重要。"

林太平道："所以有人宁可饿死，也不愿做丢人的事。"

王动道："但我们并没有饿死，是不是？"

林太平道："是。"

王动道："我们虽然已有好几天都没有吃饱，但总算已挨到现在。"

郭大路挺胸，道："谁也不能不承认，我们的骨头确比大多数人都硬些。"

王动道："只要我们肯挨下去，总有一天能挨到转机的。"

郭大路展颜笑道："不错，冬天既已来了，春天还会远吗？"

王动道："只要我们能挨到那一天，我们还是一样可以抬起头来见人，因为我们既没有对不起别人也没有对不起自己。"

林太平迟疑着，终于忍不住道："我们能挨得过去吗？"

郭大路抢着道："当然能。"

他走过去揽住林太平的肩，笑道："因为我们虽然什么都没有了，但至少还有朋友。"

林太平看着他，心里忽然泛起一阵温暖之意。

他忽然觉得自己已有足够的勇气。

无论多么大的困难，无论多么冷的天气，他都已不在乎。

他忽然跑了出去。

一直到晚上，他才回来，手里多了个纸包。

他举起这纸包，笑道："你们猜，我带了什么东西回来？"

郭大路眨眨眼，道："难道是馒头？"

林太平笑道："答对了。"

纸包里果然是馒头。

四个大馒头，每个馒头里居然还夹着块大肥肉。

郭大路欢呼道："林太平万岁！"

他拿起个馒头，又笑道："我实在佩服，现在就算杀了我，我也变不出半个馒头来。"

燕七盯着林太平，道："这些馒头当然不是变出来的？"

林太平笑了笑，道："也许是天上掉下来的。"

他拿了个馒头给王动。

王动摇摇头，道："我不吃。"

林太平道："为什么？"

王动叹了口气，道："因为我不忍吃你的衣服。"

郭大路刚咬了口馒头，已怔住。

他这才发现林太平身上的衣服已少了一件——最厚的一件。

林太平穿的衣服本就不多。

现在他嘴唇已冻得发白，但嘴角却带着很愉快的笑容，道："不错，我的确将衣服当了，换了这四个馒头。因为我很饿，一个人很饿的时候，将自己的衣服拿去当，总没有人能说他不对吧。”

王动道：“那么，你就该吃完了再回来，也免得我们……”

林太平打断了他的话，道：“我没有一个人躲着偷偷地吃，只因我很自私。”

王动道：“自私？”

林太平道：“因为我觉得四人在一起吃，比我一个躲着吃开心得多。”

这就是朋友。

他们有福能同享，有难也能同当。

一个人若有了这种朋友，穷一点算得了什么，冷一点又算得了什么？

郭大路慢慢地嚼着馒头，忽然笑道：“老实说，我这一辈子从来也没吃过这么好吃的东西。”

林太平笑道：“你说的话不老实，这只不过是个冷馒头。”

郭大路道：“虽然是个冷馒头，但就算有人要用全世界的大鱼大肉来换我这冷馒头，我也不肯换的。”

林太平的眼圈忽然好像有些红了，抓住郭大路的手，道：“听了你这句话，我也觉得这馒头好吃多了。”

有些话的确就像是种神奇的符咒，不但能令冷馒头变成美味，令冬天变得温暖，也能令枯燥的人生变得多姿多彩。

你若也想学会说这种话，就要先学会用真诚对待你的朋友。

郭大路忽然叹了口气，道：“只可惜我这件衣服太破。”

林太平道：“破衣服并不丢人。”

郭大路叹道：“只可惜那活剥皮绝不会这么想，否则……”

燕七笑笑，道：“否则你早就脱下来去换酒了，对不对？”

郭大路苦笑道：“答对了。”

燕七忽然站起来往外走。

郭大路道：“用不着去试，你的衣服比我的还破。”

燕七不理他，很快地走出去，又很快就回来了。

回来的时候，提着壶水。

燕七道："寒夜客来茶当酒，茶既然可以当酒，水为什么不能？"

郭大路失笑道："想不到你倒很风雅。"

燕七笑道："一个人穷得要命的时候，想不风雅也不行。"

这就是他们对人生的态度。

有酒的时候，他们喝得比谁都多；没有酒的时候，他们水也一样喝。

他们喝酒的时候很开心，喝水也一样开心。

所以他们活得比别人快乐。

但喝酒和喝水至少总有一种分别。

酒愈喝愈热，水愈喝愈冷。

尤其是在这种天气里喝冷水。

郭大路忽然站起来，开始翻跟斗。

燕七笑道："你干什么？"

郭大路道："我有经验，动一动就会热起来的，你们为什么不学学我？"

燕七摇摇头，道："因为我也有经验，动得快，饿得也快。"

郭大路笑道："你想得太多了，只要现在不冷，又何必……"

这句话他没有说完。

他忽然看到有样东西从他面前掉了下来。

一样黄澄澄的东西。黄澄澄的金子。

金子并不是从天上掉下来的，而是从郭大路怀里掉下来的。

他正开始翻第六个跟斗，正在头朝下，脚朝上的时候，这金子就从他怀里掉了下来。"当"地，掉在他面前。

金子掉在地上，会发出"当"的一声，就表示这金子很重。

这的确是根很粗的金链子，上面还有个金鸡心。

这金鸡心至少比真的鸡心大一倍。

一个穷得好几天没吃饭的人，身上居然会掉出这么多金子来，简直是件令人无法相信的事。

但王动他们却无法不相信，因为他们三个人都看得很清楚。

他们只希望自己没有看见。

他们实在不愿意相信这是真的。

林太平连自己的衣裳都拿去当了，郭大路身上却还藏着条这么粗的金链子。

一个身上藏着金链子的人，居然还在朋友面前装穷，居然还装得那么像。

这算是什么朋友？

他们实在不愿相信郭大路会是这样的朋友。

王动突然打了个呵欠，喃喃道："一个人吃饱了，为什么总是想睡觉呢？"

他去睡了，从郭大路面前走过去，好像既没有看见这条金链子，也没有看见郭大路这个人。

林太平打了个呵欠，喃喃道："这么冷的天气，还有什么地方比被窝里好？"

他也去睡了，也好像什么都没有看见。

只有燕七还坐在那里，坐在那里发怔。

又过了很久，郭大路的脚才慢慢地从上面落下来，慢慢地把身子站直。

他身子好像已难再站得直。

没有星，没有月，只有一盏灯。

一盏很小的灯，因为剩下的灯油也已不多。

但这条金链子在灯下看着还是亮得很。

郭大路低着头，看看这条金链子，喃喃道："奇怪，为什么金子无论在多暗的地方，看起来都会发亮呢？"

燕七淡淡道："也许这就是金子的好处，否则为什么会有那么多人将金子看得比朋友还重？"

郭大路又怔了半天，忽然抬起头，道："你为什么不去睡？"

燕七道："我还在等。"

郭大路道："等什么？"

燕七道："等着听你说……"

郭大路大声道："我没有什么好说的，你们若把我看成这种人，我就是这种人。"

燕七凝视着他，过了很久很久，才慢慢地站了起来，慢慢地走出去。

郭大路没有看他。

外面的风好大，好冷。

灯已将枯，忽然间，也不知从哪里卷出了阵冷风，吹熄了灯。

但金链子还在发着光。

郭大路垂着头，看着这条金链子，又不知过了多久，他才慢慢地弯下腰，拾起了这金链子。

他捧着这金链子，捧在掌心。

他眼泪突然泉涌而出，一粒粒滴在掌心。

冰冷的金链子，火热的眼泪。

他忽然跪下去，终于哭了起来，尽量不让自己哭出声音。

因为他不愿别人听到他的哭声。

这是他的秘密，也是他一生最大的痛苦，他不愿别人知道这秘密，也不愿别人分担他的痛苦。

所以没有人知道他痛苦得多么深，多么强烈。

那虽然已经是很久很久以前的事了，但现在他只要一想到，还是会心碎。

他知道自己终生要背负着痛苦，至死都无法解脱。

刚才的事也令他痛苦。

他本来宁死也不愿失去这些朋友。

但他并没有解释，因为他知道他们不会原谅他，因为连他自己都无法原谅他自己。

也许世上有一种真正的痛苦，那就是不能向别人说的痛苦。

"不能说……我怎么能说？……"

"我怎么还有脸留在这里？"

外面的风更大，更冷。

他咬紧牙，悄悄擦干眼泪，站起来，外面的世界无论多冷酷无情，他都已准备独自去承受。

他做错了事，就自己承当，既不肯解释，也不肯告饶。

就算在朋友面前也不肯。

可是上天知道，他实在将朋友看得比自己的生命还要重。

“朋友们，再见吧，总有一天，你们会了解我的。到那一天，我们还是朋友，可是现在……”

他眼泪又在往下流。

就在他伸手去擦眼泪的时候，他看到了燕七。

不但看到了燕七，也看到了王动和林太平。

他们不知什么时候又走进了这屋子，静静地站在那里，静静地看着他。

他看不到他们脸上的表情，只看到他们三双发亮的眼睛。

他也希望他们莫要看到他的脸，看到他脸上的泪痕。

他轻轻咳嗽了几声，道：“你们不是已睡了吗？”

林太平道：“我们睡不着。”

郭大路勉强笑了笑，道：“睡不着也该躺在被窝里，在这种天气，世上还有什么地方比被窝里更好？”

王动道：“有。”

燕七道：“这里就比被窝里好。”

郭大路道：“这里有哪点好？”

王动道：“只有一点。”

03

燕七道：“这里有朋友，被窝里没有。”

郭大路忽然觉得一阵热意从心里冲上来，似已将喉头塞住。

过了很久，他才能说得出话来。

他垂下头道：“这里也没有朋友，我已不配做你们的朋友。”

王动道：“谁说的？”

燕七道：“我没有说。”

林太平道："我也没有说。"

王动道："我们到这里来，只想说一句话。"

郭大路握紧了拳，道："你……你说。"

王动道："我们了解你，也相信你，所以无论发生了什么事，你都是我们的朋友。"

这就是朋友。

他们能分享你的快乐，也能分担你的痛苦。

你若有困难，他们愿意帮助。

你若有危险，他们愿意为你挺身而出。

就算你真的做错了什么事，他们也能谅解。

在这种朋友面前，你还有什么秘密不能说的？

04

外面的风还是很冷，很大。

屋子里还是很黑暗。

但此时此刻，他们所能感受到的，却只有温暖和光明。因为他们知道自己有朋友，有了真心的朋友。

有朋友的地方就有温暖，就有光明。

"无论发生了什么事，你都是我们的朋友。"

郭大路的血在沸腾。

他本来宁死也不愿在别人面前流泪，但现在眼泪已又流出。

他本来宁死也不愿说出自己心里的痛苦和秘密，但现在却愿意说出。

没有别的人能令他这么做，只有朋友。

他终于说出了他的秘密。

郭大路的家乡有很多美丽的女孩子，最美的一个叫朱珠。

他爱上了朱珠，朱珠也爱他。

他全心全意地对待朱珠，他对她说，愿意将自己的生命和一切都献给她。

他不像别的男人，只是说说就算了。

他真的这么样做。

朱珠很穷，等到郭大路的双亲去世时她就不穷了。

因为他知道她是属于他的，她也说过，她整个人都属于他的。

为了让她信任他，为了让她快乐，他愿意做任何的事。

然后他就发现了一样事。

朱珠并不爱他。

就像很多别的女人一样，她说的话，只不过说说而已。

她答应嫁给他，除了他之外，谁都不嫁。

他们甚至已决定了婚期。

可是在他们婚期的前一天，她已先嫁了，嫁给了别人。

她出卖了郭大路所给她的一切，跟着那人私奔了。

这条金链子就是她给他的定情之物。

也是她给他的唯一的一样东西。

没有人开口，谁也不知道该说什么。

还是郭大路自己先打破了沉默。他忽然笑笑，道："你们永远猜不到她是跟谁跑了的。"

林太平道："谁？"

郭大路道："我的马夫。"

他大笑，接着道："我将她当作天下最高贵的人，简直将她当作仙女，但她却跟我最看不起的马夫私奔了，你们说，这可笑不可笑？"

不可笑。

没有人觉得这种事可笑。

只有郭大路一个人一直不停地笑，因为他生怕自己一不笑就会哭。

他一直不停地笑了很久，忽然又道："这件事的确给了我个很好的教训。"

林太平道："什么教训？"

他也并不是真的想问，只不过忽然觉得不应该让郭大路一个人说话。

他觉得自己应该表示自己非常关心。

郭大路道："这教训就是——男人绝不能太尊重女人，你若太尊重她，她就会认为你是呆子，认为你不值一文。"

燕七忽然道："你错了。"

郭大路道："谁说我错了？"

燕七道："她这么样做，并不是因为你尊敬她——一个女人若能做出这种事来，只有一个原因。"

郭大路道："什么原因？"

燕七道："那只因她天生是个坏女人。"

郭大路沉默了很久，终于慢慢地点了点头，苦笑道："所以我并不怪她，只怪自己，只怪自己看错了人。"

王动忽然道："这种想法也不对。"

郭大路道："不对？"

王动道："你一直为这件事难受，只因你一直在往最坏的地方去想，总觉得她是在欺骗你，总觉得自己被人家甩了。"

郭大路道："本来难道不是这样子？"

王动道："你至少应该往别的地方想想。"

郭大路道："我应该怎么想？"

王动道："想想好的那一面。"

郭大路苦笑道："我想不出。"

王动道："你有没有亲眼看到她和那个马夫做出什么事？"

郭大路道："没有。"

王动道："那么你又怎么能断定她是和那马夫私奔的？"

郭大路怔了怔，道："我……并不是我一个这么想，每个人都这么想。"

王动道："别人怎么想，你就怎么想？别人若认为你应该去吃屎，你去不去？"

郭大路说不出话了。

王动道："每个人都有偏见。那些人根本就不了解她，对她的看法怎么会正确？何况，就算是很好的朋友，有时也常常会发生误会。"

他笑了笑，慢慢地接着道："譬如说，刚才那件事，我们就很可能误会你，认为你是个小气鬼，认为你不够朋友。”

郭大路道：“但她的确是和那马夫在同一天突然失踪的。”

王动道：“那也许只不过是巧合。”

郭大路道：“天下哪有这么巧的事？”

王动道：“有。不但有，而且常常有。”

郭大路道：“那么他们为什么要突然走了呢？”

王动道：“那马夫也许因为觉得做这种事没出息，所以想到别的地方去另谋发展。”

郭大路道：“朱珠呢？她又有什么理由要走？我甚至连花轿都已准备好了。”

王动道：“怎么不可能有别的理由？那天晚上，也许突然发生了什么你不知道的变化，逼得她非走不可；也许她根本身不由主，是被人绑架走的。”

林太平忽然道：“也许她一直都很想向你解释，却一直没有机会。”

燕七叹了口气，道：“世上极痛苦的事，也许是明知道别人对自己有了误会，自己明明受了冤枉却无法解释。”

林太平道：“更痛苦的是，别人根本就不给他机会解释。”

王动道：“最痛苦的是，有些事根本就是不能对别人解释的，譬如说……”

郭大路长叹道：“譬如说刚才那件事，我本来就不愿解释的，刚才你们来的时候我若已走了，你们说不定就会对我一直误会下去。”

王动道：“不错，现在你已想通了么？”

郭大路点点头。

王动道：“一件事往往有很多面，你若肯往好的那面去想，才能活得快乐。”

燕七道：“只可惜有的人偏偏不肯，偏偏要往最坏的地方去想，偏偏要钻牛角尖。”

王动道：“这种人非但愚蠢，而且简直是自己在找自己的麻烦，自己在虐待自己。我想你总不会是这种人吧？”

郭大路笑了，大声道：“谁说我是这种人，我打扁他的鼻子。”

所以你心里要有什么令你痛苦的秘密，最好能在朋友面前说出来。

因为真正的朋友非但能分享你的快乐，也能化解你的痛苦。

郭大路忽然觉得舒服多了，愉快多了。

因为他已没有秘密。

因为他已能看到事情光明的一面。

夜深梦回时，他就算再想到这种事，也不再痛苦，最多只不过会有种淡淡的忧郁。

淡淡的忧郁有时甚至是种享受。

05

“你们虽然分别了，说不定反能活得更快乐些。”

“她说不定也找到很好的归宿，至于你……若没有发生这变化，你现在说不定每天都在抱孩子、换尿布，而且说不定每天为了柴米油盐吵架。”

“但现在你们都可以互相怀念，怀念那些甜蜜的往事，怀念对方的好处，以后若能再相见，就会觉得更快乐。”

“以后就算不能相见也无妨，因为你至少已有了段温馨的回忆，让你坐在炉边烤火时，能有件令你温暖的事想想。”

“每个人都有自己的命运，你既不能勉强，也不必勉强。”

“所以你根本没有什么事好痛苦的。”

——这就是王动他们对这件事最后的结论。

从此以后，他们谁也没有再提起这件事，也没有再提起那金链子。

因为他们了解郭大路的感情，了解这金链子在他心里的价值。

有些东西的价值，往往是别人无法衡量的。

王动还躺在床上，忽然听到郭大路在外面喊：“娘舅来了。”

郭大路没有娘舅。

“娘舅”的意思就是那当铺的老板“活剥皮”。

活剥皮当然并不姓活，事实上也不太剥皮，他最多也不过刮刮你身上的油水而已——当然刮得相当彻底。

奇怪的是，愈想刮人油水的人，愈长不胖。

他看起来就像是只风干了的野兔子，总是驼着背，眯着眼睛，说话的时候总是用眼角看着你，好像随时随地都在打量着你身上的东西可以值多少银子。

王动他们虽然常常去拜访他，但他还是第一次到这里来。

所以王动总算也勉强起了床。

像活剥皮这种人，若肯爬半个多时辰的山，去“拜访”一个人的时候，通常都只有一种理由。

那理由通常都和黄鼠狼去拜访鸡差不多。

王动走进客厅的时候，郭大路正在笑着问：“是哪阵风把你吹来的，难道你想来买王动的这栋房子？”

他知道王动至少用过二十几种法子，想将这房子卖出去，只可惜看来他就算白送给别人，别人都不要。

活剥皮的头摇得就像随时都会从脖子上掉下来，干笑着道：“这么大的房子，我怎么买得起？自从遇见你们之后，我简直连老本都快赔光了，不卖房子已经很幸运了。”

郭大路道：“假如他肯便宜卖呢？”

活剥皮道：“我买来干什么？”

郭大路道：“你可以再转让别人，也可以自己住进来。”

活剥皮道：“没有毛病的人，谁肯住进这种地方来？”

郭大路还想再兜兜生意，活剥皮忽又道：“你们现在是不是很缺钱用？”

王动笑道：“我们哪天不缺钱用？”

活剥皮道：“那你们想不想平白赚五百两银子？”

当然想。

但无论谁都知道活剥皮的银子绝不会是容易赚的，从老虎头上拔根毛也许反倒容易些。瓷公鸡身上根本就没有毛可拔。

只不过五百两银子的诱惑实在太大。

郭大路眨眨眼，道：“你说的是五百两？”

活剥皮道：“整整五百两。”

郭大路上上下下打量了他几眼，道：“你是不是喝醉了？”

活剥皮道："我清醒得很，只要你们答应，我现在就可以先付一半定金。"

他一向很信任这些人，因为他知道这些人虽然一文不名，但说出来的话却重逾千金。

郭大路叹了口气，道："这银子要怎么样才能赚得到呢？"

活剥皮道："很容易，只要你们跟我到县城里去走一趟，银子就到手了。"

郭大路道："走一趟？怎么走法？"

活剥皮道："当然是用两条腿走。"

郭大路走了两步，道："就这么样走？"

活剥皮道："嗯。"

郭大路道："然后呢？"

活剥皮道："然后你们就可以带着五百两银子走回来。"

郭大路道："没有别的事了？"

活剥皮道："没有。"

郭大路看看王动，笑道："走一趟就能赚五百两银子，这种事你听说过没有？"

王动道："没有。"

活剥皮道："有很多事你们都没有听说过，但却并不是假的。"

王动道："你赔本也不是假的。"

活剥皮叹了口气，道："最近生意的确愈来愈难做了，当的人多，赎的人少，断了当的东西又卖不出去，我要的利钱又少。"

王动点点头，显得很同情的样子。

郭大路却忍不住问道："既然是赔本的生意，你为什么还要做呢？"

活剥皮叹道："那也是没法子，唉，谁叫我当初选了这一行呢？"

王动道："所以那五百两银子你还是留着自己慢慢用吧。"

活剥皮抢着道："那不同，那是我自己愿意让你们赚的。"

王动淡淡地道："你的钱来得并不容易，我们只走一趟，就要你五百两，这种事我们怎么好意思做呢。"

活剥皮苍白的脸好像有点发红，干咳着道："那有什么不好意思？何况，我要你们陪我走这一趟，当然也有用意的。"

王动道："什么用意？"

活剥皮又干咳了几声，勉强地笑道："你可以放心，反正不会要你们去当强盗，也不会要你们去杀人。"

王动道："你也可以放心，反正我不去。"

活剥皮愕然道："五百两银子你不想要？"

王动道："不想。"

活剥皮道："为什么？"

王动道："没有原因。"

活剥皮怔了半晌，忽又笑道："你一个人不去也没关系，我还是……"

燕七忽然道："他不是一个人。"

活剥皮道："你也不去？"

燕七道："我也不去，而且也没有原因，不去就是不去。"

林太平笑道："我本来还以为只有我一个人不肯去，谁知大家都一样。"

活剥皮急了，大声道："我的银子难道不好？你们难道没拿过？"

王动淡淡道："我们若要你的银子，自然会拿东西去当的。"

活剥皮道："我不要你们的东西，只要你们跟我走一趟，就给你们五百两银子，你们反而不肯？"

王动道："是的。"

活剥皮好像要跳了起来，大声道："你们究竟有什么毛病？……我看你们迟早有一天会要饿死的……像你们这种人若是不穷，那才真是怪事。"

王动他们的确有点毛病。

他们的确可穷死、饿死，但来路不明的钱，他们绝不肯要的。

拿东西去当并不丢人，他们几乎什么东西都当过。

但他们只当东西，不当人。

他们宁可将自己的裤子都拿去当，但却一定要保住自己的尊严和良心。

他们只做自己愿意做，而且觉得应该做的事。

06

每个人都要上厕所的，而且每天至少要上七八次。

这种事既不脏，也不滑稽，只不过是件很正常、很普通，而且非做不可的事，所以根本已不值得在我们的故事中提起。

假如有人要将这种事写出来，那么一个十万字的故事，至少可以写成二十万字。

但这种事有时却又不能不提，譬如说，现在——

王动的确是刚上过厕所出来，他每天起床后第一件事就是上厕所。

他回到客厅里的时候，发现燕七和林太平的神情好像都有点特别，好像心里都有话要说，却又不想说。

所以王动也不问，他一向很沉得住气，而且知道在这种情况下，你如果想问，就不如等他们自己说出来。

燕七果然沉不住气，忽然道："你为什么不问？"

王动道："问什么？"

燕七道："你没有看到这里少了一个人？"

王动点点头，道："好像是少了一个。"

少了的一个是郭大路。

燕七道："你为什么不问他到哪里去了？"

王动笑笑，道："他到哪里去都没关系，但你如果一定要我问，我问问也没关系。"

他慢慢地坐下来，四面看了看，才问道："小郭到哪里去了？"

燕七突然冷笑了一声，道："你永远猜不到的。"

王动道："就因为猜不到，所以才要问。"

燕七咬着嘴唇，道："去追活剥皮。活剥皮一走，他就追了出去。"

王动这才有点奇怪，皱皱眉道："去追活剥皮干什么？"

燕七闭着嘴，脸色有点发青。王动看着他，喃喃道："难道他为五百两银子，就肯去做活剥皮的跟班？”

他摇了摇头，道：“这种事我绝不信，小郭绝不是这种人。”

燕七冷冷道：“这种事我也不愿意相信，但却不能不相信。”

王动道：“为什么？”

第十七章

误 会

01

燕七道："因为我亲眼看到的。"

王动道："看到什么？"

燕七道："看到他跟活剥皮嘀咕了半天，活剥皮拿出了锭银子给他，他就跟活剥皮走了。"

王动怔了怔，道："你没有追过去问？"

燕七冷笑道："我追去干什么？我又不想做活剥皮的跟班。"

林太平忽然叹了口气，道："假如只不过是做跟班，跟着他到城里去走一趟，倒也没什么关系，但我看这件事绝不会如此简单。"

当然不会如此简单。

假如活剥皮真的只不过想找个跟班，为了五钱银子就肯做他跟班的人满街都是，他又何必一定到这里来找他们？

林太平接着道："活剥皮自己也说过，他这样做必定另有用意，我看他绝不会干什么好事。"

燕七道："能让活剥皮这种人心甘情愿拿出五百两银子来的，只有一种事。"

林太平道："哪种事？"

燕七道："赚五千两银子的事。"

林太平道："不错，若非一本万利的事，他绝不肯掏腰包拿出五百两银子来。"

燕七道："真正能一本万利的，也只有一种事。"

林太平道："哪种事？"

燕七道："见不得人的事。"

林太平道："不错，我看他不是去偷，就是去骗，又生怕别人发觉后对他不客气，所以才来找我们做他的保镖。"

他叹了口气，接着道："这道理郭大路难道想不到么？"

燕七冷笑道："连你都能想得到，他怎么会想不到，他又不比别人笨。"

王动一直在注意着他脸上的表情，此刻忽然道："你若认为他不该去，为什么不拦着他？"

燕七冷冷道："一个人若是自己想往泥坑跳，别人就算想拉，也拉不住的。"

王动道："所以你就眼看着他跳下去？"

燕七咬着嘴唇，道："我……我……"

他忽然转身冲了出去，眼睛尖的人，就能看到他冲出去的时候已经泪汪汪，好像气得快哭出来了。

王动的眼睛很尖。

他一个人坐在那里，发了半天怔，忽然叹了口气，喃喃道："爱之深，责之切。看来这句话倒真是一点也不错。"

林太平道："你在说什么？"

王动笑笑，道："我在说，到现在我还是不信小郭会做这种事，你呢？"

林太平迟疑着，道："我……我也不太相信。"

王动道："你至少总是还有点怀疑，是不是？"

林太平道："是的。"

王动道："但燕七却一点也不怀疑，已认定了小郭会做那种事，你可知道为了什么？"

林太平想了想，道："我也有点奇怪，他和小郭的交情本来好像特别好。"

王动又叹了口气，道："就因为交情特别好，所以才如此。"

林太平又想了想，道："为什么呢？我不懂。"

王动道："朱珠忽然失踪，我们都想到可能有别的原因，但小郭却想不到，所以就往最坏的地方去想，那又是为了什么呢？"

林太平道："因为他对朱珠用情太深，所以……"

王动道："所以脑筋就不清楚了，对不对？"

林太平道："对。"

爱情可以令人盲目，这道理大多数人都知道。

王动道："你若对一个人用情很深，那么你对他的判断就不会正确。因为，你平时只能看到他的好处，但只要一有了个小小的变化和打击，你就立刻会自责自怨，患得患失，所以就忍不住要往最坏的地方去想。"

林太平忽然笑了笑，道："你的意思我懂，只不过这比喻却好像不太恰当。"

王动道："哦？"

林太平笑道："你怎么能拿朱珠和小郭的事来比？小郭对朱珠的情感，怎会跟燕七对小郭的情感一样？"

王动也笑了。

他好像已发觉自己说错了话，又好像觉得自己话说得太多。

所以他就不说话了。

只不过他还在笑，而且笑得很特别。

直等看到燕七从院子里往外走的时候，他才开口，道："你想出去？"

燕七眼睛还是红红的，勉强笑道："今天天气好了些，我想出去打打猎。"

林太平站起来，笑道："我也去，今天再不出去打猎，只怕就真的饿死了。"

王动笑笑，道："小郭身上既然有了银子，就绝不会让我们饿死，你为什么不等他回来？"

燕七立刻沉下了脸："我为什么要等他回来？"

王动道："就算为了我，行不行？"

燕七低下头，站在院子里。

天虽已放晴，风却还是冷得刺骨。

燕七却仿佛一点也不觉得冷，站在那里呆了很久，才冷笑道："他若不回来呢？"

王动又笑笑，道：“他若不回来，我就请你们吃狗肉。”

林太平忍不住道：“这种天气，到哪里找狗去？”

王动道：“用不着找，这里就有一条。”

林太平道：“狗在哪里？”

王动指着自己的鼻子，道：“这里。”

林太平眨眨眼，忍住笑道：“你是狗？”

王动道：“不但是狗，而且是条土狗。”

林太平终于忍不住笑了。

王动却不笑，淡淡接着道：“一个人若连自己的朋友是哪种人都分不出，不是土狗是什么？”

02

王动不是土狗。

郭大路很快就回来了，而且大包小包地带了一大堆东西回来。

小包里是肉，大包里是馒头，最小包里是花生米。

既然有花生米，当然不会没有酒。

没有花生米也不能没有酒。

郭大路笑道：“我现在已开始有点怀念麦老广了，自从他一走，这里就好像再也找不出一个卤菜做得好的人。”

王动道：“至少还有一个。”

郭大路道：“谁？”

王动道：“你——假如你开家饭馆子，生意一定不错。”

郭大路笑道：“这倒是好主意，只可惜还有一样不对……”

王动道：“哪样？”

郭大路道：“我那饭铺生意再好，开不了三天也会关门。”

王动道：“为什么？”

郭大路笑道：“就算我自己没有把自己吃垮，你们也会来把我吃垮的。”

燕七突然冷笑道：“放心，我绝不会去吃你的。”

郭大路本来还在笑，但看到他冷冰冰的脸色，不禁怔了怔道：“你在生气？我又有什么地方得罪了你？”

燕七道：“你自己心里明白。”

郭大路苦笑道：“我明白什么？——我一点也不明白。”

燕七也不理他，忽然走到王动面前，道：“你虽然不是土狗，但这里却有条走狗！土狗还没关系，走狗我却受不了。”

郭大路瞪大了眼睛，道：“谁是走狗？”

燕七还是不理他，冷笑着往外走。

郭大路眼珠子一转，好像忽然明白了，赶过去拦住了他，道：“你以为我做了活剥皮的走狗？你以为这些东西是我用他给我的定金买来的？”

燕七冷冷道：“这些东西难道是天上掉下来的、地上长出来的不成？”

郭大路看着他，过了很久，忽然长长叹了口气，喃喃地道：“好，好……你说我是走狗，我就是走狗……你受不了我，我走。”

他慢慢地走出去，走过王动面前。

王动站起来，像是想拦住他，却又坐了下去。

郭大路走到院子里，抬起头，树上的积雪一片片被风吹下来，撒得他满身都是。

他站着不动。

雪在他脸上融化，沿着他面颊流下。

他站着不动，他本来是想走远些的，但忽然间走不动了。

燕七没有往院子里看，他也许什么都已看不见。

他的眼睛又红了，突然跺了跺脚，往另一扇门冲过去。

王动的手却已伸过来，拦住了他，道：“你先看看这是什么？”

他手上有样东西，是张花花绿绿的纸。

燕七当然知道是什么，这样的纸他身上也有好几张。

“这是当票。”

王动道：“你再看清楚些，当的是什么？”

当票上的字就和医生开的药方一样，简直就像是鬼画符，若非很有经验的人，连一个字都休想认得出。

燕七很有经验，活剥皮的当票他已看过很多。

“破旧金链子一条，破旧金鸡心一枚，共重七两九钱，押纹银五十两。”

明明是全新的东西，一到了当铺里，也会变得又破又旧。

天下的当铺都是这规矩，大家也见怪不怪，但金链子居然也有“破旧”的，就未免有点太说不过去了。

燕七几乎想笑，只可惜实在笑不出。

他就好像被人打了一耳光，整个人都怔住了。

王动淡淡笑道：“当票是我刚才从小郭身上摸出来的，我早就告诉过你们，我若是改行做小偷，现在早就发财了。”

他叹了口气，喃喃道：“只可惜我实在懒得动。”

燕七也没有动，但眼泪却已慢慢地从面颊上流了下来……

“就算是最好的朋友，有时也会发生误会的。”所以你假如跟你的朋友有了误会，一定要给个机会让他解释。

“一件事往往有很多面，你若总是往坏的那面去想，就是自己在虐待自己。”所以你就算遇着打击也该看开些，想法子去找那光明的一面。

谁也没有权虐待别人，也不该虐待自己。

这就是王动的结论。

王动的结论通常都很正确。

正确的结论每个人最好记在心里。

03

世上本没有绝对好的事，也没有绝对坏的。

失败虽不好，但“失败为成功之母”。

成功虽好，但往往却会令人变得骄傲、自大，那么失败又会跟着来了。

你交一个朋友，当然希望跟他成为很亲近的朋友。

朋友能亲近当然很好，但太亲近了，就容易互相轻视，也当然会发生误会。

误会虽不好，但若能解释得清楚，彼此间就反而会了解得更多，情感也会变得更深一层。

04

无论如何，被人冤枉的滋味总是不太好受的。

假如说世上还有比被人冤枉了一次更难受的事，那就是一连被人冤枉了两次。

燕七也被人冤枉过，他很明白郭大路此刻的心情。

他自己心里比郭大路更难受。

除了难受外，还有种说不出的滋味，除了他自己外，谁也不知道是什么滋味，只想好好地去大哭一场。

他已有很久没有好好地哭过，因为一个男子汉，是不应该那么哭的。

唉，要做一个男子汉，可实在不容易。

他当然知道现在应该去找郭大路，但去了之后说什么呢?

有些话他不愿说，有些话他不能说，有些话他甚至不敢说。

他心里正乱糟糟的，不知道该如何是好，忽然看到一只手伸出来，手上拿着一杯酒。

他听到有人在对他说："你喝下这杯酒，我们就讲和好不好？"

他的心一跳，抬起头，就看到了郭大路。

郭大路脸上并没有生气的表情，也没有痛苦之色，还是像平时一样，笑嘻嘻地看着他。

这副嬉皮笑脸、吊儿郎当的样子，燕七平时本来有点看不惯。

他总觉得一个人有时应该正经些、规矩些。

但现在也不知为了什么，他忽然觉得这样子非但一点也不讨厌，而且可爱极了。

他甚至希望郭大路永远都是这样子，永远不要板起脸来。

因为他忽然发觉这才是他真正喜欢的郭大路，永远无忧无虑，开开心心的；别人就算得罪了他，他也不在乎。

郭大路笑道："肯不肯讲和？"

燕七低下头，道："你……你不生气了？"

郭大路道："本来是很生气的，但后来想了想，非但不生气，反而很开心。"

燕七道："开心？"

郭大路道："你若不关心我，我就算做了乌龟王八蛋，和你一点关系都没有，你也用不着生气的。就因为你是我的好朋友，所以才会对我发脾气。"

燕七道："可是……我本不该冤枉你的，我本来应该信得过你。"

郭大路笑道："你冤枉我也没关系，揍我两拳也没关系，只要是我的好朋友，随便干什么都没关系。"

燕七笑了。

他笑的时候，鼻子先轻轻皱了起来，眼睛里先有了笑意。

他脸上还带着泪痕，本来又黑又脏的一张脸，眼泪流过的地方，就出现了几条雪白的泪痕，就像是满天乌云中的阳光。

郭大路看着他，仿佛看呆了。

燕七又垂下头，道："你死盯着我干什么？"

郭大路笑了笑，又叹了口气，道："我在想，酸梅汤的眼光真不错，你若肯洗洗脸，一定是个很漂亮的小伙子，也许比我还漂亮得多。"

燕七想板起脸，却还是忍不住"扑哧"一笑，接过了酒杯。

王动看着林太平，林太平看着王动，两个人也全都笑了。

林太平笑道："我早上本来不喜欢喝酒，但今天却真想喝个大醉。"

人生难得几回醉。

遇着这种事，若还不醉，要等到什么时候才醉？

郭大路忽又叹了口气，道："只可惜今天我不能陪你醉。"

林太平道："为什么？"

郭大路道："因为，今天我还有事，还得下山去一趟。"

这小子身上一有了钱，就在家里耽不住了。

燕七咬了咬嘴唇，道：“下山去干什么？”

郭大路眨眨眼，道：“我跟一个人有约会。”

燕七的脸色好像变了变，悄悄别过脸，道：“跟谁有约会？”

郭大路道：“活剥皮。”

燕七的眼睛立刻又亮了，却故意板着脸，道：“你跟他约好了？”

郭大路道：“他没有约我，我却要去找他。”

燕七道：“找他干什么？”

郭大路道：“他肯出五百两银子，一定没存什么好主意，所以我要去看看，看他究竟想要剥谁的皮。”

05

雪开始融化，积雪的山路上满是泥泞。

但燕七一点也不在乎，他的脚踩在泥泞中，就好像踩在云端上。

因为郭大路就走在他身旁，他甚至可以感觉到郭大路的呼吸。

郭大路忽然笑了笑，道：“今天，我又发现了一件事。”

燕七道：“哦？”

郭大路道：“我发现王老大实在了解我，天下只怕再也找不出第二个人能这么了解我的。”

燕七点点头，幽幽道：“他的确最能了解别人，不但是你，所有的人他都了解。”

郭大路道：“但最同情我的人却是林太平，我看得出来。”

燕七迟疑着，终于忍不住问道：“我呢？”

郭大路道：“你既不了解我，也不同情我；你不但对我最凶，而且好像随时随地都在跟我斗嘴、斗气……”

燕七垂下了头。

郭大路忽又笑了笑，接着道：“但也不知为了什么，我还是觉得对我最好的也是你。”

燕七嫣然一笑，脸已仿佛有点发红，又过了很久，才轻轻道：“你呢？”

郭大路道：“有时我对你简直气得要命，譬如说今天，王老大若那样对我，我也许反而不会那么样生气，也许立刻就会对他解释，可是你……”

燕七道：“你只对我生气？”

郭大路叹道：“那也只因为我对你特别好。”

燕七眨眨眼，忽然笑道：“有多好？”

郭大路沉吟着，道：“究竟有多好，连我也说不出来。”

燕七道：“说不出来就是假的。”

郭大路道：“但我却可以打个比喻。”

燕七道：“什么比喻？”

郭大路道：“为了王老大，我会将所有的衣服都当光，只穿着条底裤回来。”

他笑笑，接着道：“但为了你，我可以将这条底裤都拿去当了。”

燕七嫣然笑道：“谁要你那条破底裤。”

说完了这句话，他的脸又红了，郭大路的底裤破不破，他怎么知道？

幸好他的脸又脏又黑，就算脸红时也看不出。

可是他眼睛里那种表情，那种温柔甜美的笑意，带着些羞涩发娇的笑意，若有人还看不出，那人不但是呆子，简直就是个瞎了眼的呆子。

郭大路看着他的眼睛，忽又笑道：“我还有个比喻。”

燕七道：“你说。”

郭大路笑道：“我虽已发誓不成亲，但你若是女的，我一定要娶你做老婆。”

燕七道：“谁做你的老婆，那才是倒了八辈子穷霉了。”

他声音好像已有点不大对，忽然加快脚步，走到前面去。

郭大路并没有追上去，只是看着他的背影，仿佛已看得出神。

这时天色忽然开朗，一线金黄色的阳光，破云直照了下来，照着大地，照着燕七，也照着郭大路。

这阳光就像是特地为他们照射的。

第十八章

剥谁的皮

01

活剥皮的当铺叫“利源当铺”。

利源当铺就在麦老广烧腊店的对面。

现在麦老广的招牌已卸了下来，有几个人正在粉刷店面。

想到麦老广，郭大路和燕七心里不禁有很多感慨。

他们毕竟在这里有许多快乐的时候。

他们并不是多愁善感的人，却常常容易被很多事所感动。

利源当铺门口，停着辆马车。

当铺的门还没有开，今天好像不准备做生意了。

郭大路和燕七交换了个眼色，刚走过旁边的小巷里，就看到活剥皮缩着脑袋从小门里走出来，眼睛鬼鬼祟祟地四下打量着，怀里紧紧抱着个包袱。看到四下没人，就立刻跳上了马车。

马车的门立刻关紧，连车窗的帘子都放了下来。

当铺里又慢吞吞地走出了个老太婆，手里提着桶垃圾。

郭大路当然认得这老太婆，她并不是活剥皮的老婆，只不过是替他烧饭打杂的。因为太老，所以除了吃饭外，活剥皮连一文工钱都不给她，但要她做事的时候，却又拿她当个小伙子。

郭大路常常觉得奇怪，这老太婆怎么肯替活剥皮做下去的。

替活剥皮这种人做事，若是万一有个三长两短，也许连口棺材都没有。

只听活剥皮在车里大声道：“把门关上，千万不要放任何人进去，我明天早上才回来。”

于是赶车的一扬鞭子，马车就直奔大路。

郭大路和燕七突然从弄堂里冲出来，一边一个，跳上了车辕。

窗子立刻开了，活剥皮探出了头，显得很吃惊的样子，等看到是他们时更吃惊，道："你们想干什么？"

郭大路笑道："没什么，只不过想搭你的便车到城里去。"

活剥皮立刻摇头，道："不行，我这辆车说好了不搭人的。"

郭大路笑嘻嘻道："不行也得行，我们既然已上了车，你难道还能把我们推下去？"

燕七也笑道："反正你本来就想请我们陪你去走一趟的。"

活剥皮道："我找的不是你们……"

他好像忽然发觉自己说错了话，立刻闭上了嘴。

燕七道："不是我们？你难道改变了主意？"

活剥皮脸色已有点发白，忽又笑道："你们要搭车也行，只不过要出车钱。车钱一共是三钱银子，刚好一人出一钱。"

他左手一拿到银子，右手立刻开了车门。

活剥皮这样的人也有种好处，你只要有钱给他，他总能让你觉得每分钱都花得不冤枉。

他甚至将比较好的两个位子让了出来。

郭大路既已上了车，就开始打另外的主意了。

活剥皮手里还是紧紧搂着那包袱。

郭大路忽然道："燕七，我们打个赌好不好？"

燕七道："好，赌什么？"

郭大路道："我赌他这包袱里面有个老鼠，你信不信？"

燕七道："不信。"

郭大路道："好，我跟你赌十两银子。"

活剥皮忽又笑了，道："你们不必赌了，我知道你们只不过想看看我这包袱，是不是？"

郭大路笑道："好像是有点这意思。"

活剥皮道："要看也行，看一看十两银子。"

郭大路倒真想不到他答应得这么容易，他本来以为这包袱里一定有什么见不得人的东西。

活剥皮左手一拿到银子，右手立刻就解开了包袱。

包袱里只不过是几件旧衣服。

郭大路看看燕七，燕七看看郭大路，两个人只有苦笑。

活剥皮笑道："你们现在已觉得这十两银子花得太冤了吧？只可惜现在已收不回去了。"

他脸上带着得意的笑意，正想将包袱扎上。

燕七忽然道："这包袱里有件衣服好像是林太平的，是不是？"

活剥皮干咳了两声，道："好像是吧，他反正已当给了我。"

燕七道："当票还没有过期，他随时都可以赎回来，你怎么能带走？"

活剥皮渐渐已有点笑不出了，道："他要赎的时候，我自然有衣服给他。"

郭大路道："这件衣服他当了多少银子？"

活剥皮道："一两五钱。"

郭大路道："好，我现在就替他赎出来。"

活剥皮道："不行。"

郭大路道："有钱也不行？"

活剥皮道："有钱还得有当票，这是开当铺的规矩，你有没有带当票来？"

郭大路又看看燕七，两个人都不说话了，但心里却更奇怪。

活剥皮将林太平的衣服带到城里去干什么？

这衣服质料虽不错，却已很旧了，他为什么要紧紧地抱着，就好像将它当宝贝似的。

马车一进城，活剥皮就道："地头已到了，你们下车吧。"

燕七道："你不是要我们陪你逛逛吗？"

活剥皮道："现在已用不着，亲生子不如手边钱，能省一个总是省一个的好。"

燕七道："我们假如肯免费呢？"

活剥皮笑道："免费更不行了，只有现金交易的生意，才是靠得住的生意，免费的事总是有点麻烦的。"

燕七叹了口气，道："那么我们就下车吧。"

活剥皮道："不送不送。"

燕七他们刚下车，他就立刻"砰"地关上车门。

郭大路看着马车往前走，也叹了口气，道："这人真是老奸巨猾，我实在看不出他在打些什么鬼主意。"

燕七沉吟着，道："他刚才说漏了嘴，说要找的不是我们，你听见没有？"

郭大路点点头。

燕七道："难道他要找的只是林太平一个人，我们都只不过是陪衬？"

郭大路道："他找林太平干什么？"

燕七道："我总觉林太平这人好像也有秘密。"

郭大路沉吟了半晌，忽然道："你看他会不会女扮男装的？"

燕七瞪了他一眼，道："我看你这人只怕听说书听得太多了，天下哪有这么新鲜的事？"

郭大路也不说话了。

直到马车转过街，两人突然同时加快脚步，追了过去。

他们到底还是不肯死心。

马车在一家很大的客栈门口停下。

活剥皮这种人居然舍得住这种客栈，岂非又是件怪事。

幸好这时天色已暗了下来。冬天的晚上总是来得特别早。

他们绕到这家客栈后面。翻墙掠了进去。

任何人都不会永远倒霉的，这次他们的运气就特别好，刚落在树梢，就看到活剥皮走入后面跨院里的一排厢房里。

还是冷得很，院子里看不见人影。

他们从树梢掠过去，只三五个起落，就已掠上了那排厢房的屋顶。

两人忽然都发觉对方的轻功很不错，就好像天生是做这种事的材料。

两人心里都打定主意，以后一定要想法子问问对方，这份轻功是怎么练出来的。

他们好像都忽然变得很想知道对方的秘密。

02

屋檐上也结着冰柱，窗子自然关得很紧。

幸好屋子里生着火，所以就得将上面的小窗子打开透透气。

从这小窗子里望进去，正好将屋子里的情况看得清清楚楚。

屋子里除了活剥皮外，另外还有两个穿着很华丽、派头很大的人，脸色阴阴沉沉的，就好像全世界的人都欠了他们的钱没还。

燕七一眼就看出这两人非但武功不弱，而且一定是老江湖了，其中有个人，脸上还带着条长长的刀疤，使得他看起来更可怕。

另一个人脸上虽没有刀疤，但手臂却断了一条，一只空空的袖子扎在腰带上，腰带上还斜插着一柄弯刀。

这样子的弯刀江湖中并不多见，只剩下一条手臂的人，还能用这种弯刀，手底下显然很有两下子。

而且，若不是经常出生入死的人，身上也不会带着这么重的伤。

经常出生入死的人还能活到现在，派头还能这么大，就一定不是好惹的，郭大路想不通活剥皮怎会和这种人有交易。

活剥皮已将包袱解开，将林太平那件衣服挑了出来，送到两人面前的桌子上，脸上带着得意的表情，就好像在献宝似的。

林太平这件破衣服究竟是什么宝贝？

刀疤大汉拿起衣服来，仔仔细细看了一遍，又交给那独臂人。

在他翻衣服的时候，郭大路也看到衣服的衬里上好像绣着样东西，却看不清楚绣的是字，还是花。

独臂人也将这衣角翻开看了看，慢慢地点点头，道："不错，是他的衣服。"

活剥皮笑道："当然不会错的，在下做生意一向可靠。"

独臂人道："他的人在哪里？"

活剥皮没有说话，却伸出了手。

独臂人道："你现在就要？"

活剥皮笑道："开当铺的人都是现货交易，两位想必也知道的。"

独臂人冷冷道："好，给他。"

刀疤大汉立刻从下面提起个包袱，放到桌上时"砰"地一响。

好重的包袱。

"能令活剥皮先贴出五百两银子的，只有一件事，就是赚五千两银子的事。"

燕七的话显然没有说错，包袱里的银子至少也有五千两。

郭大路看了燕七一眼，心里总算明白了。

这两人一定在找林太平，而且找得很急，竟不惜出五千两银子的悬赏。

活剥皮早已知道这件事，但直等看到林太平的衣服时，才发现林太平是他们要找的人。

所以他就要林太平陪他到城里来走一趟，好将林太平当面交给这两个人。能亲自将人送来，赏银自然更多了。

但林太平究竟做了什么事，值得别人花这么大的价钱来找他呢？

一看到银子，活剥皮忽然变得可爱极了，笑得连眼睛都已看不见。

刀疤大汉道："他在哪里，你现在总可以说了吧？"

无论林太平做了什么事，他既然要躲这两人，就不能让这两人找到他。

郭大路已准备从窗子里冲进去了。

谁知就在这时，活剥皮脸上的笑容忽然僵住。

他眼睛直勾勾地瞪着门口，张大了嘴，却说不出话来，那表情就好像突然被人塞了满嘴泥巴。

郭大路顺着他目光看过去，也立刻吃了一惊。

门口也不知何时走进了一个人。

这人只不过是个很普通的老太婆，并没有什么令人吃惊的地方，但郭大路却做梦也想不到会在此时此地看到她。

他刚才明明还看到她提着桶垃圾，站在利源当铺门口的。

然后他们就坐着马车到这里来，一路上并没有停留，这老太婆是怎么来的，难道是飞来的吗？

活剥皮更像是见了鬼似的，嗄声道："你……你来干什么？"

老太婆手里捧着盖碗，慢吞吞地走进来，摇着头，叹着气道："你吃药的时候已到了，为什么总是忘记呢？我特地替你送来，快喝下去吧。”

活剥皮接过盖碗，只听得盖子在碗上咯咯作响。

他不但手在发抖，连冷汗都流了出来。

独臂人和刀疤大汉脸上还是一点表情也没有，一直冷冷地看着这老太婆，此刻突然同时出手，两道乌光向这盖碗上飞射而出。

他们的出手都不慢。

谁知乌光刚飞到老太婆面前，就忽然不见了。

这老太婆明明连动都没动。

刀疤大汉脸色也有点变了。

独臂人却还是面无表情，冷笑道：“想不到阁下原来是位高人，好，好极了。”

老太婆忽然笑了笑，道：“不好，一点也不好。”

独臂人道：“有什么不好？”

老太婆道：“有什么好？你们遇见我，就要倒霉了，还有什么好？”

独臂人霍然长身而起，厉声道：“你究竟是什么人？敢来管我们的闲事？”

老太婆道：“谁管你们的事？你们的事还不配我来管，请我管我也不管，跪下来求我，我也不会管。”

老太婆说话，总是有点唠唠叨叨的。

独臂人道：“那么你来干什么？”

老太婆道：“我来要他吃药。快吃，吃完了药就该睡觉了。”

活剥皮愁眉苦脸，捏着鼻子将药吃了下去。

老太婆道：“好，回去睡觉吧。”

她就像拉儿子似的，拉着活剥皮就往外走。

突然间刀光一闪，独臂人已凌空飞起，一柄雪亮的弯刀当头劈了下来。

敢凌空出手的人，刀法自然不弱。

但刀光只一闪，就不见了。

一柄雪亮的弯刀，忽然断成了两截，“当”地，掉在地上。

掉在独臂人身边。

独臂人不知为了什么，已跪在地上，跪在这老太婆面前，满头大汗，仿佛用力想站起来，但用尽全身力气还是站不起来。

老太婆叹了口气，喃喃道："我早就说过，你们的事就算跪下来求我，我也不管的，这人居然没有听见，难道耳朵比我还聋么？"

她唠唠叨叨地说着话，蹒跚着走了出去。

活剥皮乖乖地跟在后面，连大气都不敢出。

刀疤大汉也已满头是汗，忽然道："前辈，请等一等。"

老太婆道："还等什么？难道你也想来跟我磕个头不成？"

刀疤大汉道："前辈既然已伸手来管这件事，在下也没什么话好说，只盼前辈能留下个名号，在下等回去也好向主人交代。"

老太婆道："你想问我的名字？"

刀疤大汉道："正想请教。"

老太婆道："你还不配知道我的名字，我说了你也不会知道。"

她忽又接着道："但你却可以回去告诉你那主人，就说有个老朋友劝他，小孩子怪可怜的，最好莫要逼得太紧，否则连别人都会看不惯。"

她慢慢地走出门。

刀疤大汉立刻追出来，追到门口，似乎还想问她什么。

但门外连个人影都没有，这老太婆和活剥皮都已忽然不见了。

03

这烧饭的老太婆原来是位绝顶的高手，武功已高得别人连做梦都想不到。

难怪那天金狮子和棍子到当铺去搜查，回来时态度那么恭敬，他们若不是吃了这老太婆的哑巴亏，就是已看出她是谁了。

郭大路和燕七现在总算已明白。

但他们却有件事更想不通，两人对望了一眼，同时向后掠出。

后面有棵树，大树。

树上没有叶子，只有积雪。

燕七只好蹲在树丫上，郭大路却一屁股坐了下去，然后就像是挨了一刀似的跳了起来。

雪冷得像刀。

燕七叹了口气，摇摇头道："你坐下去的时候，难道从来也不看看屁股下面是什么？"

郭大路苦笑道："我没注意，我在想心事。"

树枝很粗，他也在燕七身旁蹲了下来，道："我在想那老太婆，她明明是位很了不起的武林高手，为什么要在活剥皮的当铺当老妈子？"

燕七沉吟着，道："也许她和凤栖梧一样，在躲避别人的追踪。"

郭大路道："这理由乍一听好像很充足，仔细一想，却有很多地方说不通。"

燕七道："哦？"

郭大路道："世界这么大，有很多地方都可以躲避别人的追踪，尤其是像她这样的高手，为什么要去做别人的老妈子，听别人的指挥，受别人的气？"

他一面摇头，又接着道："就算她要做人家的老妈子，也应该找个像样一点的人，找个像样一点的地方，为什么偏偏选上活剥皮？"

燕七道："你想不通？"

郭大路道："实在想不通。"

燕七道："你想不通的事，别人当然也一定想不通了。"

郭大路笑笑，道："若连我也想不到，能想通的人只怕很少。"

燕七道："也许她就是要人家想不通呢？"

郭大路道："但想不通的事还有很多。"

燕七道："你说来听听。"

郭大路道："看她的武功，天下只怕很少有人能是她的对手。"

燕七也叹了口气，道："她武功的确很高，我非但没有看过武功这么高的人，简直连听都没有听说过。"

郭大路道："所以我认为她根本就用不着怕别人，根本就用不着躲。"

燕七道："莫忘记，强中更有强中手，一山还有一山高。"

郭大路道："这只不过是句已老掉牙的俗话。"

燕七道："老掉牙的话，往往就是最有道理的话，愈老愈有道理。"

第十九章

林太平的秘密

01

郭大路道："假如她真的在躲避别人的追踪，行动至少应该秘密些，但我们每次去当铺的时候，都看到她里里外外地走进走出，一点也没有不敢见人的样子。"

燕七道："那时你看不看得出她是个怎样的人？"

郭大路道："看不出。"

燕七道："别人既然看不出她是谁，她为什么不敢见人？"

郭大路道："你认为她也和凤栖梧一样，易容改扮过？"

燕七道："江湖中会易容改扮的人，并不止凤栖梧一个。"

郭大路道："那么，金狮子和棍子为什么一眼就看出她是谁了呢？"

燕七道："你怎么知道他们看出来了？"

郭大路道："他们若没有看出来，对活剥皮为什么会前倨后恭？"

燕七眨眨眼，道："那么依你看来，这究竟是怎么回事？"

郭大路道："依我看，她和活剥皮一定有点特别的关系，也许是活剥皮的老朋友，也许是活剥皮的亲戚，你说有没有道理？"

燕七道："有道理。"

郭大路笑道："想不到你居然也承认我有道理。"

燕七忽然也笑了，道："因为我的看法本来也是这样的。"

郭大路怔了怔，道："你的看法既然早就跟我一样，刚才为什么要跟我抬杠？"

燕七道："因为我天生就喜欢跟你抬杠。"

郭大路瞪着眼看了他半天，道："假如我说这雪是白的呢？"

燕七道："我就说是黑的。"

无论你多聪明，多能干，但有时还是会突然遇见个克星，无论你有多大的本事，一遇见他就完全使不出来了。

燕七好像就是郭大路的克星。

郭大路硬是对他没法子。

过了半晌，他忽又笑了笑，道："至少有一件事你总不能不承认的。"

燕七道："什么事？"

郭大路笑道："活剥皮这次连一个人的皮都没有剥到。"

燕七道："你又错了。"

郭大路苦笑道："我又错了？"

燕七道："活剥皮这次总算剥了一个人的皮。"

郭大路道："剥了谁的皮？"

燕七道："他自己的。"

02

林太平究竟是什么人？

为什么有人肯花好几千两银子来找他？

找他干什么？

郭大路道："你看这些人为什么要找林太平呢？"

这次他好像已学乖了，自己居然没有发表意见。

燕七沉吟着，道："你若肯花五六千两银子去找一个人，为的会是什么呢？"

郭大路笑道："我根本就不会做这种事。"

燕七瞟了他一眼，道："假如我忽然失踪了，若要你花五千两银子来找我，你肯不肯？"

郭大路想也不想，立刻道："当然肯。为了你，就算叫我拿脑袋去当都没关系。"

燕七的眼睛亮了。

一个人的眼睛只有在非常快乐、非常得意时才会亮起来的。

郭大路道："因为我们是好朋友，所以我才肯。但林太平却绝不是那两人的好朋友，他根本就不会交这种朋友。"

燕七点点头，道："假如有人杀了我，你是不是也肯花五千两银子找他呢？"

郭大路道："当然肯，我就算拼了老命，也要找到那人替你报仇。"

他忽又摇着头，道："但林太平却绝没有杀过人，他以为自己杀了南宫丑之后那种痛苦的样子，绝不是装出来的。"

燕七道："假如有人抢了你五万两银子，要你花五千两银子找他，你当然也愿意的。"

郭大路道："但林太平来的时候身上连一分银子也没有，何况他根本也不像那种人。"

燕七笑了笑，道："现在不是我在找你抬杠，是你在找我抬杠了。"

郭大路也笑了，道："因为我知道你心里也一定不会真的这么想。"

燕七叹了口气，苦笑道："老实说，我根本就想不出他们找林太平为的是什么？"

郭大路笑道："虽然想不出却问得出的，莫忘记我已从棍子那里学会了很多种问话的法子。"

屋子里的灯还亮着，既没有看到有人进去，也没有看到有人出来。

他们正想去问个明白，窗子忽然开了。

一人正站在窗口招手。

他们正弄不清这人是在向谁招手的时候，这人已笑道："树上一定很冷，两位为什么不进来烤烤火呢？"

火很旺。

坐在火旁的确比蹲在树上舒服多了。

刚才在窗口向他们招手的人，现在也已坐了下来。

这人既不是那脸上有刀疤的大汉，也不是那看着很凶恶的独臂人。

这人刚才根本就不在这屋子里。

刚才在这屋子里的人，现在已不知到什么地方去了。郭大路既没有看见他们走出来，也没有看见这个人走进去。

郭大路只有一点值得安慰的地方。

这人从头到脚，无论从哪里看都比刚才那两人顺眼得多。

最重要的是，这人是个女人。

03

每个人都有自己一套独特的法子来将女人分成好几等，好几类。

无论你用哪种法子来分，她都可以算是第一等的女人。

她虽然已不太年轻，但看起来还是很美，很有风韵。

世上的确有种女人可以令你根本就不会注意她的年纪。

她就是这种女人。

美丽的女人大多都很高傲，很不讲理，只有很少数的例外。

她就是例外。

奇怪的是，像这么样一个女人，怎么会忽然在这屋子出现呢？

她和刚才那两个人有什么关系？和这件事又有什么关系？

郭大路当然想问，却一直没有机会。

他每次要问的时候，都发现自己先已被人问——这么样一个女人在问你话的时候，你当然只有先回答。

“我姓卫。”她微笑着道，“你们两位呢？”

她的笑容让人根本没法子拒绝回答她的话。

郭大路抢着道：“我姓郭。他姓燕，燕子的燕。”

燕七瞪了他一眼，卫夫人已笑道：“林太平的朋友我都认得，怎么一直没有见过你们两位？”

郭大路又想抢着回答，忽然发现燕七的眼睛正在瞪着他。

他只好低下头去咳嗽。

燕七的眼睛这才转过来，看着卫夫人，淡淡道：“你怎么知道我们是林太平的朋友？”

卫夫人道：“两位冒着风雪从老远的地方赶到这里来，又冒着风雪在外面等了那么久，当然不会是为了那当铺老板。”

燕七道：“为什么不会？”

卫夫人嫣然道：“龙交龙，凤交凤，耗子交的朋友会打洞。什么人交什么样的朋友，这点我至少还能看得出来。”

燕七眨眨眼，道：“这么样说来，你当然也认得林太平？”

卫夫人点点头。

燕七笑了笑，道：“其实这句话我根本就不该问的，你连他的朋友都完全认得，当然也跟他很熟了。”

卫夫人微笑道：“的确可以算很熟。”

燕七道：“下次你见到他的时候，不妨替我们问声好，就说我们很想念他。”

卫夫人道：“我也很想见他一面，所以特地来请教你们两位。”

燕七道：“请教什么？”

卫夫人道：“我想请两位告诉我，他这两天在什么地方？”

燕七好像很惊讶，道：“你跟他比我们熟得多，怎么会不知道他在什么地方？”

卫夫人笑了笑，道：“无论多熟的朋友，也常常会很久不见面的。”

燕七叹了口气，道：“我还想请你带我们去看看他哩。”

卫夫人道：“你们也不知道他在哪里？”

燕七道：“若连你都不知道，我们怎么会知道？他的朋友我们连一个都不认得。”

他忽然站起来，拱拱手，道：“时候不早，我们也该告辞了。”

卫夫人淡淡笑道：“两位要走了么，不送不送。”

她居然也一点阻拦的意思都没有，就这样看着他们走了出去。

刚走出这客栈，郭大路就忍不住道：“我真佩服你，你真有一手。”

燕七道：“哪一手？”

郭大路道：“你说起假话来，简直就跟真的完全一样。”

燕七瞪了他一眼，道：“我也很佩服你。”

郭大路道：“佩服我什么？”

燕七冷冷道：“像你这样的人，倒也很少有，只要一见到好看的女人你立刻就将生辰八字都忘了，简直恨不得把家谱都背出来。”

郭大路笑了，道：“那只因我看她并不像是个坏人嘛。”

燕七冷笑道：“坏人脸上难道还挂着招牌么？”

郭大路道：“她若真的有恶意，怎么会随随便便就让我们走？”

燕七冷笑道：“不让我们走又能怎么样？难道她还有本事把我们留下来？”

郭大路叹了口气，道：“你若以为她是个普通女人，你就错了。”

燕七道：“哦？”

郭大路道：“我们的一举一动，她好像都知道得清清楚楚，就凭这点，我就敢断定她绝不是个普通人。”

燕七道：“她知道些什么？”

郭大路道：“她知道我们是从外地来的，知道我们躲在树上……”

他声音突然停住，悄悄道：“你看看后面那药店门口。”

燕七道：“我用不着看。”

郭大路道：“你已发现有人在盯着我们的梢？”

燕七冷笑着点了点头。

他们已转入一条比较偏僻的街道，这条街上的店铺关门比较早，本已没什么人行走。

药店也早就打烊了，却有个身材很矮小的黑衣人，站在门口的柱子后面，还不时伸出半边脸向他们偷看。

郭大路道：“这人是不是一直在后面跟我们？”

燕七道：“一走出那客栈，我就已发现他了。所以我才故意转到这条街上来。”

他冷笑着接道：“现在你总该知道，那位卫夫人为什么随随便便就让我们走了吧？”

郭大路道：“难道她早已知道我们跟林太平住在一起，所以，才故意让我们走，再叫人在外面跟踪？”

燕七道：“嗯。”

郭大路叹了口气，道："她算盘打得倒不错，只可惜未免将我们估计得太低了些。"

燕七冷冷地道："难道你还以为她将你看得很了不起？"

郭大路道："我虽然没有什么了不起，但别人要想盯我的梢，倒还不太容易。"

燕七道："哦？"

郭大路眨眨眼，笑道："想盯我梢的人，至少也得先喝喝西北风。"

街上只有家店还没有打烊。

无论哪条街上，打烊最晚的，一定是饭铺酒馆。

燕七忍不住笑道："我看你恐怕并不是想请别人喝西北风，只不过是自己想喝酒了吧。"

郭大路笑道："我喝酒，他喝西北风，反正大家都有的喝。"

郭大路喝酒有个毛病。

不喝得烂醉如泥，他绝不走；不喝得囊空如洗，他也绝不走。

天下假如只有一个人能治他这种病，那人就是燕七。

金链子当了五十两，分了一半给王动，郭大路这次居然没有将剩下来的一半完全喝光。

而且他走出小酒铺的时候，居然还相当清醒，还能看得见人。

那黑衣人果然还在那药铺门口的柱子后面喝西北风。

郭大路叹了口气，道："我应该让他多喝点的，他好像还没有喝够。"

燕七道："但你却已喝够。再喝下去，就连三岁小孩子都能盯得住你了。"

郭大路瞪眼道："谁说的，我就算用一条腿跑，他也休想追得上我，你信不信？"

燕七道："我只相信一件事。"

郭大路道："哪样事？"

燕七道："他就算能够追得上你，你也可以将他吹走。"

郭大路道："吹走？怎么样吹法？"

燕七道："就像你吹牛那样吹法。"

郭大路什么话也没有说，忽然捧起了一条腿，往前面一跳。

这一跳居然跳出两丈。

燕七叹了口气，摇着头，喃喃道："这人为什么总像是永远都长不大的。"

天是黑的，路是白的。

路其实并不白，白的是积雪。

郭大路看看两旁积雪的枯树飞一般往后面跑。

树其实并没有跑，是他在跑，用两条腿跑。他并不是怕甩不脱后面那盯梢的黑衣人，而是怕自己赶不上燕七。

燕七施展起轻功的时候，真像是变成了一只燕子。

郭大路已开始在喘气。

燕七这才渐渐慢了下来，用眼角瞟着他，笑道："你不行了吗？"

郭大路长长吐出口气，苦笑道："我吃得比你多，块头比你大，当然跑不过你。"

燕七道："马吃起来也很凶，块头也很大，但跑起来还是快得很。"

郭大路道："我不是马，我只有两条腿。"

燕七笑道："你不是说就算用一条腿跑，别人也休想追得上你吗？"

郭大路道："我说的不是你。"

燕七目光闪动，道："你以为别人就不行？"

郭大路道："当然。"

燕七忽然叹了口气，道："你为什么不回头去看看呢？"

郭大路一回头就怔住。

路是白的，人是黑的。

刚才躲在药店门口柱子后面的黑衣人，现在居然又追到这里来了。

郭大路怔了半晌，道："想不到这小子居然也跑得很快。"

燕七道："莫说你只用一条腿，看来就算用三条腿跑，他也照样能追得上你。你信不信？"

郭大路道："我信。"

燕七看着他，目中充满了笑意。

他的确是个很可爱的人，最可爱的地方就是他肯承认自己的毛病。

所以他无论有多少毛病，都还是个很可爱的人。

燕七道："我们既然甩不掉他，就不能回去。"

郭大路道："不错。"

燕七道："不回去到哪里去呢？"

郭大路道："没地方去。"

他眨了眨眼，忽又笑道："你还记不记得你自己刚才说的什么话？"

燕七道："我说了什么？"

郭大路道："你说，他就真能追上我，我也可以把他吹走。"

燕七笑道："你真有这么大的本事？"

郭大路道："当然。"

燕七也眨了眨眼，道："你想用什么吹？"

郭大路道："用拳头。"

他忽然转身，向黑衣人走了过去。

黑衣人站在路中央，看着他。

"这小子倒沉得住气。"

郭大路也沉住了气，慢慢地走过去，心里正盘算着，是先动嘴巴，还是先动拳头？

谁知那黑衣人忽然沉不住气了，扭头就跑。

郭大路也立刻沉不住气了，拔脚就追。

他忽然发觉这黑衣人的轻功绝不在燕七之下，他就算长着三条腿也追不着，只有大叫道："朋友，你等一等，我有话说。"

那黑衣人偏偏不等，反而跑得更快。

郭大路火了，大声道："你难道是个聋子？"

黑衣人忽然回头笑了笑，道："不错，我聋得很厉害，你说的话我连一个字都听不见。"

他好像存心要气气郭大路。

无论谁存心要让郭大路生气都很容易，他本来就容易生气。

一生气就非追上不可。

本来是这黑衣人在盯他的梢，现在反而他在盯这黑衣人了。

燕七也只有陪着他追。

路旁有片积雪的枯林，枯林里居然还有灯光。

黑衣人身形在树林里一闪，忽然不见了。

灯光还亮着。

灯光是从一栋屋子里照出来的，黑衣人想必已进入了这屋子。

郭大路咬着牙，恨恨道："你在外面等着，我进去看看。"

燕七没有说话，也没有拉住他。

郭大路若是真的想做一件事，那就根本没有人能拉得住。

就算他要去跳河，燕七也只有陪他跳。

亮着灯的那间屋子，门居然是开着的，灯光从门里照出来。

郭大路冲过去，刚冲到门口，又怔住了。

屋子里生着一盆火，火盆旁坐着一个人。

火烧得很旺，人长得真美。

卫夫人。

她看到郭大路，连一点惊奇的样子都没有，微笑着，道："外面一定很冷，两位为什么不进来烤烤火？"

她好像一直在等着他们似的。

04

除了她之外，屋子里还有一个人。

一个黑衣人。

郭大路一看见这黑衣人，火气又上来了，忍不住冲了进去，大声叫道："你为什么一直在后面盯着我？"

黑衣人眨了眨眼，道："是我在盯你？还是你在盯我？"

他的眼睛居然很亮。

郭大路道："当然是你在盯我。"

黑衣人笑道："你知不知道这是什么地方？"

郭大路道："不知道。"

黑衣人道："那么我告诉你，这是我的家。"

郭大路道："你的家？"

黑衣人笑道："若是我在盯你，怎么会盯到我自己的家里来了？"

郭大路又怔住。

他忽然发觉，这黑衣人不但眼睛很亮，而且笑得也很甜。

这黑衣人原来是个穿着黑衣服的女人，而且最多也只不过十六七岁。

郭大路就算有很多道理，也全都说不出来了。

卫夫人笑道："两位既然来了，请坐请坐。"

火盆旁还有两张椅子。

燕七坐下来，忽然笑道："你好像早就知道我们要来，早就在等着我们了。"

卫夫人微笑道："你们要走，我拉不住，你们要来，我也挡不住的。"

燕七道："我们现在若又要走了呢？"

卫夫人道："我还是只有一句话。"

燕七道："什么话？"

卫夫人道："不送不送。"

燕七道："但你还是会要这位小妹妹在后面盯我们的梢。"

黑衣少女瞪眼道："谁要盯你们的梢，那条路你们能走，我为什么不能走？你们随随便便就可以往我家里闯，我难道就不能跟你们走一条路？"

燕七冷笑道："原来你只不过凑巧跟我们同路。"

黑衣少女道："一点也不错。"

燕七道："这倒真的很巧。"

卫夫人淡淡笑道："等你年纪再大些时，就会发现天下凑巧的事本来就很多。"

燕七道："这么样看来，你已打定主意，要从我们身上找到林太平了。"

卫夫人笑道："那就得看你们是不是知道他在哪里了。"

燕七道："我们若是知道呢？"

卫夫人微笑道："只要你们知道，我迟早也会知道的。"

燕七忽然向郭大路眨眨眼，道："一个人的腿若是被绳子捆住，还能不能盯梢？"

郭大路道："好像不能了。"

燕七笑道："答对了。"

他袖中忽然飞出条绳子，向黑衣少女的腿上缠了过去。

这条绳子就像蛇一样，又快又准，而且还好像长着眼睛似的。

只要他绳子出手，就很少有人能躲得开。

黑衣少女根本没有躲，因为绳子已到了她手里。

她的手慢慢地伸了出来，绳子的去势虽很快，但也不知为了什么，绳子忽然间就已被她抓住。

燕七用力一拉，想把绳子拉回来。

卫夫人并没有用力，但也不知为了什么，绳子却已到了她手里。

燕七的脸色变了，只有他才知道这是怎么回事，他只觉绳子上有股很奇怪的力量传了过来，震得他半个身子到现在还在发麻。

他从来不相信世上真有这么可怕的内功。

现在他相信了。

卫夫人微笑道："其实你就算真将她两条腿都捆起来，也没有用的。"

燕七沉默了半晌，长长叹了口气，道："的确没有用。"

卫夫人道："至少应该先捆上我的腿。"

燕七道："不错。"

卫夫人笑道："但我可以保证，世上绝没有一个人能捆住我的腿。"

燕七道："我绝对相信。"

他忽又笑了笑，道："但，我也可以向你保证一件事。"

卫夫人道："什么事？"

燕七道："我虽然捆不住你们的腿，却可以捆住另外一个人的腿；我只要捆住这人的腿，你们就算有天大的本事，也休想追出林太平的下落。"

卫夫人笑道："你打算捆住谁的腿呢？"

燕七道："我自己的。"

无论多没用的人，至少都能将自己的腿捆住，这也是件毫无疑问的事。

燕七捆住了自己的腿。

他身上的绳子还真不少。他好像很喜欢用绳子做武器。

卫夫人也怔住了，怔了半晌，才展颜笑道："不错，这倒的确是个好主意，连我都不能不承认这是个好主意。"

燕七道："过奖过奖。"

卫夫人道："你若将自己捆在这里，我的确没法子追出林太平的下落来。"

郭大路道："我用不着捆自己的腿，他的腿就跟我的腿一样。"

卫夫人道："这么样看来，你也决心不走了。"

郭大路道："好像是的。"

卫夫人道："我本来也已准备将你们用绳子捆起来，逼你们说出林太平的下落。你们不说，就不放你们走的。"

她居然也叹了口气，苦笑道："谁知你们竟自己捆起了自己。"

郭大路笑道："这就叫先下手为强。"

卫夫人道："只可惜后下手的也未必遭殃，遭殃的也还是你们自己。"

郭大路道："哦？"

卫夫人道："你们总不能在这里耽一辈子吧？"

郭大路笑道："那倒也说不定。"

他四面看了看，又笑道："这里又暖和又舒服，至少比我们住的那破屋子舒服多了。"

卫夫人目光闪动，道："你们住的是个破屋子？"

郭大路道："你用不着套我的口风，天下的破屋子很多，你若想一间间地去找，找到你进棺材里也找不完的。"

卫夫人又叹了口气，道："我只不过觉得有点奇怪而已。"

郭大路道："你奇怪什么？"

卫夫人道："林太平从小就娇生惯养，怎么会在一间破屋子耽得下去呢？"

郭大路道："因为我们那破屋子里，有样东西是别的地方找不到的。"

卫夫人道："你们那里有什么？"

郭大路道："朋友。"

只要有朋友，再穷再破的屋子都没关系。

因为只要有朋友的地方，就有温暖，就有快乐。

没有朋友的地方就算遍地堆满黄金，在他们看来，也只不过是座用黄金建成的牢狱。

卫夫人沉默了很久，才又轻轻叹息了一声，道："看来你们虽然有点儿奇怪，倒都是很够朋友的人。"

郭大路道："我们至少总不会出卖朋友。"

卫夫人问道："无论等到什么时候，都不会出卖朋友？"

郭大路点点头。

卫夫人又笑了，悠然道："好，我倒要看看，你们能等到几时？"

第二十章

黑暗的地狱

01

天亮了。

桌上摆满了很多点心，每种都很好吃。

吃，不但是种享受，也是种艺术。

卫夫人很懂得这种享受，也很懂得这种艺术。

她吃得很慢，也吃得很美。

无论她在吃什么的时候，都会令人觉得她吃的东西非常美味。

何况这些点心本来就全都是美味。

吃起来是美味，嗅起来也一定很香。

郭大路已忍不住开始在悄悄地咽口水。酒意一退，肚子就好像饿得特别快。

饿着肚子看别人大吃大喝，这种滋味有时简直比什么刑罚都难受。

郭大路忽然大声道："主人独个儿大吃大喝，却让客人饿着肚子在旁边看着，这好像不是待客之道。"

卫夫人点点头，道："这的确不是待客之道，但你们是我的客人么？"

郭大路想了想，叹息着苦笑道："不是。"

卫夫人道："你们想不想做我的客人呢？"

郭大路道："不想。"

卫夫人道："为什么？为了林太平？"

郭大路也长长叹了口气，道："谁叫他是我们的朋友呢。"

卫夫人笑了笑，道："你们虽然很够朋友，却也够笨的。"

郭大路道："哦？"

卫夫人道："直到现在，你们还没有问我为什么要找林太平。"

郭大路道："我们根本不必问。"

卫夫人道："为什么不必问？你们怎知道我找他是好意还是恶意？也许我找他只不过是为了要送点东西给他呢？"

郭大路道："我只知道一件事，他若不想见你，我们就不能让你找到他；无论你是好意还是恶意，都是一样的。"

卫夫人道："你怎么知道他不愿见我？"

郭大路道："因为你找他找得太急，很像不怀好意的样子，否则，你就该让我们回去告诉他，再叫他来找你。"

卫夫人笑道："看来你们还不太笨，只不过有一点笨而已。"

郭大路道："哦？"

卫夫人道："你们就算怕我在暗中追踪，不回去也就是了，还是可以到别的地方去的，又何必自己把自己捆在这里呢？"

郭大路想了想，看看燕七，道："她说的话好像有点道理，我们为什么还不走呢？"

卫夫人道："因为我现在已不让你们走了。"

郭大路道："你自己说过我们随时都可以走的。"

卫夫人道："我现在已改变了主意。"

她笑了笑，接着道："你知道，女人总是随时都会改变主意的。"

郭大路叹道："你若不是女人就好了。"

卫夫人道："有什么好？"

郭大路盯着她面前的烧卖和蒸饺，道："你若是男人，我至少可以厚着脸皮抢你的东西吃。"

卫夫人微笑道："你为什么不把我当作男人来试试看？"

郭大路又看看燕七，燕七眨了眨眼。

卫夫人又道："你们两个人不妨一起过来抢。"

燕七笑了笑，道："我的脸皮没有他厚，还是让他一个人动手吧。"

郭大路叹了口气，道："一个人饿得要命的时候，脸皮想不厚些也不行了。"

他身子突然掠起，向那张摆满了点心的桌子扑了过去。十指箕张，弯曲如鹰爪，用的居然是鹰爪功中一招极厉害的“飞鹰搏兔”。

用“飞鹰搏兔”这种招式来抢蒸饺，未免是件很可笑的事。

但一个人若是饿极了，再可笑的事也一样能做得出来的。

卫夫人笑道：“你的鹰爪功倒不错。”

她嘴里轻描淡写地说着话，手里的筷子忽然轻轻往前面一点。

她用的是一双翡翠镶的筷子，这种筷子往往碰一碰就会断。

筷子在郭大路右手的中指上轻轻一点。

筷子没有断。

郭大路的人却像是断了，突然从半空中落了下来，眼看就要跌在摆满了点心的桌子上。

卫夫人手里的筷子忽然夹住了他的腰带，他整个人的重量都已落在这双一碰就断的筷子上。

筷子还是没有断。

卫夫人的手悬在空中，用筷子夹着他，就像是夹着个大虾米似的。

燕七看呆了。

卫夫人微笑道：“这么大一个饺子，够你吃了。”

话未说完，郭大路的人已向燕七飞了过去。

燕七想去接，没有接住，两个人一撞，全都跌在地上。

过了很久，郭大路还没有爬起来，只是眼睁睁地看着卫夫人。

他好像也看呆了。

燕七忽然道：“你知不知道她用的这一招叫什么功夫？”

郭大路摇摇头。

燕七道：“你既然会鹰爪功，就应该知道其中有一招叫老鹰抓鸡。”

郭大路点点头。

燕七笑道：“她这一招就是从‘老鹰抓鸡’中变化来的，叫作‘筷子夹鸡’。”

郭大路叹了口气，喃喃道：“我究竟是鸡，还是饺子呢？”

燕七道：“是鸡肉馅儿的饺子。”

郭大路也笑了，道：“想不到你懂得的事倒还真不少。”

他身子突然又箭一般蹿了过去。

这一次，他没有向桌子上面伸手，却蹿入了桌子底下。

卫夫人正微笑着在听他们说话，好像正听得有趣的样子。

她既没有想到郭大路说着说着，会忽然又蹿了过来，更没有想到这人会往桌子底下蹿。

桌子底下又没有点心，这人到下面去干什么呢？想捡骨头么？

饺子又没有骨头呀。

卫夫人也不禁觉得有点奇怪，就在这时，桌上的点心突然凭空跳了起来。

郭大路的手在桌子底下一拍，桌上的点心就跳起了七八尺高。

燕七的手一挥，本来捆在他腿上的绳子突又长虹般飞出，长蛇般一卷，就有七八样点心被他卷了过去。

郭大路也已从桌子底下蹿出。

燕七一松手，点心掉下来四个，郭大路伸手接着了两三个，同时张大了嘴，一个软软的糯米烧卖正好不偏不倚掉在他嘴里。

这几下子虽然并不是什么了不起的武功，但却配合得又紧凑，又巧妙，简直令人叹为观止。

卫夫人居然也叹息了一声，说道："看了你们这两手功夫，我就算让你们吃点东西，也算值得的了。"

郭大路三口两口就将烧卖吞了下去，笑道："这人倒总算还有点良心。"

他开始吃第二个烧卖的时候，燕七也已吞下了个包子。

能吃得这包子可真不容易，所以嚼在嘴里滋味也像是特别好些。

燕七笑道："这包子真好吃，却不知是用什么做馅儿的？"

卫夫人微笑道："包子和烧卖都有两种馅儿。"

郭大路道："哪两种？"

卫夫人道："一种是虾仁鲜肉的。"

郭大路道："还有种是什么肉？"

卫夫人道："老鼠肉，毒老鼠。"

老鼠肉本来是可以吃的，但毒老鼠吃下去，却能要人的命。

郭大路吃下去的烧卖，好像已停在嗓子眼儿上，再也咽不下去。

他本来还想问问，他吃的烧卖是哪种馅儿，但现在却已用不着问了。

他忽然觉得四肢发软，脑袋发晕。

再看看燕七一张脸竟已变成死灰色，而且渐渐发黑。

卫夫人还在微笑。

郭大路正想冲过去，忽然觉得她像是已到了很远很远的地方，一张脸渐渐变得模糊不清，渐渐连看都看不见了。

他只觉得燕七已冲过来，抱住他，在他耳旁道："临死之前，我有个秘密要告诉你。"

郭大路道："什……什么秘密？"

燕七道："我……"

他还没有说出自己的秘密，就已倒下。

就算他说出，郭大路也听不见了。

人为财死，鸟为食亡。

这句话并不太对。

有的人并不太在乎财宝，绝不会为了钱拼命，却往往会为了好吃而死。

你是不是觉得这种死法很冤枉？

等你饿得发晕时，说不定也会觉得不如死了算了。

但他们为什么会挨饿呢？

朋友，当然是为了朋友。

"为朋友而死的人，是绝不会下地狱的。"

但朋友若都在地狱里，他们也许宁可下地狱，也不愿上天堂。

02

自古艰难唯一死。

死，的确可以算是最可怕的事了。

那意思就是你已完了，已完全消灭了，从此不再有希望，你的肉体很快就会腐烂，你的姓名也很快就会被人淡忘。

世上还有什么比死更可怕的呢？

死了若还得下地狱，那当然更可怕。

但地狱究竟是什么样子，谁也不知道。

那地方想必很黑暗，非常黑暗……

黑暗。

黑暗得让你非但看不见别人，也看不见自己。

郭大路连自己都看不见。

他只感觉到自己的眼睛已睁开了。

但自己究竟是在什么地方？究竟是不是还存在？他却完全不知道。

“不知道”的本身就是种恐惧——也许就是人类最大的恐惧。

人们恐惧死亡，岂非也正因为他根本不知道死亡究竟是什么样子的。

郭大路也不能不恐惧，几乎已恐惧得连动都不能够动。

恐惧本就是人类永远无法克服的感觉。

过了很久，郭大路才听到自己身旁仿佛有个人在呼吸。

但那究竟是不是人的呼吸声？他还是不知道。

在如此黑暗中，任何人都已无法再对自己有信心。

幸好他还能相信一件事：燕七活着时既然跟他在一起，就算死了也一定还是会跟他在一起。

有些朋友，好像永远都分不开的，无论死活都分不开。

所以郭大路壮起胆子，道：“燕七……是不是你？”

又过了半晌，黑暗中才响起一个很虚弱的声响：“是小郭吗？”

郭大路总算松了口气。

只要有朋友跟他在一起，无论死活都没关系了。

他身子开始往那边移动，终于摸到了一只手，一只冰冷的手。

郭大路道：“这是不是你的手？”

手动了动，立刻将郭大路的手握紧。

然后听到燕七虚弱的声音道：“这是什么地方？”

郭大路道：“不知道。”

燕七道：“我们是不是还活着？”

郭大路叹了口气，道：“不知道。”

燕七也叹了口气，道："看来你活着时是个糊涂人，死了也是个糊涂鬼。"

郭大路却笑了，笑着道："看来你活着时要臭我，死了也要臭我。"

燕七没有说话，却将郭大路的手握得更紧。

他平时本是个很坚强的人，但现在却像是要倚赖着郭大路了。

也许他本就在倚赖着郭大路了，只不过平时一直在尽力控制着自己——一个人只有到了真正恐惧的时候，才会将自己真正的情感流露出来。

郭大路沉默了半晌，忽又问道："你猜我现在最想知道什么？"

燕七道："想知道这里是什么地方？"

郭大路道："不对。"

燕七道："想知道我们究竟是不是还活着？"

郭大路道："也不对。"

燕七叹道："我现在没有心情猜你的心事，你自己说出来吧。"

第二十一章

千古艰难唯一死

郭大路说道："我最想知道你的秘密。"

燕七道："我？……我有什么秘密？"

郭大路道："你临死前要告诉我的那样秘密。"

燕七的手忽然缩了回去，沉默了很久，才带着笑道："到现在你还没有忘记？"

郭大路笑道："无论死活都不会忘记。"

燕七又沉默了很久，才缓缓道："可是现在我已不想把那件事告诉你了。"

郭大路道："为什么？"

燕七道："也没有为什么，只不过……只不过……"

他这句话还没有说完，前面那无边无际的黑暗中，忽然亮起了一点阴森森、碧磷磷的火光。

鬼火！

惨碧色的火光下，仿佛有个人影。

也许不是人影，是鬼影。

他看起来飘飘荡荡地站在那里，好像上不着天，下不着地。

郭大路忍不住喝道："你是人？还是鬼？"

没有回答，这也不知是人还是鬼的影子，忽然又向前飘了过去。

无论他是人也好，是鬼也好，总是这无边黑暗中唯一的一点亮光。

只要有一点光，就比黑暗好。

郭大路沉声道："你还能不能走？"

燕七道："能。"

郭大路道："我们追过去好不好？"

燕七叹道："无论如何，我想总不会比现在这情况更坏的了。"

鬼火还在前面飘荡着，好像故意在等着他们。

郭大路已找着了燕七的手，再握紧，道："你拉着我，千万莫要放松，无论好歹，我们都要在一起。"

他们的力气还没有恢复，身子还有点麻痹。

但无论如何，他们总算已站了起来，跟着那点鬼火往前走。

前面是什么？

是天堂？还是地狱？

他们既不知道，也不在乎，因为他们总算还能手拉着手往前走。

等他们渐渐可以走得快一点的时候，前面那鬼火速度也加快了。

鬼火突然如流星般一闪，忽然消失。

四面又变得完全黑暗。

没有光，没有声音。

他们只能听得到自己心跳的声音，心跳得很快。

两个人都已感觉出对方的手心里在冒冷汗。

郭大路道："你用不着害怕，假如我们真的已死了，还有什么好害怕的？假如我们还没有死，就更不必害怕了。"

一个人叫别人莫要害怕的时候，他自己心里一定在害怕。

燕七道："我们是继续往前走？还是退回去？"

郭大路道："我们是往后退的人么？"

燕七道："好，不管好歹，我们先往前面闯一闯再说！"

两人的手握得更紧，大步向前冲出。

突听一声大喝，道："站住！"

喝声一响起，黑暗中突又闪起了七八点鬼火。

阴森森的火光飘飘荡荡地悬在半空。

他们已可以看到前面有张很大很大的公案。

案上有个笔筒，还堆着很多个本子，也不知是书？还是账簿？

一个人正坐在案后，翻着一本账簿。

他们还是看不清这人的面目，依稀只看出这人好像长着很长的胡子，头上还戴着顶古代的皇冠。

刚才那鬼影也在公案旁，还是上不着天，下不着地地吊在那里，手上好像拿着一块很大的木牌。

难道这就是拘魂牌?

难道这地方就是森罗殿?

上面坐的就是阎王?

他们不知道，谁也没有到过森罗殿，谁也没有看见过阎王。

但他们却已感觉到一种阴森森的鬼气，令人毛骨悚然。

上面坐的阎王居然说话了。

那声音也阴森森的带着鬼气，道:“这两人阳寿未尽，为何来此?”

那鬼影子道:“因为他们犯了罪。”

阎王道:“犯的是何罪?”

鬼影子道:“贪吃之罪。”

阎王道:“罪在几等?”

鬼影子道:“男人好吃，必定为盗；女人好吃，必定为娼。此罪列为七等，应打入第七层地狱，永世不得吃饱。”

郭大路突然大声道:“说谎的罪更大，应该打入拔舌地狱……”

阎王一拍桌子，喝道:“大胆，在这里也敢如此放肆?”

郭大路道:“无论你是人也好，是鬼也好，只要冤枉了我，我都非放肆不可。”

阎王道:“冤枉了你什么?”

郭大路大声说道:“你若真的是阎王，自己就该知道。”

燕七忽也大声说道:“你至少应该知道一件事。”

阎王道:“什么事?”

燕七道:“无论你是真阎王也好，假阎王也好，都休想能从我们嘴里打听出林太平的下落。”

这句话说出来，阎王好像反倒有点吃惊，过了半晌，才阴恻恻道:“就算我是个假阎王，但你们却已真死了。”

燕七道:“哦?”

阎王冷笑道:“既已到了这里，你们难道还想活着回去?”

燕七道:“想不想活着是一回事，说不说又是另外一回事了。”

阎王厉声道:“你们难道宁死也不说?”

燕七道:“不说就是不说。”

阎王冷笑道："好！"

这个字说出口，所有的火光突又消失，又变为一片黑暗。

郭大路拉着燕七就往前面冲。

他们同时冲过去，同时跌倒在地。

前面的公案已没有了，阎王也没有了，小鬼也没有了。

除了黑暗外，什么也没有了。

只有两个人。

这两人不是太聪明，就是太笨。

左面是石壁，右面也是石壁，前面是石壁，后面也是石壁。

比铁还硬的石壁。

他们终于发觉这地方已变成个石桶。

所以他们索性坐了下来。

过了很久，郭大路居然笑了笑，道："你也发现那阎王是假的了？"

燕七道："那阎王一定就是卫夫人。"

郭大路道："但卫夫人没有胡子。"

燕七道："胡子也是假的，什么都是假的。"

郭大路忽然大笑，道："这人倒也滑稽，居然想得出这种笨法子来，想要我们上当。"

燕七也笑道："简直滑稽得要命。"

他们虽然在笑，但笑的声音却难听得很，甚至比哭都难听。

因为这件事并不滑稽，一点也不滑稽。

这法子也不笨。

你若吃了个有毒的包子，忽然觉得四肢无力，又看到你朋友的脸已发黑，然后就晕死了过去；等你醒来的时候，就发现自己在这么样一个地方，看到了一个飘在半空的鬼影子，还看到了一位戴着皇冠、长着胡子的阎王，你会不会觉得这件事滑稽？

郭大路已笑不出了，忽然叹了口气，道："她做的事虽滑稽，说的话却不滑稽。"

燕七道："什么话？"

郭大路道："阎王虽是假的，我们却已等于真的死了。"

燕七道："你怕死？"

郭大路叹道："的确有点怕。"

忽然间，火光又一闪，照亮了一大堆黄澄澄闪着金光的东西。

金子。

世上很少有人能看到这么多金子。

黑暗中又响起了那阴恻恻的声音："只要你们说出来，我不但立刻就放你们走，这些金子也全都是你们的了。"

郭大路突然跳起来，大声叫道："不说，不说，不说。"

黑暗中发出了一声叹息，然后就又什么都看不见，什么都听不见了。

又过了很久，燕七忽然道："原来你也不怕死。"

郭大路叹道："怕是不太怕，只不过……我们虽然是为林太平死的，他却根本不知道，也许永远都不会知道。"

燕七道："你无论为朋友做了什么，都是你自己的事，根本就不必想要朋友知道。"

郭大路笑了，道："我本来还怕你觉得死得太冤枉，想不到你比我更够朋友。"

燕七沉默了半晌，反而叹了口气，道："也许我并不是够朋友，只不过想得够明白而已。"

郭大路道："明白什么？"

燕七道："为了要找林太平，她好像已不惜牺牲任何代价。"

郭大路道："好像是的。"

燕七道："她若非跟林太平有很深的仇恨，怎么肯如此牺牲呢？"

郭大路道："我只奇怪，林太平只不过是个小孩子，怎么会跟她这种人结下深仇大恨呢？"

燕七道："想必是他上一代结下的仇怨，她为了要斩草除根，所以才非杀林太平不可。"

郭大路道："有理。"

燕七道："她既然知道我们是林太平的朋友，当然也不会放过我们。所以我们就算说出了林太平的下落，也是一样要死，也许死得更快。"

郭大路长叹了一口气，苦笑道："被你这么一说，我好像也觉得自己并没有自己说的那么够朋友了。"

燕七道："你也想到了这一点？"

郭大路道："但若非你提醒，我就已忘了。"

燕七道："怎么会忘？"

郭大路道："一件事你若故意不去想它，岂非就等于忘了一样？"

燕七道："为什么要故意不去想它呢？"

郭大路道："因为，那样我就会觉得自己真的很够朋友，等我死的时候，就会觉得自己比较伟大一点。"

燕七笑了，但笑声中却有些辛酸之意。

过了很久，才缓缓道："其实你本来就比别人伟大一点。"

郭大路好像要跳了起来，道："我伟大？你也觉得我伟大？"

燕七道："没有人天生就是英雄，英雄往往也是被逼出来的。大家虽然都明白这道理，却还是难免要自己骗骗自己。只有你……"

他叹息了一声，慢慢接着道："你不但敢承认，而且还敢说出来。"

郭大路道："这……这也许只不过因为我脸皮比别人厚。"

燕七道："这绝不是脸皮厚，是……"

郭大路道："是什么？"

燕七道："勇气！这就是勇气，很少人能有这种勇气。"

郭大路笑道："想不到你也有夸奖我的时候。是不是故意想安慰安慰我，让我觉得舒服些？"

燕七没有回答，只是紧紧握住了他的手。

冰冷的手好像已渐渐温暖了起来。

又过了很久，郭大路才缓缓道："其实我们认识并不久，但我总觉得你是我平生最好的朋友。其实王动也是我最好的朋友，但我对你还是和对他不同。"

燕七轻轻地问道："有什么不同？"

郭大路道："我也说不出来有什么不同，只不过……只不过王动若有什么对不起我的地方，我一定会原谅他；但你若对不起我，我反而很生气，气得要命。"

这种情感的确很微妙，也难怪他解释不出。

燕七的指尖好像在发抖，心里好像很激动，只可惜郭大路看不出他脸上的表情来，否则也许就会明白很多事了。

但不明白也很好。

那种缥缥缈缈、朦朦胧胧的感觉，有时反而更美、更奇妙。

只可惜他们能享受这种感觉的时候已不多了。

燕七忽然道："我还想知道一件事，却不知该不该问出来？"

郭大路道："你说。无论什么话，你都可以对我说的。"

燕七道："假如卫夫人真的肯放过我们，真的将那么多金子都送给我们，你是不是就会将林太平的下落告诉她？"

郭大路没有直接回答这句话，只是缓缓道："我只知道金子一定有用完的时候，人也一定有死的时候，但友情和道义却永远都存在的。"

他笑了笑，接着道："就因为世上还有这种东西存在，所以人才和畜生不同。"

燕七长长叹息了一声，道："我好像很少听到你说这种话，你一天到晚好像都是嬉皮笑脸的样子，想不到你也能说得出这种道理来。"

郭大路道："有些道理并不是要你用嘴说的。"

燕七道："你若不说，别人怎么知道你究竟是个怎么样的人呢？"

郭大路道："我根本就用不着别人知道，只要我的朋友知道，只要你知道，那就已足够了。"

他忽又笑道："但现在我也很想知道一件事。"

燕七道："是不是想知道我还没有告诉你的那样秘密？"

郭大路道："答对了。"

燕七道："你……你还没有忘记？"

郭大路笑道："我早就说过，无论死活，都不会忘记。"

燕七沉默了很久，幽幽道："其实我已有很多次都想要将这个秘密说出来了，却又怕说出后会后悔。"

郭大路道："后悔？谁后悔？"

燕七道："我。"

郭大路道："你为什么要后悔？"

燕七道："因为……因为我怕你知道这件事后，就不愿再跟我交朋友。"

郭大路用力握住了他的手，道："你放心，无论你是个怎么样的人，无论你以前做过什么事，我都永远是你的朋友。"

燕七道："真的？"

郭大路大声说道："我若有半句虚言，就叫我不得好……"

"死"字还没有说出口，燕七已掩住他的嘴，柔声道："好，我告诉你，我本是个……"

突然间，黑暗中又有一点灯光亮起，照着一样很奇怪的东西。

看起来像是个铁筒架在木架上，黑黝黝的，总有大海碗般粗细。

接着，卫夫人的声音又响起："你们认不认得这是什么？"

郭大路道："不认得。"

卫夫人笑道："看来你非但食古不化，而且孤陋寡闻。"

这句话刚说完，那铁筒里忽然发出天崩地裂般一声大震。

郭大路的耳朵都快被震聋了。

过了半天，郭大路才能张得开眼睛，只见四面烟硝弥漫，铁筒对面的石壁已被打开一个大洞。

卫夫人道："现在你总该知道这是什么了吧？"

郭大路长长吐了口气，问道："这难道就是大炮么？"

卫夫人笑道："你总算变得聪明了些。"

炮口在移动，已对准了燕七和郭大路。

卫夫人道："你想不想尝尝这大炮的滋味？"

郭大路道："不想。"

卫夫人道："那么你就赶快说出来吧。"

郭大路道："不说。"

卫夫人悠然道："也许，你还不知道这种大炮的厉害。"

郭大路道："我知道。"

卫夫人道："你知道什么？"

郭大路道："听说若用这种炮去攻城，无论多坚固的城墙都挡不住。"

卫夫人笑道："既然城墙都挡不住，你难道还能挡得住？"

郭大路忽然大笑，道："这你就不懂了，我的脸皮本来就比城墙还厚。"

卫夫人怒道："你真的不说？"

郭大路好像连话都懒得说了，只是转过了头，凝视着燕七。

燕七的目光温柔如水，但声音却坚决如钢。

他断然道："算上昨天那次，我已经死过八次了，再死一次又何妨？"

"死"，本是件最艰难、最可怕的事，但在他们嘴里说出来，却好像轻松得很。

郭大路忽然叹了口气，拉着燕七的手道："我只有一件遗憾的事。"

燕七柔声道："我明白，但那件事我无论死活都会告诉你。"

郭大路展颜笑道："既然如此，我还有什么放不下的呢？"

卫夫人冷冷道："好，那你们就死吧。"

炮口正对着燕七和郭大路。

"砰"地，又是天崩地裂般一声大震。

烟硝迷漫中，可以看到他们的人倒了下去，倒在一起……

有人说死很困难，有人说死很容易。

你说呢？

第二十二章

柳暗花明

01

对燕七说来，死的确很容易。他已经死了九次。

现在他居然又活了。

他觉得自己躺在一张柔软而舒服的床上，眼睛里看到的每样东西都很华丽、很精致，简直已不像是人间所有的。

他上次醒来的地方若是地狱，这地方一定就是天堂。

但若没有郭大路在一起，天堂又有什么意思？

郭大路呢？难道下了地狱？

燕七挣扎着爬起，就看到了郭大路。

他几乎不相信自己的眼睛。

屋里有张桌子，桌上摆满了酒食，郭大路正坐在那里大吃大喝。

他看到燕七才放下筷子，笑道："我看你睡得正好，不想吵醒你，所以就先来享受了。好在这里的东西多得很，十个人也吃不完。"

燕七道："是你带我到这里来的？"

郭大路道："不是。"

燕七道："这里是什么地方？"

郭大路道："不知道！"

燕七瞪了他一眼，恨恨道："你知道什么？"

郭大路笑道："我只知道这里的厨子不错，酒也不错，你还等什么？"

他接着又笑道："不吃白不吃，这句话你还没有学会？"

燕七忍不住嫣然一笑，道："早就学会了。"

屋里不但有门，还有窗子。

窗外传来一阵阵梅花的香气。

燕七道："你有没有出去过？"

郭大路道："没有。"

燕七皱眉道："为什么不出去看看？"

郭大路笑道："顾得了嘴，就顾不得眼睛了，还是嘴比眼睛重要。"

燕七道："你至少应该先找到这里的主人才是。"

郭大路道："他反正会来找我们的，我们何必急着去找他。"

这句话刚说完，外面就响起了敲门声。

一个白衣如雪、明眸巧笑的小姑娘，手里托着两壶酒，盈盈走了进来，看着倒真有几分像是天上的仙子。

郭大路眼睛有点发直了，燕七瞪了他一眼，他才干咳了两声，将身子坐正，却还是忍不住笑道："我正愁酒不够，想不到酒已来了。"

白衣少女抿嘴笑道："你既已到了这里，无论想要什么，就有什么。"

燕七道："我们怎会到这里来的？"

白衣少女笑道："当然是这里的主人把你们救来的了。"

郭大路道："你就是这里的主人？"

白衣少女眨了眨眼，道："你看我像不像？"

郭大路道："不像。"

白衣少女嫣然道："我自己看也不像。"

郭大路道："那么这里的主人是谁呢？我们认不认得他？"

白衣少女道："我只知道他一定认得你。"

郭大路道："为什么？"

白衣少女笑道："因为，他说你一个人吃得比五个人都多，特地叫我多准备一点酒菜。他若不认得你，怎么会对你如此了解呢？"

郭大路大笑，道："这么样看来，他不但认得我，还一定是我的好朋友。"

白衣少女眨着眼笑道："请你喝酒的，都是你的好朋友？"

燕七冷冷道："一点也不错。"

他不但脸色又变得很难看，而且连筷子都放了下来。

郭大路瞟了他一眼，也不敢多说话了。

白衣少女道："等两位吃饱了，我就带两位去见这里的主人，他一直都在等着两位。"

燕七霍然站了起来，道："我现在已经饱了。"

白衣少女眼波流动，嫣然道："你怎么一看到我就饱了呢？"

燕七淡淡道："因为你长得比一只蹄髈还可爱。"

梅花白雪，曲廊雕柱。

白衣少女板着脸在前面带路，既不说话也不笑了。

她的确很甜、很美，但的确稍微胖了一点。

"燕七居然拿她来比蹄髈，倒是亏他怎么想得出来的。"郭大路看着燕七，想笑，又不敢笑。

因为燕七的脸色还是不太好看。也不知为了什么，他好像讨厌女人，尤其讨厌跟郭大路开玩笑的女人。

"他以前一定也吃过女人的亏，上过女人的当。"

郭大路决定以后一定要设法开导开导他，告诉他女人并不是每个都讨厌的，其中偶尔也有几个比全部男人都可爱得多。

02

长廊已走尽。

尽头处珠帘低垂，他们刚走过去，就听到帘子里有人在笑道："你们又来了么？请进请进。"

卫夫人！这赫然又是卫夫人的声音。

原来这里的主人还是她。

她下毒、扮鬼，甚至不惜将攻城的大炮都搬来对付他们，可是她现在又救了他们，而且还拿好酒好菜来招待他们。郭大路和燕七面面相觑，实在猜不透她究竟在打什么主意。

卫夫人的笑容还是那么高贵，那么动人。

她看着郭大路和燕七，带着微笑道："你们也不必问我究竟在打什么主意，我的主意本就从没有别人能猜得到的。"

郭大路叹了口气，道："这句话我相信。"

卫夫人道："还有件事你不妨相信。"

郭大路道："什么事？"

卫夫人又道："你们现在已可走了，随时都可以走，无论到哪里去，我都绝不会派人跟踪你们的。"

郭大路怔了怔道："你不想要我们的命了？"

卫夫人道："不想。"

郭大路道："你也不想知道林太平的下落了？"

卫夫人道："至少目前已不想。"

郭大路道："你费了那么多事来对付我们，现在却随随便便就让我们走了？"

卫夫人道："不错。"

郭大路又叹了口气，道："这句话，我实在不能相信。"

卫夫人道："连我的话你都不信？"

郭大路道："我为什么一定要相信你？"

卫夫人道："你知道我是什么人？"

郭大路道："我知道你是个很有钱、很有地位，也很有本事的人，但这种人说的话通常都未必可靠。"

卫夫人凝视着他，忽然笑了笑，道："你们一定觉得我做的事很奇怪，但你们若真正知道我是什么人之后，就不会奇怪了。"

燕七忍不住问道："你究竟是什么人？"

卫夫人一个字一个字道："我就是林太平的母亲。"

这句话说出来，郭大路和燕七又大吃了一惊。

他们实在不敢相信，却又不能不相信。

卫夫人这一生中就算也曾说过谎，现在却绝不像是说谎的样子。

郭大路道："我就相信你真是林太平的母亲，但母亲又怎会不知儿子的下落呢？"

卫夫人轻轻地叹息了一声，黯然道："这就是做母亲的悲哀，儿子长大了之后，做的事往往就不是母亲所能了解的了。"

她忽又笑了笑，接着道："这也许只因为他已渐渐变成了个男人。"

郭大路忍不住问道："他究竟做了什么？"

卫夫人叹道："他什么也没有做，只不过从家里逃了出去。"

郭大路怔道："从家里逃了出去？为什么要逃？"

卫夫人道："他逃婚。"

郭大路愕然道："逃婚？"

卫夫人苦笑道："我看他年纪渐渐大了，就替他定了门亲事，谁知道他竟在婚礼的前一天晚上，偷偷地逃了出去。"

郭大路怔了半晌，忍不住笑了，道："我明白了，他一定不喜欢那个女孩子。"

卫夫人道："那女孩子他连见都没有见过。"

郭大路又不禁觉得奇怪，道："既然没有见过，他怎么知道那女孩子好不好呢？"

卫夫人道："他根本不知道。"

郭大路道："既然不知道好不好，为什么要逃？"

卫夫人叹道："只因那门亲事是我替他定下来的，所以他就不喜欢。"

郭大路又笑了，道："老婆是自己的，本就该自己来选才对。你若肯先让他看看那女孩子，他也许就不会逃了。"

他神色突然变得很严肃，又道："这并不是说他不孝顺你，但一个男人长大了之后，多多少少总该有一点自己的主意，否则他又怎么能算是男人。"

卫夫人慢慢地点了点头，道："我本来也很生气，但后来想了想，反而觉得有点高兴。"

燕七忽然道："你的确应该高兴，因为像他这么样有主见的男人，世上还不多。"

郭大路道："现在虽然不多，但以后一定会慢慢多起来的。"

卫夫人展颜道："所以我现在已改变主意，并不一定要逼他回去成亲了。”

她目光凝视着远方，慢慢地接着道：“我想一个男孩子在成长的时候，能一个人在外面闯荡闯荡，磨炼磨炼自己，对他这一生总是有好处的。”

郭大路叹了口气，苦笑道：“这些话你若早点说出来多好。”

卫夫人笑道：“我以前没有说出来，只因为我还有点不放心。”

郭大路道：“不放心什么？”

卫夫人道：“不放心他的朋友。”

郭大路道：“你那么样做只不过是在试探我们？”

卫夫人笑道：“你们既然是他的好朋友，想必也不会怪我的。”

郭大路道：“现在你放心了没有？”

卫夫人柔声道：“现在我已知道，他的朋友非但不惜为他挨饿、为他死，而且还能为他拒绝各种诱惑，在我看来，那比死还困难得多。”

她叹息着，又道：“他能交到这种朋友，真是他的运气，我还有什么不放心的。”

“孩子长大了，虽已不再属于母亲，但母亲总归是母亲。”

“所以他无论在哪里，永远都是你的儿子。”

做母亲的若能懂得这道理，她的悲哀就会变为欢愉。

03

小城还是那么朴实，那么宁静。有些地方是永远都不会变的，只有人在变，人心在变。

但有些人也是永远不会变的。看到郭大路和燕七回来，王动还是躺在床上，还是连动都不动。

郭大路却忍不住道：“六七天不见，你难道也没有一句话问我们？”

王动这才懒洋洋地打了个呵欠，道：“问什么？”

郭大路道：“你至少应该问问我们，这几天过得好不好。”

王动道："我不必问。"

郭大路道："为什么不必问？"

王动道："你们只要能活着回来，就已经很不错了。"

燕七眨眨眼，道："可是你至少总应该问问，活剥皮究竟剥谁的皮？"

王动道："我也不必问。"

燕七道："为什么？"

王动笑了笑，淡淡道："像他那种人，除了剥他自己的皮之外，还能剥谁的皮？"

除了出手对付凤栖梧那次外，林太平无论做什么事都比别人慢半拍。无论吃饭也好，说话也好，走路也好，他总是慢吞吞的、不慌不忙的样子，就算火烧到眉毛，他好像也不会着急。

郭大路有时甚至觉得他像是个老头子。

他不像王动，他并不懒。他就是这种温吞水脾气。

郭大路和燕七回来已有老半天了，他才慢吞吞地走了进来，衣服已穿得整整齐齐，头发也梳得整整齐齐。

无论任何时候、任何地方，他的样子看起来总像是一枚刚剥开的硬壳果，又新鲜、又干净。

"这人随时随地都好像准备被皇帝召见似的。"

郭大路和燕七对望了一眼，都不禁笑了。

因为他们又想到了卫夫人。也只有卫夫人那样的母亲，才能生得出林太平这样的儿子。

"好树上是绝不会长出烂桃子来的。"

林太平看着他们，也不知道他们在笑什么，喃喃道："看样子你们这几天一定玩得很开心。"

郭大路笑道："开心极了。"

林太平道："你们知不知道活剥皮已失踪了，利源当铺已换了老板？"

郭大路道："不知道。"

林太平道："连这种大事都不知道，这两天你们究竟干什么去了？"

郭大路和燕七又对望了一眼，又笑了笑，他们早已有了决定，决定不对任何人说出他们这几天来的遭遇。

因为他们觉得林太平不知道这件事反而好，他们既不愿影响林太平的决定，也不想林太平对他们感激。

他们只希望林太平能自由自在地跟大家生活一段时候，那他一定就会变得更坚强、更成熟、更聪明。

这也正是卫夫人所希望的。

郭大路笑道："这两天我们也没干什么，只不过被人毒死过一次，见过一次阎王，又被大炮轰过一次，最后这人请我们大吃大喝了一顿，我们就回来了。"

林太平瞪着他，瞪了很久，忽然大笑，道："我知道你很会吹牛，但这次却未免吹得太过火了些，只怕连三岁的小孩子都不会相信。"

郭大路舒舒服服地躺下去，闭上眼睛，长长吐出口气，微笑道："这种事我就知道绝没有人会相信的。"

第二十三章

王动的秘密

01

每个人都有秘密。

王动是人。

所以王动也有秘密。

像王动这种人居然也会有秘密，也是件很难令人相信的事。

他从没有单独行动过，甚至连下床的时候都很少。

燕七本来也连做梦都不会想到他有秘密。

但第一个发现王动有秘密的人，就是燕七。

他是怎么发现的呢?

他第一次发现这秘密，是因为他看到了一样很奇怪的东西。

他看见了一只风筝。

风筝并不奇怪，但从这只风筝上，却引起了许许多多很奇怪、很惊人，甚至可以说是很可怕的事。

02

按季节来说，现在应该已经是春天了，但随便你左看右看，东看西看，还是看不到有一点春天的影子。

天气还是很冷，风还是很大，地上的积雪还有七八寸厚。

这一天难得竟有太阳。

王动、燕七、郭大路、林太平都在院子里晒太阳。

他们也像别的那些穷光蛋一样，从不愿意放弃晒太阳的机会。

在寒冷的冬天里，晒太阳已可算是穷人们有限的几种享受之一。

王动找了张最舒服的椅子，懒洋洋地半躺在屋檐下面。

林太平坐在旁边的石阶上，手捧着头，眼睛发直，不知道在想什么心事。

郭大路本来一直都很奇怪，这人年纪轻轻，为什么看起来总是心事重重的，心里好像藏着很多不足为外人道的秘密。

现在他已不觉得奇怪，他已知道林太平在想什么。

可是燕七的秘密呢？

郭大路忍不住又将燕七悄悄拉到一旁，道："你那秘密现在总可以告诉我了吧？"

自从回来之后，这已是他第七十八次问燕七这句话了。

燕七的回答还是跟以前一样。

"等一等。"

郭大路道："你要我等到什么时候？"

燕七道："等到我想说的时候。"

郭大路着急道："你难道一定要等到我快死的时候才肯说？"

燕七瞟了他一眼，眼神仿佛变得很奇怪，过了很久才幽幽道："你真不知道我要告诉你的秘密是什么？"

郭大路道："我若知道，又何必问你？"

燕七又看了很久，忽然"扑哧"一笑，摇着头道："王老大说得真不错，这人该糊涂的时候聪明，该聪明的时候，他却比谁都糊涂。"

郭大路道："我又不是你肚子里的蛔虫，怎知道你的秘密是什么？"

燕七忽又轻轻叹息了一声，道："也许你不知道反而好。"

郭大路道："有哪点好？"

燕七道："有哪点不好？我们现在这样子不是过得很开心么？"

郭大路道："我若知道后，难道就会变得不开心了么？"

燕七轻轻叹息着道："也许……也许那时我们就会变得天天要吵嘴，天天要怄气了。"

郭大路瞪着他，重重跺了跺脚，恨恨道："我真弄不懂你，你明明是个很痛快的人，但有时却简直比女人还别扭。"

燕七道："别扭的是你，不是我。"

郭大路道："我有什么别扭？"

燕七道："人家不愿意做的事，你为什么偏偏要人家做？"

郭大路道："人家是谁？"

燕七道："人家就是我。"

郭大路长长叹了口气，用手抱住头，喃喃道："明明是他，他却偏偏要说是人家。这人连说话的腔调都变得愈来愈像女人了，你说这怎么得了？"

燕七忽又嫣然一笑，故意改变了话题，道："你想活剥皮为什么会忽然走了呢？"

郭大路本来不想回答这句话的，但憋了半天，还是忍不住，道："不是他自己想走，是那老太婆逼着他走的。"

燕七道："为什么？"

郭大路道："因为那老太婆生怕我们追查她的身份来历。"

燕七道："这么样看来，她的身份一定很秘密，和活剥皮之间的关系也一定很特别。"

郭大路道："嗯！"

燕七道："你为什么不去打听打听，他们躲到哪里去了呢？"

郭大路道："我为什么要打听？"

燕七道："去发掘他们的秘密呀。"

郭大路道："我为什么要去发掘别人的秘密？有些秘密你随便用什么法子都发掘不出的，但等到了时候，你不用发掘也会知道。"

燕七又笑了笑，道："你既然明白这道理，为什么还总是逼我说呢？"

郭大路瞪着他，忽然叹了口气，道："因为我关心的不是那老太婆，因为我只关心你。"

燕七慢慢地转过头，仿佛故意避开郭大路的目光。

他刚转过头，就看到一只风筝。

一只大蜈蚣风筝，做得又精巧、又逼真，在蓝天白云间盘旋飞舞着，看着简直就像是活的。

燕七拍手笑道："你看，那是什么？"

郭大路也看见了，也觉得很有趣，却故意板着脸道："那只不过是个风筝而已，有什么好稀奇的，你难道连风筝都没有见过么？"

燕七道："但在这种时候，怎么会有人放风筝？"

郭大路淡淡道："只要人家高兴，随便什么时候都可以放风筝的。"

其实他当然也知道，现在还没有到放风筝的时候，就算有人要放，也一定放不高，甚至根本放不起来。

但这只风筝却放得很高、很直，放风筝的人显然是此中高手。

燕七道："你会不会做风筝？"

郭大路道："不会，我只会吃饭。"

燕七眨了眨眼，笑道："王老大一定会……王老大，我们也做个风筝放放好不好？"

他冲到王动面前，忽然怔住。

王动根本没有听见他在说什么，只是瞪大了眼睛，直勾勾地看着那只风筝，目中的神色非常奇特，好像是从来没看见过风筝似的。

看他脸上的神色，简直就好像拿这风筝当作个真的蜈蚣。

会吃人的蜈蚣。

燕七也怔住，因为他知道王动绝不是个容易被惊吓的人。

就算真的看到七八十条活生生的蜈蚣在面前爬来爬去，王动脸上的颜色也绝不会改变的。

但现在他的脸看起来却像是张白纸。

突然间，他眼角的肌肉跳了一下，就像是被针刺着似的。

燕七抬起头，就发觉天上又多了四只风筝。

一只是蛇，一只是蝎子，一只是老鹰。

最大的一只风筝却是四四方方的，黄色的风筝上，用朱笔弯弯曲曲地画着些谁也看不懂的符箓，就像是鬼画符。

王动突然站起来，踉踉跄跄地冲入屋里去，看起来就像是已支持不住，随时都会晕倒的样子。

郭大路也走过来了，脸上也带着诧异之色，道：“王老大是怎么回事？”

燕七叹了口气，道：“谁知道他是怎么回事，一看见这些风筝，他整个人就好像忽然变了。”

郭大路更奇怪，道：“一看见风筝，他的样子就变了？”

燕七道：“嗯。”

郭大路皱皱眉道：“这些风筝难道有什么特别的地方？”

他抬起头，看着天上的风筝仔细研究了很久，还是连一点结果都没有研究出来。

谁也没法子研究出什么结果来。

风筝就是风筝，并没有什么不同。

郭大路道：“我们不如进去问问王老大，问他这究竟是怎么回事？”

燕七摇摇头，叹道：“问了也是白问，他绝不可能说的。”

郭大路道：“但这些风筝……”

燕七打断了他的话，道：“你有没有想到，问题并不在这些风筝上。”

郭大路道：“你认为问题出在哪里？”

燕七道：“放风筝的人。”

郭大路一拍巴掌，道：“不错，王老大也许知道是谁在放风筝。”

燕七道：“那些人也许是王老大以前结下的冤家对头。”

林太平一直在旁边听着，忽然道：“我去看看，你们在这里等我的消息。”

这句话还未说完，他的人已掠出墙外。

他平时一举一动虽都是慢吞吞的，但真遇上事，他的动作比谁都快。

郭大路看了看燕七，道：“我们为什么要在这里等他的消息？”

燕七不等他这句话说完，也已追了出去。

为了朋友的事，他们是谁也不肯落在别人后头的。

风筝放得很高，很直。

燕七打量着方向，道："看样子这些风筝是从坟场里放上去的。"

郭大路点点头，道："我小时候也常在坟场里放风筝的。"

"富贵山庄"距离坟场并不太远，他们很快就已赶到那里。

坟场里唯一的一个人就是林太平。

郭大路道："你看见了什么没有？"

林太平道："没有，连个鬼影子都没有看见。"

风筝是谁放上去的呢？

五个稻草人。

五个披麻戴孝的稻草人，一只手还提着根哭丧棒。

风筝的线，就系在稻草人的另一只手上。

稻草人当然不会放风筝。

稻草人也从不披麻戴孝的。

那些人为什么要这样故弄玄虚？

郭大路他们对望了一眼，已发觉这件事愈来愈不简单了。

燕七道："风筝刚放上去没多久，他们的人也许还没有走远。"

郭大路道："对，我们到四面去找找看。"

燕七道："他们想必有五个人，我们最好也不要落单。"

他们围着坟场绕了一圈，又看到山坡下的那间小木屋。

他们就是在这小木屋里找到酸梅汤的。

"放风筝的那些人会不会躲在这小木屋里？"

三个人心里不约而同都在这么想，郭大路已第一个冲了过去。

燕七失声道："小心。"

他的话刚出口，郭大路已踢开门闯了进去。

木屋还是那木屋，但木屋里却已完全变了样子。

酸梅汤在这里烧饭用的锅灶现在已全不见了，本来很脏乱的一间小木屋，现在居然已被打扫得干干净净，连一点灰尘都没有。

屋子正中，摆着张桌子。

桌子上摆着五双筷子，五只酒杯，还有五柄精光耀眼的小刀。

刀刃薄而锋利，刀身弯曲，形状很奇特。

除此之外，屋子里就再也没有别的。

郭大路刚拿起柄刀在看，燕七已赶了进来，跺脚道："你做事怎么还是这么粗心大意，随随便便就闯了进来，屋子里万一有人呢？你难道就不怕别人暗算你？”

郭大路笑道：“我不怕。”

燕七道：“你不怕，我怕。”

这句话刚说出口，他自己的脸忽然红了，红得厉害。

幸好别人都没有留意。

林太平本来也在研究着桌上的刀，此刻忽然道：“这刀是割肉用的。”

郭大路道：“你怎么知道？”

林太平道：“我见过，塞外的胡人最喜欢用这种刀割肉。”

郭大路道：“他们难道是来自塞外的胡人？”

林太平沉吟着，道：“也有可能，只不过胡人只用刀，不用筷子。”

燕七目中忽然掠过一阵惊恐之意，道：“这里只有刀，没有肉，他们准备割什么肉？”

郭大路笑道：“总不会是准备割王动的肉吧。”

他虽然在笑着，但笑得已很不自然。

燕七好像忍不住激灵灵打了个寒噤，道：“我们还是赶快回去吧，只留下王老大一个人在家里，我实在有点不放心。”

郭大路变色道：“对，我们莫要中了别人调虎离山之计。”

一想到这里，三个人同时冲了出去。

他们用最快的速度掠过坟场，燕七突又停下来，失声道：“不对。”

郭大路道：“有什么不对？”

燕七脸色发白，道：“那五个稻草人刚才好像就在这里的。”

郭大路忽然也忍不住激灵灵打了个寒噤。

那五个稻草人刚才的确是在这里的，但现在已不见了。

蓝天白云，真是难得的好天气。

但天上的风筝也不见了。

他们用最快的速度跑回去，到了门口，又怔住。

五个稻草人赫然在他们门口，还是披着麻，戴着孝，手里还是提着哭丧棒，只不过胸口上却多了张纸条子，上面还好像写着字。

很小的字，很难看得清。

风一吹，纸条子就被吹得簌簌直响，又好像是用针线缝在稻草人的麻衣上的。

林太平第一个赶到，伸手就去扯。

纸条子居然缝得很牢，他用了点力，才总算将它扯了下来。

就在这同一刹那间，稻草人手里提着的哭丧棒也突然弹起，向林太平的小腹下打了过去。

幸好林太平经验虽差，反应却不慢，凌空一个翻身，已将哭丧棒避开。

谁知哭丧棒弹起来时，棒头上还有一点乌光打了出来。

林太平只避开了哭丧棒，却没有避开哭丧棒的暗器。

他只觉右边胯骨上一麻，好像被蚊子叮了口似的。

等他落到地上时，人竟已站不住了。

眨眼间一条右腿已变得完全麻木，他身子也倒了下去。

郭大路变色道："毒针！"

他一共才说了两个字，这两个字说完，燕七已出手如风，将林太平右边胯骨上，四面的穴道全都点住，另一只手已自靴筒里抽出柄匕首。

刀光一闪，林太平的衣裳已被割开，再一闪，已将林太平伤口那块肉挖了出来，鲜血随着溅出。

郭大路眼睛都看直了。

他实在想不到燕七应变竟如此快，出手更快。

"我已死过七次。"

直到现在，郭大路才相信燕七这句话不假。

只有死过七次的人，才能有这么快的应变力，这么丰富的经验。

林太平已疼得冷汗都流了出来，但还是没有忘记手里的那纸条。

他咬紧牙根，喘息着道："看看这纸条上写的是什么？"

纸条上密密地写了行蝇头小字："你若不是王动，就是个替死鬼！"

风在吹。

稻草人被风吹得摇摇晃晃的，好像在对他们示威。

郭大路的火气忽然上来了，忽然一拳向那稻草人打了过去。

稻草人当然不会还手，也不会闪避。

郭大路一拳刚打上去，燕七已拦腰将他抱住，他这一拳虽然没有打实，还是打着了。

他拳头打在稻草人胸口上时，也好像被蚊子叮了一口。

他只觉拳头上痒痒的，还有点发麻，中指的骨节上已多了个黑点。

燕七的刀尖在这黑点上一挑，流出来的血也已变成黑的。

毒血，还带着种说不出的腥臭之气。

但燕七却不嫌臭，也不嫌脏，竟一口口地将毒血全都吮吸了出来。

郭大路连眼泪都几乎忍不住要流了出来。

他忽然发现燕七对他已并不完全是友情，而是一种比友情更深、比友情更亲密的感情。

但他也说不出这种感情是什么。

直到燕七站起来，他还是没有说话，连一个感激的字都没有说。

他心里的感激也不是任何字能说得出来的。

燕七长长吐出口气，轻轻道："你现在觉得怎么样了？"

郭大路苦笑道："我只觉得自己是个呆子，不折不扣的呆子。"

林太平一直在看着他们，忽然也长长叹了口气，道："你的确是个呆子。"

他脸色已比刚才好看多了，但一条腿还是动也不能动。

燕七并没有替他吮出伤口里的毒血，可是他一点也不埋怨，更没有责怪之意，仿佛也觉得这是应该的。

难道他也已看出了什么？看出了一些只有郭大路看不出的秘密？

燕七的脸似又红了，很快地转过身，用刀尖挑开了稻草人身上的麻衣。

郭大路这才看到稻草上插满了尖针，针头在阳光下发着乌光，就连呆子也看得出每根针上的毒都足以要人的命。

刚才若不是燕七拉住他，他那一拳若是着着实实地打了上去，就算还能保住性命，这只手也算报销了。

林太平现在当然也已想到，纸条上的线连着哭丧棒的机簧，他一拉纸条，就将机簧发动。

这稻草人全身上下仿佛都埋伏着杀人的毒针。

郭大路长长叹了口气，苦笑道："一个稻草人居然能将我们两个大活人打倒，这种事我若非自己遇见，无论谁说我也不会相信。"

林太平道："稻草人已经这么厉害了，做这稻草人的人岂非更可怕？"

郭大路道："若不是很可怕，王老大又怎会那么吃惊？"

燕七面色已又发白，道："现在稻草人已来了，不知道他们自己来了没有？"

林太平失声道："你们进去看看王老大，用不着管我，我的手还能动。"

郭大路什么也没有说，只是伸手将他架了起来。

燕七已冲了进去，高呼道："王老大……王动！"

没有回应，没有声音。

王动已不见了。

床上的被褥凌乱，王动却不在床上，也不在屋子里。

郭大路他们前前后后都找遍，还是找不到他的人。

他们都很了解王动。

能叫王动从床上爬起来的事已不多，能叫他一个人出去的事更少。

"这里莫非已发生过什么事？王动莫非已……"

郭大路连想都不敢想。

林太平躺在王动的床上，苍白的脸又已急得发红，大声道："我早就已告诉过你们，用不着管我，快去找王老大。"

郭大路也发急了，大声道："当然要去找，但你叫我们到哪里去找？"

林太平怔住。

他看看燕七，燕七也在发怔。

现在他们已有两个人受了伤，但却连对方是谁都不知道。

这件事到现在为止，还是连一点头绪都没有。

现在他们只知道一点：这些人的确和王动有仇，而且仇必定极深。

但知道这点又有什么用？简直跟完全不知道没有什么两样。

就在这时，走廊上忽然响起一阵脚步声。

脚步声很轻，很慢。

郭大路他们几乎连心跳都已停止。

来的绝不是稻草人！

稻草人不会走路！

燕七向郭大路打了个眼色，两个人身子一闪，同时躲到门后。

脚步声愈来愈近，终于停在门外。

燕七手里的匕首已扬起。

门是虚掩着的，一只手在推门。

燕七手腕一翻，匕首闪电般挥了出去，划向这只手的脉门。

床上的林太平忽然大喝道：“住手！”

03

喝声一起，燕七的手立刻硬生生停住，刀锋距离推门这只手的腕脉还不及半寸。

但这只手还是很稳定，还是慢慢地把门推开。

这只手上的神经就像是铁铸的。

门推开，王动慢慢地走了进来，另一只手上提着一坛酒。

燕七手上的刀锋在闪着光。

林太平躺在床上，无论谁都可看出他受了伤。

但王动却好像什么都没看见，脸上还是一点表情也没有。这人全身上下的神经好像是铁铸的。

他慢慢地走了进来，慢慢地把酒放在桌子上。

第一个沉不住气的是郭大路，大声问道：“你到哪里去了？”

王动淡淡地道：“买酒去了。”

他回答得那么自然，好像这本是天下最合理的事。

“买酒去了”，这种时候他居然买酒去了。

郭大路看着他，简直有点哭笑不得。

王动一掌拍开了酒坛上的封泥，嗅了嗅，仿佛觉得很满意，嘴角这才露出一丝笑容，道："这酒还不错，来，大家都来喝两杯。"

郭大路忍不住道："现在我不想喝酒。"

王动道："不想喝也得喝，非喝不可。"

郭大路道："为什么？"

王动道："因为这是我替你们饯行的酒。"

郭大路失声道："饯行？为什么要替我们饯行？"

王动道："因为你们马上就要走了。"

郭大路跳了起来，道："谁说我们要走？"

王动道："我说的。"

燕七抢着道："但我们并不想走。"

王动沉下了脸，冷冷道："不想走也得走，你们难道想在我这里赖上一辈子？"

燕七看看郭大路，郭大路眨眨眼，忽然道："答对了，我们正是想在你这里赖上一辈子。"

王动铁青着脸，道："你们住在这里，付过房钱没有？"

郭大路道："没有。"

王动道："是不是我要你们搬进来的？"

郭大路道："不是，是我们自己来的。"

王动冷笑道："既然如此，你们凭什么赖着不走？"

燕七忽然道："好，走就走。"

他真的说走就走，只不过走过郭大路面前的时候，向郭大路挤了挤眼睛。

郭大路眼珠子一转，道："对，走就走，没什么了不起。"

他居然也说走就走，好像连片刻都耽不住了。

林太平怔了怔，道："你们连酒都不喝了吗？"

郭大路道："既然已被人赶了出去，还有什么脸喝酒。"

林太平看看王动。

王动脸上还是一点表情也没有，冷冷道："不喝就不喝，酒放在这里难道还会发霉么？"

林太平道："我留下来好不好？我走不动。"

王动板着脸道："走不动就爬出去。"

林太平怔了半晌，终于叹了口气，一拐一拐地跟着他们走了出去。

王动站在那里，冷冷地看着他们走出门，连动都不动。

过了半晌，只听"砰"的一声，也不知是谁将外面的大门重重地关了起来。

王动忽然捧起桌上的酒坛子，"咕嘟咕嘟"一口气喝了七八口才停下来，抹了抹嘴，喃喃道："好酒，这么样的好酒居然有人不喝，这些人不是呆子是什么？"

他望着手里的酒坛子，一双冷冰冰的眼睛忽然红了，就像是随时都可能有眼泪要流下来。

燕七头也不回地走到大门外，忽然停住。

郭大路走到他身旁，也忽然停住。

林太平跟出来，"砰"地，重重地关上门，瞪着他们道："想不到你们真的说走就走。"

郭大路看看燕七。

燕七什么话也不说，却在大门外的石阶上坐了下来，面对着那稻草人。

郭大路立刻也跟着坐了下来，也看着这稻草人，喃喃道："怪事年年有，今年特别多，稻草人不但会放风筝，还会杀人，你说奇怪不奇怪？"

林太平道："奇怪。"

他也坐了下来，一只手还是紧紧地按着伤口。

现在他总算也明白郭大路和燕七的意思了，所以也不再说什么。

也不知过了多久，才听到王动的脚步声慢慢地走出来，穿过院子，走到大门口，重重地插上了门闩。

突然间，门闩又拔了出来，大门霍然打开。

王动站在门口，张大了眼睛瞪着他们。

燕七、郭大路、林太平，三个人一排坐在门外，谁也没有回头。

王动忍不住大声道："你们为什么还不走？坐在这里干什么？"

三个人谁也不理他。

燕七只是瞟了郭大路一眼，道：“我们坐在这里犯不犯法？”

郭大路道：“不犯法。”

林太平道：“连稻草人都能坐在这里，我们为什么不能？”

王动厉声道：“这里是我的大门口，你们坐在这里，就挡住了我的路。”

燕七又瞟了郭大路一眼，道：“人家说我们挡住了他的路。”

郭大路道：“那么我们就坐开些。”

三个人一起站了起来，走到对面，又一排坐了下来，面对着大门。

燕七道：“我们坐在这里行不行？”

郭大路道：“为什么不行，这里既不是人家的屋子，也不挡路。”

林太平道：“而且高兴坐多久，就坐多久。”

王动瞪着他们。

他们却左顾右盼，就是不去看王动。

王动大声道：“你们坐在这里究竟想干什么？”

郭大路道：“什么也不干，只不过坐坐而已。”

燕七道：“我们高兴坐在哪里，就坐在哪里，谁也管不了。”

林太平道：“这里好凉快。”

燕七道：“又凉快，又舒服。”

郭大路道：“而且绝不会有人来找我们收租金。”

王动突然扭头走了进去，“砰”地，又将门重重地关了起来。

燕七看看郭大路，郭大路看看林太平，三个人一起笑了。

虽然笑了，但笑容中还是带着些忧郁之色。

太阳已下了山。

春天毕竟还来得没有这么早，白天还是很短。

太阳一下山，天色眼看就要暗了起来。

天色一暗，这里就会发生些什么事？谁都不知道，甚至连猜都不敢猜。

燕七悄悄拉起了郭大路的手，道：“你的伤怎么样了？”

郭大路道：“不妨事，照样还是可以揍人。”

燕七这才转向林太平，道：“你呢？”

林太平道："我的伤口已渐渐有点发痛。"

燕七吐了口气，道："那就不妨事了。"

被毒药暗器打中的伤口若已在发疼，就表示毒已拔尽。

郭大路却还是有点不放心，所以又问道："痛得厉不厉害？"

林太平笑了笑，道："还好，虽然不见得能跳墙，却也照样还是可以揍人。"

燕七道："你们饿不饿？"

郭大路道："饿得想把你吞下去。"

燕七也笑了，道："但你肚子饿的时候，也照样可以揍人的，对不对？"

郭大路笑道："答对了。"

天色果然暗了下来。

三个人神情看着已渐渐有点紧张。

但现在他们已有了准备，准备揍人。

郭大路握紧了拳头，瞪大了眼睛，道："现在真是——万事俱备，只欠东风。"

林太平忍不住问道："东风是什么？"

郭大路道："就是挨揍的人。"

就在这时，他已看见了一个人。

04

一个抱着酒坛子的人。

大门忽然又开了，王动抱着酒坛子走了出来。

这次他没有理他们，却在大门口的石阶上坐了下来。

四个人面对面地坐着，谁也不说话。

第一个憋不住的人当然还是郭大路。

他叹了口气，喃喃道："我记得刚才好像有人要请我们喝酒的。"

王动既不搭腔，也不看他，忽然将酒坛子向他抛了过去。

你无论将什么东西抛向郭大路，他都可能接不住，但酒坛子——

抛过来的若是个酒坛子，就算睡着他也照样能够接住。

他一口气灌下了好几口，才递给燕七；燕七喝了几口，又传给林太平。

王动忽然道："受了伤的人若还想喝酒，一定是活得不耐烦了。"

林太平道："谁说我受了伤？我只不过被条小虫咬了一口而已。"

王动忍不住问道："什么虫？"

林太平道："小虫。"

王动忽然冲过去，将酒坛子抢了过来，铁青着脸，道："你们究竟想在这里坐到什么时候？"

郭大路又憋不住了，大声道："坐到有人来找你的时候。"

王动道："谁说有人要来找我？"

郭大路道："我说的。"

王动道："你怎么知道？"

郭大路道："这稻草人告诉我的。"

他用眼角瞟着王动，笑道："这稻草人不但会放风筝，还会说话，你说奇怪不奇怪？"

王动脸色突又变了，慢慢地退了回去坐到石阶上。

四下静得很，只有坛子里的酒在响。

燕七忽然道："坛子里的酒也在说话，你听见了没有？"

郭大路道："它在说什么？"

燕七道："他说有个人的手在抖，抖得它头都发晕了。"

王动霍然站起来，瞪着他。

他还是不看王动。

三个人东张西望什么地方都去看，就是不看王动。

突然间，一点火星飞了过来，射在第一个稻草人的身上。

"蓬"的一声，稻草人立刻燃烧了起来。

火光是惨碧色的，还带着一缕缕轻烟。

王动变色道："快退，退回屋里去。"

他挥手将酒坛子抛给了郭大路，转身抱起了林太平，人已冲进了大门。

王动终于动了。

他不动则已，一动起来就比谁都快。

郭大路也动了，先放下那坛酒再动。

因为他并没有向屋子里退，反而向火星射来的方向扑了过去。

他一扑过去，燕七自然也跟着。

王动大喝道：“快退回来，那边去不得。”

郭大路没听见，就好像忽然变成了聋子。

他听不见，燕七就也听不见。

林太平叹了口气，道：“这人就喜欢到去不得的地方去，你现在难道还不知道他的毛病？”

一栋房子假如被人称作“山庄”，最低限度也得有几样最起码的条件：

这房子绝不会太小。

这房子就算没有盖在山上，至少也得盖在山麓下。

房子的大门外，大大小小总有片树林子。

“富贵山庄”虽然一点也不富贵，至少总还是个“山庄”。

所以门外也有片树林，刚才那点火星好像就是从树林里射出来的。

郭大路沉声道：“那点火星是从那树后面射出来的？”

燕七道：“我没看清楚，你呢？”

郭大路道：“我也没看清。”

天色本已很暗，树林里当然更暗，看不见人影，也听不见声音。

燕七道：“我看我们还是先回去跟王老大商量商量再说吧。”

郭大路道：“人家不跟我们商量，我们自己商量又有个屁用。”

他嘴里一说出脏话的时候，就表示他火气真的已上来了。

燕七道：“逢林莫入，你难道连江湖中的规矩都不懂？”

郭大路道：“我不懂。我本就不是老江湖，江湖中的那些破规矩我一样也不懂。”

他身子突然向前一扑，已冲入了树林。

暗林中仿佛有寒光闪动。

郭大路眼睛还没有看清楚，人已扑了过去。

然后他就看见了一把刀。

一把弯刀。

一把割肉的刀。

刀钉在树上，钉着一张纸条子。

纸条上当然有字，很小的字，就算在白天也未必能够看得清。

郭大路刚想伸手拔刀，手已被燕七拉住。

燕七的脸色苍白，瞪着眼道："你上了一次当还不够？还要上第二次？"

他又急又气，郭大路却笑了。

燕七道："你笑什么？"

郭大路道："我笑你。"

燕七忍不住道："你笑个屁。"

他嘴里有脏话骂出来的时候，就表示他实在已气得要命。

郭大路不笑了，正色道："他们就算还想让我上当，也应该换个新鲜的法子，怎么会还用那老一套，难道真拿我们当呆子。"

燕七板着脸道："你以为你不是呆子？"

郭大路叹了口气，苦笑道："好，你叫我不动手，我就不动手，但过去看看总还没关系吧。"

他真的背负着双手走了过去。

手不动，只用眼睛看看，的确好像不会有什么关系。

但纸条上的字实在太小，他不能不走得近些。

他终于已可隐约看出纸条上的字了："小心你的脚……"

他看清这五个字的时候，脚下一软，人已往下面掉了下去。

地上有个陷阱。

燕七失声道："小心……"

喝声中，他也已冲过去，拉住了郭大路的手。

郭大路手上一使劲，人已乘势跃起。

他轻功不弱，跳得很高。

只可惜跳得愈高，就愈糟糕。

只听树叶"哗啦啦"一响，树上忽然有一面大网罩了下来。

郭大路就算长有翅膀，就算真是只鸟，也难免要被罩住。

何况他身子已跃在半空，就好像是自己往这网子里跳一样，无论往哪边逃都来不及了。

非但他躲不开，燕七也躲不开。

眼见两个人都要被罩在网里，忽然间，一条黑影飞了过来，就好像是个炮弹似的，简直快得无法思议。

黑影从他们头上掠过，一伸手，就已将这面网捞住了。

这黑影并不是炮弹，是个人。

是林太平。

林太平伸手捞住了这面网，身子还是炮弹般往前飞，又飞出了两三丈，去势才缓了下来。

这时郭大路和燕七也已退了出去，只见林太平一只手抓着根横枝，一只手抓住那面大网，悬空吊在那里，还在不停地晃来晃去。

郭大路的心也还在跳，忍不住长长叹了口气，苦笑道："这次若不是你，我只怕就真的已自投罗网了。"

林太平笑了笑，道："也用不着谢我。"

郭大路道："不谢你谢谁？"

林太平道："谢你背后的人。"

郭大路转过头，才发现王动铁青着脸站在他身后。

林太平笑道："我早就说过我已经不能跳墙了。"

郭大路道："那么你刚才……"

林太平道："刚才是王老大用力把我掷过来的，否则我哪有这么快？"

世上的确没有那么快的人，若不是借了王动一掷之力，谁都不可能有这么快。

郭大路偷偷瞟了王动一眼，赔笑道："看来王老大的力气倒真不小。"

林太平道："但王老大却很佩服你。"

郭大路道："佩服我？"

林太平道："他的力气虽大，你的胆子更大。"

郭大路瞪了他一眼，道："你难道一定要像猴子一样，吊在树上说话？”

林太平笑道：“我倒也早就想下去了，只可惜我的腿不听话。”

王动一直没有开口，燕七也没有。

两个人都在瞪着郭大路。

郭大路只有苦笑道：“看来我今天非但连一件事都没有做对，连话都没有说对过一句。”

燕七这才叹了口气道：“你这句话总算说对了。”

05

屋子里燃起了灯。

桌上除了灯之外，还有一张纸条、一把刀和一坛酒。

因为郭大路到最后还是忍不住要将这把刀从树上拔下来，当然更忘不了将那坛酒也带回来。

这人长得虽不像牛，却实在有点牛脾气。

他居然还很得意，笑着道：“我早就说过拔刀没关系的，早就知道他们这次要换个新鲜的法子，这法子是不是新鲜得很？”

燕七冷冷道：“新鲜极了，比网里的鱼还新鲜。”

他拿起了桌上的刀，接着又道：“我现在才知道这把刀是准备割什么肉的了。”

郭大路眨眨眼，道：“是不是割鱼肉？”

燕七道：“你总算又说对了一句。”

郭大路道：“那么我不如索性就做条醉鱼吧。”

他捧起酒坛子，嘴里还喃喃道：“醉虾既然是江南的美味，醉鱼的滋味想必也不错。”

但他的酒还没有喝到嘴，王动突然又将酒坛子抢了过去。

郭大路怔了怔，道：“你几时也变成了个和我一样的酒鬼了？”

王动道：“这酒喝不得。”

郭大路道：“刚才还喝得，现在为什么喝不得？”

王动道：“因为刚才是刚才，现在是现在。”

燕七眼珠子转了转，道："你刚才将这坛酒放在哪里的？"

郭大路道："门口。"

燕七道："刚才我们都在树林里，门口是不是没有人？"

郭大路道："是的。"

燕七道："所以这酒现在已喝不得。"

郭大路道："难道就在刚才那一会儿工夫里，已有人在这酒里下了毒？"

燕七道："刚才那一会儿工夫，已足够在八十坛酒里下毒了。"

郭大路失笑道："你们也未免将那些人说得太可怕了，难道他们真的是无孔不入，连一点害人的机会都不会错过么？"

王动也不说话，忽然走到门外，将手里的酒坛重重往地上一砸。

坛子粉碎，酒流得满地都是。

郭大路叹了口气，喃喃道："真可惜，好……"

他声音忽然停顿，人也突然怔住。

一条很小很小的蛇，正从碎裂的酒坛子里慢慢地爬了出来。

这条蛇小得出奇，但愈小的蛇愈毒。

郭大路脸色也变了，忍不住又长长叹了口气，喃喃道："看来这些人倒真是无孔不入。"

燕七突然失声道："无孔不入赤链蛇。"

他吃惊地看着王动，又道："是不是无孔不入赤链蛇？"

王动铁青着脸，慢慢地转回身，走回屋子里，在灯畔坐下。

这次他居然没有躺到床上去。

燕七又追了过来，追问道："是不是他？……究竟是不是他？"

王动又沉默了很久，终于慢慢地点了点头。

燕七长长吐出口气，一步步往后退，忽然间躺了下去。

这次是他躺到床上去了。

郭大路也追了过来，追问道："无孔不入赤链蛇是什么玩意儿？"

燕七道："是个人。"

他不但人已像是软了，连说话都变得有气无力的样子。

郭大路道："是个什么样的人？你认得他？"

燕七苦笑道："我若认得他，还能活到现在才是怪事。"

他忽又跳起，冲到王动面前，道："可是你一定认得他。"

王动又沉默了很久，忽然笑了笑，道："我现在还活着。"

燕七叹道："认得他的人居然还能活着，可真不容易。"

王动脸上的笑容渐渐消失，终于长叹了一声："的确不容易。"

郭大路几乎要叫了起来，道："你们说的究竟是人？还是蛇？"

燕七道："人。"

郭大路道："这人的名字叫赤链蛇？"

燕七道："而且无孔不入，那意思就是说，你只要有一点点疏忽，他就能毒死你。"

郭大路道："一点点疏忽？任何人都难免有一点点疏忽的。"

燕七叹了口气，道："所以他若要毒死你，你只有一条路可走。"

郭大路道："哪条路？"

燕七道："被他毒死。"

郭大路也不禁倒抽了口凉气，道："刚才那些害人的花样，就全都是他玩出来的？"

燕七道："这人下毒的功夫虽然已可算是天下第一，但别的本事却不大怎么样。"

郭大路松了口气，道："那我就放心多了。"

燕七道："只可惜除了他之外，还有别人。"

郭大路道："还有谁？"

燕七道："千手千眼蜈蚣神。"

郭大路道："千手千眼？"

燕七道："那意思就是说，这人收发暗器时，就好像有一千只手，一千只眼睛一样，据说他全身上下都是暗器，连鼻子都能发出暗器来。"

郭大路瞟了王动一眼，忽然笑道："好极了，我只要一见到这人的面，就先行打扁他的鼻子再说。"

燕七眨眨眼，道："但你若见到救苦救难红娘子，只怕就舍不得打了。"

郭大路道："救苦救难红娘子？这名字听起来倒像是个大好人。"

燕七道："她的确是个好人，知道世人大多在苦难中，所以一心想要叫他们早点超生。”

郭大路叹息道：“这么样听来，她又不像是个好人了。”

燕七道：“你就算从八百万个人里面，也挑不出这么样一个好人来。”

郭大路道：“她又有什么特别本事？”

燕七板着脸，冷冷道：“她的本事，你最好不要知道。”

郭大路眨眨眼道：“她是不是个很漂亮的女人？”

燕七道：“就算是，现在也已是个老太婆了，很漂亮的老太婆。”

郭大路道：“她已有七八十岁？”

燕七道：“那倒没有。”

郭大路道：“五六十？”

燕七道：“好像还不到。”

郭大路道：“四十上下？”

燕七道：“只怕差不多。”

郭大路笑道：“那正是狼虎之年，怎么能算老太婆呢？”

燕七瞪了他一眼，道：“她年纪大小，和你又有什么关系？你开心什么？”

郭大路道：“我几时开心了？”

燕七道：“不开心为什么笑得就像是条土狗？”

郭大路道：“因为我本来就是条土狗。”

燕七又瞪了他一眼，自己也忍不住笑了。

郭大路立刻又乘机问道：“听你这么说，她的本事一定是专门用来对付男人的。”

燕七又板起了脸，道：“我也不知道她究竟有什么本事，只知道男人死在她手上的，可真不少。”

林太平一直靠在旁边的椅子上养神，忽然道：“那些稻草人是不是她做的？”

燕七道：“不是。”

林太平道：“不是她是谁？”

燕七道：“一见送终催命符。”

林太平皱了皱眉，道：“催命符？”

燕七道："这人不但有一肚子鬼主意，而且还有双巧手，易容改扮、消息机关、精巧暗器、奇门兵刃，可说是样样精通。"

郭大路目光闪动，喃喃道："我明白了。"

燕七道："你明白了什么？"

郭大路道："一条蛇、一只蜈蚣、一只蝎子，一道催命符，现在只差一只老鹰了。"

林太平忽又道："刚才我跟王老大进入树林的时候，好像看到一条人影，从那渔网落下的树梢上飞了起来。"

燕七道："渔网本就不会自己从树上落下来的，树上当然有人。"

郭大路道："那人到哪里去了？"

林太平苦笑道："那时我已被王老大用力掷了出去，怎么还能顾得了别人？何况，那人的轻功又很高，简直就像是只老鹰一样。"

燕七道："一飞冲天鹰中王！"

郭大路一拍巴掌，道："五个风筝，五个人，现在总算全了。"

燕七道："这五个人中，不但轻功要算鹰中王最高，据说武功也是他最高。"

郭大路道："以我看，这五人中最难对付的，还是那救苦救难的红娘子。"

林太平道："为什么？"

郭大路道："因为我们都是男人。"

燕七冷冷道："男人若不好色，她便有天大的本事也使不出来的。"

郭大路长叹道："但天下的男人，又有几个真不好色呢？"

王动一直沉着脸，坐在那里，连动都没有动。

能不动的时候，他绝不会动的。

燕七搬了张凳子，在他对面坐了下来，道："你看到了那些风筝，也就知道他们是来找你麻烦的了？"

06

郭大路也搬了张凳子过来，道：“所以你要赶我们走，因为你知道这五个人无论到了哪里，都会将那地方搞得一塌糊涂。”

燕七道：“你不愿将我们也扯入了那摊子一塌糊涂的浑水里去，所以才要赶我们走。”

郭大路道：“但你却不知道我们早已在那摊子浑水里了。”

燕七道：“从认得你的那一天开始，我们已经在里面了。”

郭大路道：“因为我们是朋友。”

燕七道：“所以你无论在什么地方，我们也一定在那里。”

郭大路道：“所以你现在才想赶我们走，已经太迟了。”

王动看着他们，一直没有说话。

他知道自己现在已经用不着再说什么。

他生怕自己一开口就会有热泪夺眶而出。

朋友!

这两个字是多么简单，却又多么高贵。

王动捏紧双手，一字字道：“你们的确都是我的朋友。”

这句话就已足够。

你只要真正懂得这句话的意义，就已什么都不必再说。

燕七笑了，林太平也笑了。

郭大路紧紧握起王动的手，他们只要能听到这句话，也已足够。

他们既没有问起这五人怎会和王动结的仇，也没问这麻烦是从哪里来。

王动不说，他们就不问。

现在他们唯一的问题就是：“怎么样将这麻烦打发走？”

燕七道：“我一看到那五只风筝，就知道有麻烦来了。”

王动道：“那风筝本是种警告。”

燕七道：“他们既然要找你的麻烦，为什么还要警告你，让你防备？”

王动道："因为他们不想要我死得太快。"

他脸色发青，慢慢地接道："因为他们知道一个人在等死时的那种恐惧，比死还痛苦得多。"

燕七叹了口气，道："看来这麻烦当真不小。"

王动道："的确不小。"

郭大路忽然笑了笑，道："只可惜他们还是算错了一点。"

燕七道："哦？"

郭大路道："他们虽然有五个人，我们也有四个，我们为什么要恐惧？为什么要痛苦？"

燕七道："但他们至少总比我们占了一点优势。"

郭大路道："哦。"

燕七道："明枪易躲，暗箭难防，这句话你难道不懂？"

郭大路道："我懂，可是我不怕。"

燕七瞪着他，道："你怕什么？"

郭大路道："怕你。"

燕七忍不住嫣然一笑，却又立刻板起了脸，扭转了头。其实他当然也懂得郭大路的意思，因为他自己也一样。像他们这种人，就只怕别人对他们好，只怕被别人感动。

你若能真的感动他们，就算要他们将脑袋切下来给你，他们也不会皱一皱眉头的。

郭大路道："兵来将挡，水来土掩，这种人也没有什么了不起，除了鬼鬼祟祟地在暗中害人外，我看他们的功夫也有限得很。"

他接着又道："现在的问题只不过是，他们是什么时候来呢？"

王动道："不知道。"

郭大路道："你也不知道？"

王动道："我只知道他们若还没有送我的终，就绝不会走。"

郭大路又笑了笑，道："现在是谁送谁的终，还难说得很。"

这就是郭大路可爱的地方。

他永远都那么自信，那么乐观。

这种人就算明知天要塌下来，也不会发愁的，因为他认为一个人只要有信心，无论什么困难都可解决。

他不但自己有信心，同时也将这信心给了别人。

王动的脸色也渐渐开朗了起来，忽然道："他们虽然占了一点优势，但我也有法子对付他们。"

郭大路抢着问道："什么法子？"

王动道："睡觉。"

郭大路怔了怔，失笑道："这种法子大概也只有你想得出来。"

王动反问道："这法子有什么不好？这就叫以逸待劳。"

郭大路拍手道："对，要睡现在就睡，养足了精神好对付他们。"

燕七道："要睡也得分班睡。"

郭大路道："不错，我跟你防守上半夜，到三更时再叫王老大和林太平起来。"

林太平忽然道："这样子不行，还是我跟你一班的好。"

郭大路道："为什么？"

林太平瞟了燕七一眼，道："你们两个人的话太多，聊得高兴起来，只怕连别人进了屋子，都不知道。"

燕七忽然走了出去，因为他的脸好像忽然又有点发红了。

郭大路道："还是我跟燕七一班的好，两个人谈谈说说，才不会睡觉。"

他嘴里说着话，已跟了出去。

无论别人说什么，他还是非跟燕七一班不可。

这两人身上就好像有根线连着的。

林太平看着他们走出去，忽然笑了，喃喃道："我有时真奇怪，小郭为什么会这么笨。"

王动也在笑，微笑着道："你放心，他绝不会再笨很久的。"

林太平道："其实我倒希望他再多笨些时候。"

王动道："为什么？"

林太平笑道："因为我觉得他们这样子实在很有意思。"

07

客厅里很暗。

燕七走进客厅，坐了下来。

郭大路也走进客厅，坐了下来。

星光照进窗子，照着燕七的脸，照着燕七的眼睛。

他的眼睛好亮。

郭大路在旁边看着，忽然笑道："你知不知道你的眼睛有时看来也很像女人。"

燕七板着脸，道："我还有什么地方像女人？"

郭大路道："笑起来的时候也有点像。"

燕七冷冷道："我既然很像女人，你为什么还要老跟着我呢？"

郭大路笑道："你若真是个女人，我就更要跟着你了。"

燕七忽然扭过头，站了起来，找着火石，点起了桌上的灯。

他好像有点不敢和郭大路单独坐在黑暗里。

灯光亮起，将他的影子照在窗户上。

郭大路忽然一把将他拉了过来，好像要抱住他的样子。

燕七失声道："你……你干什么？"

郭大路道："你若站在那里，岂非刚好做那千手千眼大蜈蚣的活靶子？"

他眼珠子一转，眼睛忽然亮了起来，喃喃道："这倒也是个好主意。"

燕七瞪了他一眼，道："你还会有什么好主意？"

郭大路道："那大蜈蚣既然喜欢用暗器伤人，我们不如就索性替他找几个活靶子来。"

燕七皱眉道："你想找谁做他的活靶子？"

郭大路道："稻草人。"

他接着又道："我们去把那些稻草人搬进来，坐在这里，从窗户外面看来，又有谁能看得出它们是不是活人？"

燕七皱着的眉头展开了。

郭大路道："那大蜈蚣只要看到窗户上的人影，就一定会手痒的。"

燕七道："然后呢？"

郭大路道："我们在外面等着，只要他的手一痒，我们就有法子对付他了。"

燕七沉吟着，淡淡道："你以为这主意很好？"

郭大路道："就算不好，也得试试，我们总不能一直在这里等着死，总得想法子把他们引出来。"

燕七道："莫忘了那些稻草人也一样会伤人的。"

郭大路道："无论如何，稻草人总是死的，总比活人好对付些。"

燕七叹了口气，道："好吧，这次我就听你的，看看你这笨主意行不行得通。"

郭大路笑道："笨主意至少总比没有主意好些。"

稻草人的影子映在窗户上，从外面看来，的确和真人差不多。

因为这些稻草人不但穿着衣服，还戴着帽子。

夜已很深，风吹在身上就好像刀割。

郭大路和燕七虽然躲在屋子下避风的地方，还是冷得要发抖。

燕七忽然道："现在要是有点酒喝喝，就不会这么冷了。"

郭大路笑道："想不到你也有想喝酒的时候。"

燕七叹道："这就叫'近墨者黑'。一个人若是天天跟酒鬼在一起，迟早要变成个酒鬼的。"

郭大路笑道："所以你迟早也总会有不讨厌女人的时候。"

燕七忽又板起脸，不再说话。

过了半晌，郭大路又道："我总想不通，像王老大这种人，怎么会和那些大蜈蚣、赤链蛇结下仇来的？而且仇恨竟如此之深。"

燕七冷冷道："想不通最好就不要想。"

郭大路道："你难道不觉得奇怪？"

燕七道："不觉得。"

郭大路道："为什么？"

燕七道："因为我从来不想探听别人的秘密，尤其是朋友的秘密。"

郭大路只好不作声了。

过了很久，突然听到“咕”的一声。

燕七动容道：“是什么东西在响？”

郭大路叹了口气，苦笑道：“是我的肚子。”

他实在饿得要命。

又过了很久，突然又听到“咯”的一声。

郭大路道：“这次又是什么在响？”

燕七咬着嘴唇，道：“是我的牙齿。”

他已冷得连牙齿都在打战。

郭大路道：“你既然怕冷，为什么不靠过来一点？”

燕七道：“嘘——”

郭大路道：“这是什么意思？”

燕七道：“就是叫你莫要出声的意思，你的嘴若老是不停，那大蜈蚣怎会现身。”

郭大路果然不敢出声了。

他什么都不怕，也不怕那些人来，只怕他们不来。

这样子等下去，实在叫人受不了。

最令人受不了的是，谁也不知那些人什么时候会出现，也许要等上好几天，也许就在这一刹那间。

郭大路正想将手里提着的渔网盖到燕七身上去。

这渔网又轻又软，但却非常结实，也不知道是什么做的，林太平将它带了回来，郭大路就准备用它来对付那大蜈蚣。准备以牙还牙，以眼还眼。

渔网虽轻，但燕七心里却充满温暖之意。

突然间，一条人影箭一般自墙外蹿了进来，凌空一个翻身，满天寒光闪动，已有三四十件暗器暴雨般射入了窗户。

这人来得好快。

暗器更快。

郭大路和燕七竟都未看出他这些暗器是怎么射出来的。

暗器射出，这人脚尖点地，立刻又腾身而起，准备蹿上屋脊。

他的人刚掠起，突然发现一面大网已当头罩了上来，他的人正往上蹿，看来就好像是他自己在自投罗网一样。

他大惊之下，还想挣脱，但这渔网已像蛛丝般缠在他身上。

郭大路高兴得忍不住大叫起来，叫道：“看你还能往哪里逃？”

燕七已蹿过去，一脚往这人腰畔的“血海”穴上踢了过去。

谁知就在这时，网中又有十几点寒光暴雨射了出来。

这次轮到郭大路和燕七大吃一惊了。

也就在这同一刹那间，墙外忽然有一只钩子飞进来，钩住了渔网。

钩子上当然还带着条绳子。

绳子当然有只手拉着。

手一抡，渔网就被拉了起来。

渔网被拉起的时候，郭大路已向燕七扑了过去。

他和燕七虽然同时吃了一惊，但暗器却并不是同时射向他们两个人的。

所有的暗器全都向燕七射了过去。

所以郭大路比燕七更惊、更急。

他心里虽然没有想到该怎么办，人却已向燕七扑了过去，扑在燕七身上。

两个人一起滚到地上。

郭大路觉得身上一阵刺痛，突然间，全身都已完全麻木。

连知觉都已麻木。

他既未看到渔网被拉起，也未看到网中的人翻身跃起。

昏迷中，他只听见了两声呼叫，一声惊呼，一声惨呼。

但他已分不清惊呼是谁发出来的，惨呼又是谁发出来的了。

他只知道自己绝没有叫出来。

因为他的牙咬得很紧。

有的人平时也许会大喊大叫，但在真正痛苦时，却连哼都不会哼一声。

郭大路就是这种人。

有的人看到朋友的危险时，就会忘了自己的危险。

郭大路也正是这种人。

只要他一冲动起来，他就根本不顾自己的死活。

08

惊呼声仿佛已渐渐遥远，渐渐听不见了。

这是什么声音呢？

是不是有人在啜泣？

郭大路张开眼睛，就看到燕七脸上的泪珠。

燕七看到他张开眼睛，却又忍不住失声而呼，大喜道：“他醒过来了。”

旁边立刻有人接着道：“好人不长命，祸害遗千年，我早就知道他一定死不了的。”

这是王动的声音。

他声音本总是冷冷淡淡，但现在却好像有点发抖。

然后郭大路才看到他的脸。

他那张冷冷淡淡的脸，现在居然也充满了兴奋和激动。

郭大路笑道：“你们难道以为我已经死了么？”

他的确是在笑，但笑的样子却像是在哭。

因为他一笑全身就发疼。

燕七悄悄擦干了眼泪，道：“你好好地躺着，不准走，也不准说话。”

郭大路道：“是。”

燕七道：“连一个字都不准说。”

郭大路点点头。

燕七道：“也不准点头，连动都不准动。”

郭大路果然一动都不动了，眼睛还是张得很大，凝视着燕七。

燕七轻轻地叹了口气：“你身下中了一根丧门钉、一根袖箭，还加上两根毒针，这条命简直是捡回来的，所以你就该特别爱惜才是。”

说着说着，他眼圈又红了。

王动也叹了口气，道：“你不准他说话，他也许更难受。”

郭大路道：“答对了。”

燕七瞪了他一眼，道：“看来我真该将这人的嘴缝起来才对。”

郭大路道：“我不说话的时候才会觉得痛。”

燕七道：“没有这回事。”

郭大路道：“有。”

他想笑，又忍住，慢慢地接着道：“因为我只要一说话，就什么痛苦都忘了。”

燕七看着他，那眼色也不知是怜惜？是埋怨？还是另外有种说也说不出、猜也猜不透的情感？

他的脸却是苍白的，就好像窗纸的颜色一样。

窗纸已白，天已亮了。

这一夜虽然过得很艰苦，但总算已过去。

郭大路忍不住又问道：“那大蜈蚣呢？”

燕七道：“现在已变成了死蜈蚣。”

郭大路听到的那声惨呼，正是他发出来的。

但百足之虫，死而不僵，所以郭大路又追问道：“是不是真的死了？完全死了？”

燕七没有回答，回答的人是林太平。

林太平道：“我保证他死得又干净、又彻底。”

郭大路道：“是你杀了他的？”

林太平摇摇头，道：“是燕七。”

他忽然笑了笑，道：“你是不是没有想到他在那种情况下还能替你报仇？”

郭大路的确想不到，那时他自己明明是压在燕七身上的。他想问燕七，但燕七却已又扭转了头。

林太平道：“我也没有想到，但我却看见那大蜈蚣刚跳起来，就有一把刀刺入他的咽喉，也看到了地上的血。”

郭大路道：“地上只有血？他的人呢？”

林太平道：“走了，带着刀走的。”

郭大路道：“死人还能走？”

林太平道：“因为这死人还剩下一口气，最多也只不过剩下一口气而已。”

郭大路憋在心里的一口气也吐出来了，展颜道："看来我们倒还没有吃亏。"

林太平道："不错，现在我们正好是四个对他们四个。"

郭大路苦笑道："只可惜我最多已只能算半个。"

王动忽然道："他们也只不过剩下三个而已。"

林太平道："红娘子、赤链蛇、催命符。"

郭大路道："莫忘了还有个一飞冲天鹰中王。"

王动道："我忘不了的。"他神色忽然变得很奇怪，目光似乎在看着很遥远的地方。

郭大路道："红娘子、赤链蛇、催命符，再加上鹰中王，岂非正是四个？"

王动道："三个。"

郭大路道："三个加一个，为什么还是三个？"

王动眼睛里空空洞洞的，也不知在看着什么，脸上恍恍惚惚的，也不知在想着什么。

过了很久，他才一字字地缓缓道："因为我就是一飞冲天鹰中王。"

没有人问王动的过去，因为他们都很能尊重别人的秘密。

王动不说，他们绝不问。王动的秘密是王动自己说出来的。

09

王动并不是天生就不喜欢动的。

他小时候非但喜欢动，而且还喜欢得要命，动得厉害。

六岁的时候，他就会爬树。

他爬过各式各样的树，所以也从各式各样的树上摔下来过。

用各式各样不同的姿势摔下来过。

最惨的一次，是脑袋先着地，那次他一个脑袋几乎摔成了两个。

等到他开始可以像猴子似的用脚尖吊在树上的时候，他才不再爬树。

因为爬树已变成好像睡在被窝里一样安全，已连一点刺激都没有了。

从那时候开始，他父母每天都要出动全家的佣人去找他。

那时他们家道虽已中落，但佣人还是有好几个。每次他们把他找回来的时候，都已精疲力竭，好像用手指头一点就会倒下。

但他却还鲜蹦活跳的，比刚出水的虾子还生猛得多。

到后来谁也不愿意去找他了。

宁可砍八百斤柴也不愿去找他。

宁可卷铺盖也不愿去找他。

所以他的父母也只有放弃这念头，随便他高兴在外面玩多久，就玩多久。

幸好他每隔三两天总还回来一次。

回来洗澡、吃饭、换衣服。

回来要零用钱。

因为那时他还只有十三四岁，还觉得向父母要钱是件天经地义的事。

等他再长大一点，觉得自己已应该独立的时候，他父母就难再见到他的人了，老先生和老太太也不知在暗中发过多少誓：

“下次等他一回来，就用条铁链子把他锁住，用棍子打断他的两条腿，看他还能不能到外面去野去。”

但等他下次回来的时候，看到他又脏又饿、面黄肌瘦的样子，老先生的心又软了，最多也只不过把他叫到书房里去训一顿。

老太太更早已赶着下厨房去炖鸡汤，老先生的训话还没有结束，鸡腿已经塞在儿子嘴里了。

世上也许只有独生子的父母们，才能了解他们这种心情。

做儿女的人是永远不会懂的。

王动也不例外。

他只懂得，男子汉长大了之后，就应该到外面去闯天下。

所以他就开始到外面去闯天下。

那时他才十七岁。

就和天下大多数十七八岁的少年一样，王动刚离开家的时候，心里只有充满了兴奋，充满了大志。

但等到挨过两天饿之后，就渐渐会开始想家了。

然后他就会觉得心里很空虚，很寂寞。

他就会拼命想去结交新的朋友——当然最好是个红粉知己。

有哪个十七八的小伙子，心里不在渴望着爱情，幻想着爱情呢？

等他寂寞得要命的时候，那救苦救难的红娘子就出来了。

她了解他的雄心，也了解他的苦闷。

她安慰他，鼓励他——鼓励他去做各种事。

“男子汉若在世上，什么事都应该去尝试尝试。”

在他说来，她说的话就是圣旨。

“一个人活着，就要有钱，有名，因为人活着本就是为了享受。”

那时他还不知道，人生中除了享受之外，还有许多更有意义的事。

所以为了成名，他不惜做各种事。

他成名了。

他二十还不到，就已变成了赫赫有名的“一飞冲天鹰中王”。

成名的确是件很愉快的事。

他糊里糊涂地做了很多事，糊里糊涂地成了名。

他身上穿的是最华贵的衣裳，喝的是三两银子一斤的酒。

他已懂得挑剔裁缝的手工。

鱼翅若是炖得还差一分火候，他立刻就会摔到厨子脸上去。

他不但已懂得享受，而且享受得真不错。

他本已应该很满意。

但也不知为了什么，他忽然又有了痛苦，有了烦恼，而且比以前还烦恼得多。

他本来一沾上枕头就睡得很甜，但现在却时常睡不着了。

睡不着的时候，他就会问自己：“我做的这些事是不是应该做的？”

“我交的这些朋友，是不是真的好朋友？”

“一个人除了自己享受之外，是不是还应该想想别的事？”

他忽又开始想家，想他的父母。

世上手艺最好的厨子，也炖不出母亲亲手炖的那种鸡汤。

那种恭维奉承的话，也渐渐变得没有父亲的训话好听了。

就连红娘子的甜言蜜语，听起来也没有以前那么令他动心。

这些还都不算很重要。

最重要的是，他忽然想做一个正正当当的人。

一个晚上能够安安心心睡觉的人。

所以他开始计划，脱离这种生活，脱离这种朋友。

他当然也知道他们绝不会放他走的。

第一，因为他们还需要他。

第二，因为他知道的秘密太多。

唯一幸运的是，在他们面前，他始终没有提起过他的家，他的父母。

这也不知道是他怕父母丢了他的人，还是怕他自己丢了父母的人。

他的父母并不是什么了不起的大人物。

他的朋友们，也没有问过他的家庭背景，只问过他："你武功是怎么练出来的？"

他的武功，是他小时候在外面野的时候学来的——一个很神秘的老人，每天都在暗林中等着他，逼着他苦练。

他始终不知道这老人是谁，也不知道他传授的武功究竟有多高。

直到他第一次打架的时候才知道。

这是他的奇遇。又奇怪，又神秘。

所以他从未在别人面前提起，因为说出了也没有人相信。

有时连他自己都不太相信。